고등 국어
HIGH SCHOOL

문제은행 실전기출

지학 | 이삼형

이 책의 단원 구성

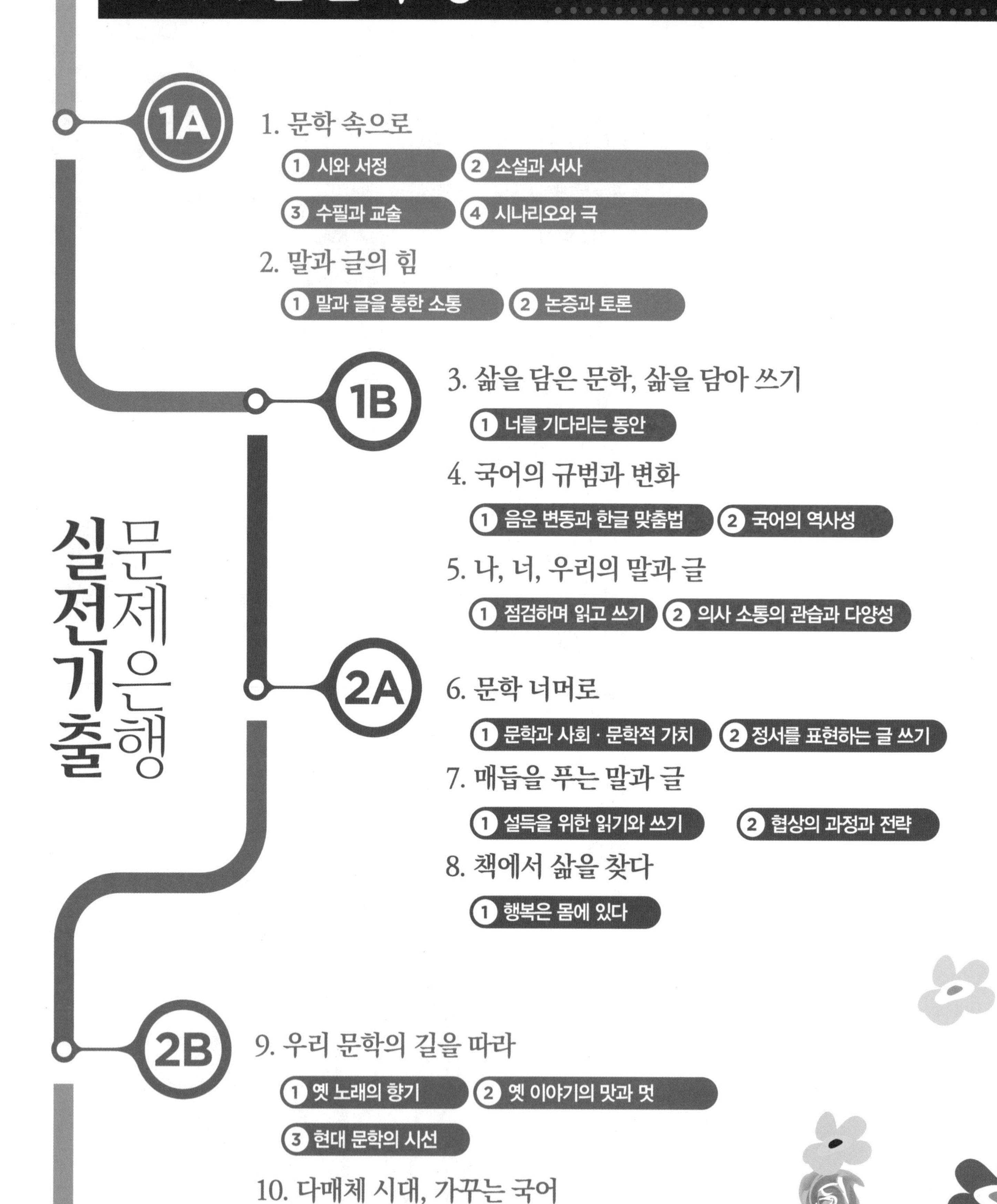

1A
1. 문학 속으로
1 시와 서정
2 소설과 서사
3 수필과 교술
4 시나리오와 극
2. 말과 글의 힘
1 말과 글을 통한 소통
2 논증과 토론
1B
3. 삶을 담은 문학, 삶을 담아 쓰기
1 너를 기다리는 동안
4. 국어의 규범과 변화
1 음운 변동과 한글 맞춤법
2 국어의 역사성
5. 나, 너, 우리의 말과 글
1 점검하며 읽고 쓰기
2 의사 소통의 관습과 다양성
2A
6. 문학 너머로
1 문학과 사회 · 문학적 가치
2 정서를 표현하는 글 쓰기
7. 매듭을 푸는 말과 글
1 설득을 위한 읽기와 쓰기
2 협상의 과정과 전략
8. 책에서 삶을 찾다
1 행복은 몸에 있다
실전기출
문제은행
2B
9. 우리 문학의 길을 따라
1 옛 노래의 향기
2 옛 이야기의 맛과 멋
3 현대 문학의 시선
10. 다매체 시대, 가꾸는 국어
1 문법 요소와 언어 예절
2 매체와 국어 생활

이 책의 구성 및 특징

교과서 확인학습

- 교과서 핵심내용 해설 및 확인 문제
- 교과서 지문의 핵심내용 파악, 어휘 및 구문 풀이
- O,X 문제 및 서답형 문제 학습

객관식 기본문제

- 기초단계 기출문제 제시 및 풀이능력 체크
- 각 단원의 핵심문제 제시
- 교과서 기반의 기본적인 학습능력 제공

객관식 심화문제

- 중상급 난이도 기출문제 제시 및 오답풀이
- 전국 고등학교 중요 기출문제 엄선 및 풀이
- 변별력 있는 문제 중심으로 기출유형 분석
- 교과서 밖 연계지문 활용 고난도 문제풀이

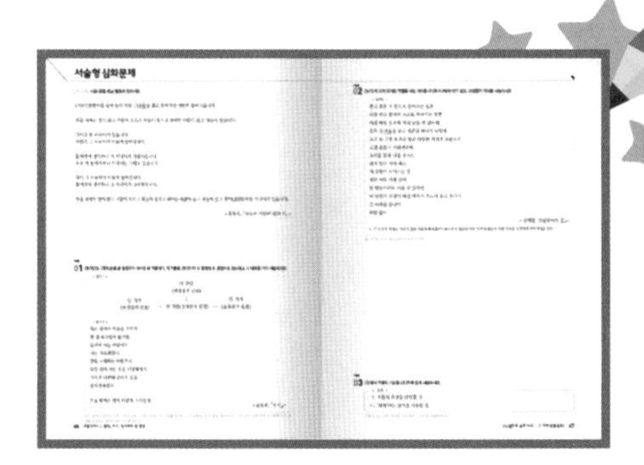

서술형 심화문제

- 서술형 기출문제 제시 및 풀이능력 향상
- 배점 높은 서술형 문제의 적중도를 높임

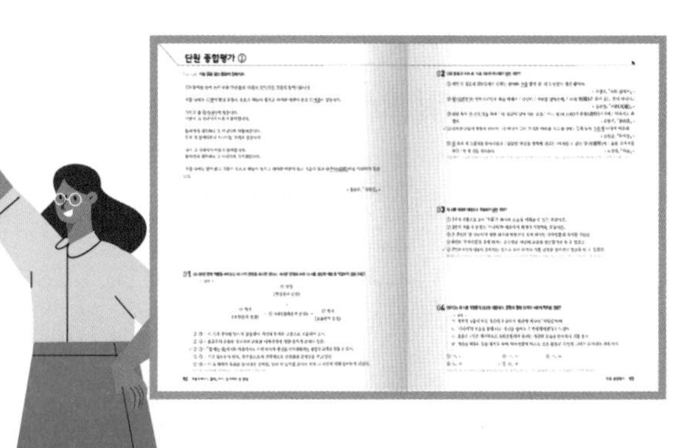

단원별 종합평가

- 단원별 학습 후 모의시험을 통한 수준평가
- 각 단원의 최종 점검 및 학습 마무리

Contents

9

우리 문학의 길을 따라

가시리

– 작자 미상 –

특별한 의미 없이 리듬을 맞추기 위한 여음
가시리 가시리잇고 나ᄂᆞᆫ
'가시리잇고'의 축약형으로 '가시렵니까'의 의미
ᄇᆞ리고 가시리잇고 나ᄂᆞᆫ
위 증즐가 대평셩ᄃᆡ(大平盛代)
별다른 뜻이 없는 여음구로, 구전되다가 후대에 궁중의 악곡으로 수용되는 과정에서 첨가됨(조흥구, 후렴구)

날러는 엇디 살라 ᄒᆞ고
떠나는 임에 대한 원망과 슬픔
ᄇᆞ리고 가시리잇고 나ᄂᆞᆫ
1연의 2행을 반복하여 이별의 슬픔과 정한을 강조함.
위 증즐가 대평셩ᄃᆡ(大平盛代)

잡ᄉᆞ와 두어리마ᄂᆞᄂᆞᆫ
차마 임을 붙잡지 못하는 전통적인 여인의 모습
선ᄒᆞ면 아니 올셰라
서운하면 아니 올까 두렵습니다 → 화자가 임을 붙잡지 못하는 이유
위 증즐가 대평셩ᄃᆡ(大平盛代)

셜온 님 보내ᄋᆞᆸ노니 나ᄂᆞᆫ
①(화자를) 서럽게 하는 임을 보내드리오니 (서러움의 주체 : 시적 화자) ②이별을 서러워하는 임을 보내드리오니(서러움의 주체 : '임')
→ 일반적으로 ①로 해석하지만 ②로 보는 견해도 있음.
가시ᄂᆞᆫ ᄃᆞᆺ 도셔 오쇼셔 나ᄂᆞᆫ
가시자마자 돌아서서 오십시오.
위 증즐가 대평셩ᄃᆡ(大平盛代)

–『악장가사』–

- **가시리** '가시리잇고'의 준말. '가시렵니까'라는 뜻.
- **나ᄂᆞᆫ** 율격을 맞추고 흥을 돋우기 위해 넣은 어구.
- **위 증즐가** 대평셩ᄃᆡ(大平盛代) 율격을 맞추기 위해 넣은 의미 없는 후렴구.
- **잡ᄉᆞ와** 붙잡아.
- **선ᄒᆞ면** 서운하면, 귀찮게 하면.
- **아니 올셰라** 아니 올까 두렵습니다.
- **셜온 님** 서러운 님.

⊙ 핵심정리

갈래	고려 가요	성격	서정적, 민요적, 애상적
제재	임과의 이별 주제 이별의 정한(情恨)		
율격	3 · 3 · 2조, 3음보의 율격		
특징	• 한시(漢詩)와 같은 '기 – 승 – 전 – 결'의 4단 구성을 취함. • 화자의 정서를 간결한 형식에 담아 절묘하게 표현함. • 민족의 전통적 정서인 한(恨)의 정서를 형상화함.		

확인학습

01 이 시는 연의 구분이 있고 3음보의 율격을 따르고 있다. O□ X□

02 이 시는 보편적인 정서를 소박하고 진솔하게 표현한다. O□ X□

03 이 시는 의미상 '기승전결(起承轉結)'의 4단 구성을 취하고 있다. O□ X□

04 이 시는 궁중 음악으로 편입되는 과정에서 후렴구가 추가되었다. O□ X□

05 이 시의 후렴구는 주제를 효과적으로 부각한다. O□ X□

06 이 시의 후렴구는 시각적으로 연을 구분 짓고 시의 구조에 통일성을 부여한다. O□ X□

07 이 시는 이별의 상황을 중심으로 시상을 전개하고 있다. O□ X□

08 이 시는 임이 떠나지 않기를 바라는 시적 화자의 소망이 느껴진다. O□ X□

09 이 시는 떠나는 임을 원망하며 이별의 이유를 자신의 탓으로 돌리는 시적 화자의 태도가 드러나 있다. O□ X□

10 이 시의 화자는 이별에 순응하고 임과의 재회를 염원하고 있다. O□ X□

11 이 시의 갈래는 10구체 향가이다. O□ X□

12 이 시의 후렴구는 이별의 상황과 잘 어울린다. O□ X□

13 이 시의 시적 화자의 감정은 '안타까움 → 슬픔, 원망 → 체념 → 소망, 기원'으로 변화한다. O□ X□

14 이 시는 유교의 충효 사상과 같은 관념적 내용을 담고 있다. O□ X□

15 이 시는 구전되어 오다가 훈민정음 창제 이후에 문자로 기록되었다. O□ X□

■

속미인곡(續美人曲)

'미인'의 의미: 일반적으로 미인은 용모가 아름다운 여인이나 재덕이 뛰어난 사람을 가리키나 여기서는 '임금'을 의미함.

– 정철 –

뎨 가ᄂᆞᆫ 뎌 각시 본 듯도 ᄒᆞᆫ뎌이고

저 각시(젊은 여자) / 하구나, 하도다

(텬샹(天上) ᄇᆡᆨ옥경(白玉京)을 엇디ᄒᆞ야 니별(離別)ᄒᆞ고) ( ): 여인2는 임과 이별한 처지로, 관직에서 물러나 은거하게 된 작가의 상황을 대변하기 위해 설정된 인물임

임금이 있는 궁궐을 의미함.

ᄒᆡ 다 뎌 져믄 날의 눌을 보라 가시ᄂᆞᆫ고

저문 / 누구를

어와 네여이고 이내 ᄉᆞ셜 드러 보오

두 여인의 대화 형식을 취하고 있음을 알 수 있게 해 주는 구절

내 얼굴 이 거동이 님 괴얌즉 ᄒᆞᆫ가마ᄂᆞᆫ

모습, 형체

엇딘디 날 보시고 네로다 녀기실ᄉᆡ

너로구나 / 여기시므로

나도 님을 미더 군ᄠᅳ디 전혀 업서

이ᄅᆡ야 교ᄐᆡ야 어ᄌᆞ러이 ᄒᆞ돗쎤디

여인2가 생각하는 이별의 이유

반기시ᄂᆞᆫ ᄂᆞᆺ비치 네와 엇디 다ᄅᆞ신고

얼굴 빛이, 안색이

누어 ᄉᆡᆼ각ᄒᆞ고 니러 안자 혜여ᄒᆞ니

「내 몸의 지은 죄 뫼ᄀᆞ티 빠혀시니

산같이 쌓였으니

하ᄂᆞᆯ히라 원망ᄒᆞ며 사ᄅᆞᆷ이라 허믈ᄒᆞ랴

탓하랴

셜워 플텨 헤니 조믈(造物)의 타시로다」 「」: 임과 헤어진 이유가 자신의 잘못과 조물주의 탓이라고 생각함. →운명론적 사고관을 지녔음. 한편으로 신하로서 군주를 비판하지 않는 유학자의 자세가 드러남

조물주

글란 ᄉᆡᆼ각마오 ᄆᆡ친 일이 이셔이다

임에 대한 사랑(충정)을 다하지 못한 점, 임을 제대로 보필하지 못한 점에 대한 안타까움의 표현

님을 뫼셔 이셔 님의 일을 내 알거니

모셨던 적이 있어

믈 ᄀᆞᄐᆞᆫ 얼굴이 편ᄒᆞ실 적 몃 날일고

임의 건강을 염려함

「츈한 고열(春寒苦熱)은 엇디ᄒᆞ야 디내시며

츄일 동텬(秋日冬天)은 뉘라셔 뫼셧ᄂᆞᆫ고

쥭조반(粥早飯) 죠셕(朝夕) 뫼 녜와 ᄀᆞᆺ티 셰시ᄂᆞᆫ가

기나긴 밤의 ᄌᆞᆷ은 엇디 자시ᄂᆞᆫ고」 「」: 임의 일상에 대한 염려

님다히 쇼식(消息)을 아므려나 아쟈 ᄒᆞ니

어떻게든지

오ᄂᆞᆯ도 거의로다 ᄂᆡ일이나 사ᄅᆞᆷ 올가

거의 지나갔구나

내 ᄆᆞ음 둘 ᄃᆡ 업다 어드러로 가쟛 말고

내 마음 둘 곳 없다

잡거니 밀거니 놉픈 뫼희 올라가니

높은 산에

구롬은ᄏᆞ니와 안개ᄂᆞᆫ 므ᄉᆞ 일고

□: 화자(여인 2)와 임 사이를 가로막는 장애물. 당시 임금의 눈을 가리던 조정의 간신들

산쳔(山川)이 어둡거니 일월(日月)을 엇디 보며

해와 달:임금을 상징

지쳑(咫尺)을 모ᄅᆞ거든 쳔리(千里)ᄅᆞᆯ ᄇᆞ라보랴

아주 가까운 거리

출하리 믈ᄀᆞ의 가 ᄇᆡ 길히나 보랴 ᄒᆞ니

○: 공간의 이동 : 산 → 물가

ᄇᆞ람이야 믈결이야 어둥정 된더이고

샤공은 어ᄃᆡ 가고 뷘 ᄇᆡ만 걸렷ᄂᆞᆫ고

화자의 외로움을 드러내는 객관적 상관물

강텬(江天)의 혼쟈 셔셔 디ᄂᆞᆫ ᄒᆡᄅᆞᆯ 구버보니

님다히 쇼식(消息)이 더옥 아득ᄒᆞᆫ더이고

모쳠(茅簷) ᄎᆞᆫ 자리의 밤듕만 도라오니

추운 잠자리

반벽쳥등(半壁靑燈)은 눌 위ᄒᆞ야 ᄇᆞᆯ갓ᄂᆞᆫ고

화자의 외로움을 부각하는 소재 / 누굴 위하여 밝았는가

오ᄅᆞ며 ᄂᆞ리며 헤ᄯᅳ며 바자니니

헤매며 방황하는 화자의 모습

져근덧 녁진(力盡)ᄒᆞ야 픗ᄌᆞᆷ을 잠간 드니

잠시 / 기운이 다하여

정셩(精誠)이 지극ᄒᆞ야 ᄭᅮᆷ의 님을 보니

화자가 그리운 임을 만날 수 있는 매개체

옥(玉) ᄀᆞᄐᆞᆫ 얼구리 반(半)이 나마 늘거셰라

옥 같은 모습(임의 곱던 모습)이

ᄆᆞᄋᆞᆷ의 머근 말ᄉᆞᆷ 슬ᄏᆞ장 ᄉᆞᆲ쟈 ᄒᆞ니

눈믈이 바라나니 말ᄉᆞᆷ인들 어이 ᄒᆞ며

정(情)을 못다ᄒᆞ야 목이조차 메여ᄒᆞ니

오뎐된 계셩(鷄聲)의 ᄌᆞᆷ은 엇디 ᄭᅵ돗던고

방정맞은 닭 울음소리: 꿈을 깬 것에 대한 화자의 서운함

어와 허ᄉᆞ(虛事)로다 이 님이 어ᄃᆡ 간고

결의 니러 안자 창(窓)을 열고 ᄇᆞ라보니

어엿븐 그림재 날 조ᄎᆞᆯ ᄲᅮᆫ이로다

홀로 된 화자의 쓸쓸한 모습

출하리 싀여디여 낙월(落月)이나 되야이셔

△: 여인 2가 '낙월'을 통해 임을 따르겠다는 소극적 사랑을 노래했다면, 여인 1은 '궂은 비'를 통해 적극적 사랑을 제시하며 위로함.

님 겨신 창(窓) 안히 번드시 비최리라

각시님 ᄃᆞᆯ이야ᄏᆞ니와 구ᄌᆞᆫ 비나 되쇼셔

여인 1의 위로:적극적인 사랑의 태도

– 『송강가사(松江歌辭)』 –

⦿ 핵심정리

갈래	서정 가사, 양반 가사, 정격 가사	성격	서정적, 충신연주지사(忠信戀主之詞)
제재	임에 대한 그리움	형식	대화체, 3(4)·4조, 4음보 연속체
주제	임금을 그리는 정		
특징	• 임금을 사모하고 그리워하는 마음을 임과 이별한 여인의 심정에 빗대어 표현함. • 대화체 형식으로 시상을 전개함. • 우리말의 묘미를 잘 살려 표현함. • 자연물에 상징적 의미를 부여하여 화자의 심정을 간접적으로 표현함.		
구성	• 서사: 임과 이별한 사연 • 본사: 임에 대한 사랑과 그리움 • 결사: 죽어서라도 이루고자 하는 사랑		

⦿ 어휘풀이

- **뎨** 저기에.
- **빅옥경(白玉京)** 하늘 위에 옥황상제가 산다고 하는 가상적인 서울.
- **ᄉᆞ셜** 사설(辭說). 늘어놓는 말이나 이야기.
- **괴얌즉** 사랑받음직.
- **군ᄠᅳ디** 군뜻이. 다른 생각이.
- **이릐야** 아양이야.
- **교틔야** 애교 부리는 태도며.
- **ᄒᆞ돗썬디** 하였던지.
- **녜와** 예와. 예전과
- **혜여ᄒᆞ니** 헤아리니. 곰곰이 생각하니.
- **하ᄂᆞᆯ히라** 하늘이라고.
- **플텨** 헤니 풀어 헤아리니.
- **츈한** 고열(春寒苦熱) 이른 봄의 추위와 여름철의 괴로운 더위.
- **츄일 동텬(秋日冬天)** 가을날과 겨울날.
- **쥭조반(粥早飯)** 아침 먹기 전에 일찍 먹는 죽.
- **죠셕(朝夕)** 뫼 아침저녁의 밥.
- **셰시ᄂᆞᆫ가** 올리시는가. 잡숫게 하시는가. '셰다'는 '받들어 세우다', '받들게 하다'는 뜻의 옛말.
- **님다히** 임의 쪽. 임이 계신 곳. '다히'는 '쪽'이라는 뜻의 옛말.
- **아므려나** 어떻게든지.
- **ᄏᆞ니와** 물론이거니와.
- **어둥졍** 어리둥절하게.
- **강텬(江天)** 멀리 보이는, 강 위의 하늘. 여기서는 '강가'의 뜻으로 쓰임.
- **모쳠(茅簷)** 띠로 지붕을 이은 초가집.
- **반벽청등(半壁靑燈)** 벽 가운데 달린 등불.
- **헤쓰며** 헤매며. 산란한 마음으로 오고가고 하며.
- **바자니니** 바장이니. 부질없이 짧은 거리를 오락가락 거니니. '바자니다'는 '바장이다'의 옛말.
- **슬ᄏᆞ장** 실컷.
- **ᄉᆞᆲ쟈** ᄒᆞ니 아뢰자 하니. 여쭙고자 하니.
- **바라나니** 바로 나니. 즉시 나니.
- **오뎐된** 방정맞은.
- **결의** 꿈결에. 얼떨결에.
- **어엿븐** 가엾은. '어엿브다'는 '불쌍하다'의 옛말
- **싀여디여** 죽어져서.
- **낙월(落月)** 지는 달.
- **번드시** 드러나게. 뚜렷이. 환하게.
- **ᄃᆞᆯ이야ᄏᆞ니와** 달은 말할 나위 없고. 달은 물론이고.

확인학습

01 이 글은 임의 일상생활을 염려하는 섬세함을 드러낸다. O□ ×□

02 우리말의 아름다움을 잘 살린 작품으로 평가받는다. O□ ×□

03 현실의 갈등을 종교에 귀의함으로써 극복하려 한다. O□ ×□

04 이 작품은 두 여인의 (   )로 엮은 것으로, 주로 '여인 2'가 자신의 사연을 길게 이야기하고, '여인 1'이 짧게 대답하는 방식을 취하고 있다. 이 두 여인이 주고받는 이야기의 내용은 작가의 내면 의식이 형상화한 것으로 볼 수 있다.

05 이 작품에서 (   )은 임과의 재회를 가능하게 하는 시공간이지만, 가상적이고 일시적이라는 한계를 지닌다.

06 (   )는 홀로 있는 화자의 처지를 강조하는 소재이다.

07 '옥(玉) ᄀᆞᄐᆞᆫ 얼구리'은 외로움과 그리움으로 늙어버린 화자를 형상화한 표현으로 볼 수 있다. O□ ×□

08 (   )는 임이 계신 곳 , 임금이 계신 한양, 대궐을 의미하는 소재이다.

객관식 기본문제

[01~07] 다음 글을 읽고 물음에 답하시오.

(가) 가시리 가시리잇고 나ᄂᆞᆫ
ᄇᆞ리고 가시리잇고 나ᄂᆞᆫ
위 증즐가 대평셩대(大平聖代)

날러는 엇디 살라 ᄒᆞ고
ᄇᆞ리고 가시리잇고 나ᄂᆞᆫ
위 증즐가 대평셩대(大平聖代)

잡ᄉᆞ와 두어리마ᄂᆞᄂᆞᆫ
선ᄒᆞ면 아니 올셰라.
위 증즐가 대평셩대(大平聖代)

셜온 님 보내ᄋᆞᆸ노니 나ᄂᆞᆫ
가시ᄂᆞᆫ ᄃᆞᆺ 도셔 오쇼셔 나ᄂᆞᆫ
위 증즐가 대평셩대(大平聖代)

– 「악장가사」 –

(나) 뎨 가ᄂᆞᆫ 뎌 각시 본 듯도 ᄒᆞᆫ뎌이고
텬샹(天上) ᄇᆡᆨ옥경(白玉京)을 엇디ᄒᆞ야 니별(離別)ᄒᆞ고
ᄒᆡ 다 뎌 져믄 날의 눌을 보라 가시ᄂᆞᆫ고
어와 네여이고 이내 ᄉᆞ셜 드러 보오
내 얼굴 이 거동이 님 괴얌즉 ᄒᆞᆫ가마ᄂᆞᆫ
엇딘디 날 보시고 네로다 녀기실ᄉᆡ
나도 님을 미더 군ᄠᅳ디 전혀 업서
이ᄅᆡ야 교ᄐᆡ야 어ᄌᆞ러이 ᄒᆞ돗썬디
반기시ᄂᆞᆫ ᄂᆞᆺ비치 네와 엇디 다ᄅᆞ신고
누어 ᄉᆡᆼ각ᄒᆞ고 니러 안자 혜여ᄒᆞ니
내 몸의 지은 죄 뫼ᄀᆞ티 ᄡᅡ혀시니
하ᄂᆞᆯ히라 원망ᄒᆞ며 사ᄅᆞᆷ이라 허믈ᄒᆞ랴
셜워 플텨 혜니 조믈(造物)의 타시로다
글란 ᄉᆡᆼ각 마오 ᄆᆡ친 일이 이셔이다
님을 뫼셔 이셔 님의 일을 내 알거니
믈 ᄀᆞ튼 얼굴이 편ᄒᆞ실 적 몃 날일고
츈한 고열(春寒苦熱)은 엇디ᄒᆞ야 디내시며
츄일 동텬(秋日冬天)은 뉘라셔 뫼셧ᄂᆞᆫ고
쥭조반(粥早飯) 죠셕(朝夕) 뫼 네와 ᄀᆞᆺ티 셰시ᄂᆞᆫ가
기나긴 밤의 ᄌᆞᆷ은 엇디 자시ᄂᆞᆫ고
님다히 쇼식(消息)을 아므려나 아쟈 ᄒᆞ니
오ᄂᆞᆯ도 거의로다 ᄂᆡ일이나 사ᄅᆞᆷ 올가
내 ᄆᆞ음 둘 ᄃᆡ 업다 어드러로 가쟈 말고
잡거니 밀거니 놉픈 뫼ᄒᆡ 올라가니

㉠<u>구롬</u>은ᄏᆞ니와 안개ᄂᆞᆫ 므ᄉᆞ 일고
산쳔(山川)이 어둡거니 ⓐ<u>일월(日月)</u>을 엇디 보며
지쳑(咫尺)을 모ᄅᆞ거든 쳔 리(千里)ᄅᆞᆯ ᄇᆞ라보랴
ᄎᆞᆯ하리 믈ᄀᆞ의 가 ᄇᆡ 길히나 보랴 ᄒᆞ니
ᄇᆞ람이야 믈결이야 어둥졍 된뎌이고
샤공은 어ᄃᆡ 가고 븬 ᄇᆡ만 걸렷ᄂᆞᆫ고
강텬(江天)의 혼자 셔셔 디ᄂᆞᆫ ᄒᆡᄅᆞᆯ 구버보니
님다히 쇼식(消息)이 더옥 아득ᄒᆞᆫ뎌이고
모쳠(茅簷) ᄎᆞᆫ 자리의 밤듕만 도라오니
㉡<u>반벽쳥등(半壁靑燈)</u>은 눌 위ᄒᆞ야 ᄇᆞᆯ갓ᄂᆞᆫ고
오ᄅᆞ며 ᄂᆞ리며 <u>헤ᄯᅳ며</u> 바자니니
져근덧 녁진(力盡)ᄒᆞ야 픗ᄌᆞᆷ을 잠간 드니
졍셩(精誠)이 지극ᄒᆞ야 ᄭᅮᆷ의 님을 보니
옥(玉) ᄀᆞ튼 얼굴이 반(半)이 나마 늘거셰라
ᄆᆞ음의 머근 말ᄉᆞᆷ 슬ᄏᆞ장 ᄉᆞᆲ쟈 ᄒᆞ니
눈믈이 바라 나니 말ᄉᆞᆷ인들 어이ᄒᆞ며
졍(情)을 못다 ᄒᆞ야 목이조차 몌여ᄒᆞ니
<u>오뎐된</u> 계셩(鷄聲)의 ᄌᆞᆷ은 엇디 ᄭᆡ돗던고
어와 허ᄉᆞ(虛事)로다 이 님이 어ᄃᆡ 간고
결의 니러 안자 창(窓)을 열고 ᄇᆞ라보니
어엿븐 그림재 날 조ᄎᆞᆯ ᄲᅮᆫ이로다
ᄎᆞᆯ하리 <u>싀여디여</u> 낙월(落月)이나 되야이셔
님 겨신 창(窓) 안ᄒᆡ 번드시 비최리라
각시님 ᄃᆞᆯ이야ᄏᆞ니와 구ᄌᆞᆫ 비나 되쇼셔

－「송강가사(松江歌辭)」－

(다) 먼 후일 당신이 찾으시면
그때에 내 말이 “잊었노라.”

당신이 속으로 나무라면
“무척 그리다가 잊었노라.”

그래도 당신이 나무라면
“믿기지 않아서 잊었노라.”

오늘도 어제도 아니 잊고
먼 후일 그때에 “잊었노라.”

－ 김소월 「먼 후일」 －

01 (가), (나), (다)의 공통점으로 가장 적절한 것은?

① 정형화된 3음보의 율격을 갖고 있다.
② 헤어진 임에 대한 그리움을 표현하고 있다.
③ 시적 화자는 모두 소극적인 태도를 보이고 있다.
④ 반어법을 활용하여 화자의 정서를 강조하고 있다.
⑤ 기승전결의 전개를 통해 화자의 정서 변화를 표현하고 있다.

02 (가)에 대한 감상으로 알맞지 않은 것은?

① 후렴구를 넣어 연 구분과 함께 운율을 형성하고 있다.
② 1연에서는 화자가 떠나는 임에 대해 하소연을 하고 있다.
③ 2연에서는 떠나는 임에 대한 감정이 점차 고조되고 있다.
④ 3연에서는 원망의 태도를 절제하는 모습이 드러난다.
⑤ 4연에서는 떠나는 임에 대한 체념과 후회가 드러나 있다.

03 〈보기〉의 내용을 고려했을 때, (나)에 대한 감상으로 적절하지 않은 것은?

보기

• 정치적으로 실패한 신하가 임금에 대한 분노나 울분을 직접 토한다는 것은 불가능하다. 그래서 그는 버림받은 불행한 궁중의 여인이 되어 돌아오지 않는 임금을 그리워한다는 은유를 만들어 낸다. 이것은 불행한 여성을 상상 속에 설정함으로써 자신의 비극적 심정을 대리로 발산하는 방법이다.

– 김병국, 『서포 김만중의 생애와 문학』 –

• 「속미인곡」은 정철이 1585년에 당쟁으로 인해 관직에서 밀려나 낙향했을 때 지은 작품이다. 정철은 이 작품을 통해 임금인 선조에 대한 그리움과 변함없는 충절의 마음을 노래하고 있다.

① 충직한 신하의 마음을 여성적 어조로 표출하고 있다.
② 임금에 대한 충정을 임에 대한 사랑으로 표현하고 있다.
③ 작가는 여성 화자를 통해 당쟁의 적들을 우회적으로 비판하고 있다.
④ 밑줄 친 ⓐ는 임금을 상징한다고 볼 수 있다.
⑤ 결사 부분의 마지막 구절에는 궁으로 복귀하고자 하는 화자의 의지가 나타난다.

04 (나)의 ㉠, ㉡과 같은 의미로 쓰인 시어를 바르게 연결한 것은?

㉠	㉡
① ᄇᆞ람	샤공
② 믈결	구ᄌᆞᆫ 비
③ 안개	어엿븐 그림재
④ 디ᄂᆞᆫ ᄒᆡ	뵌 ᄇᆡ
⑤ 오뎐된 계성(鷄聲)	일월(日月)

05 (나)에서 첫 번째 화자를 '갑', 두 번째 화자를 '을'이라 했을 때, 작품에 대한 설명으로 옳지 <u>않은</u> 것은?

① 갑은 보조적 화자이고, 을은 중심 화자이다.
② 갑은 을의 소극적인 태도를 질책하고 있다.
③ 을이 갑에게 하소연을 하듯이 이야기하고 있다.
④ 갑과 을의 대화를 통해 을의 정서를 부각시키는 효과를 얻고 있다.
⑤ 갑과 을은 떠난 임에 대한 사랑을 상징적 시어를 통해 나타내고 있다.

06 (다)에 대한 감상으로 적절하지 <u>않은</u> 것은?

① 3음보의 민요적 율격이 드러난다.
② 시어의 반복을 통해 운율을 형성하고 있다.
③ 반복과 변조를 통해 주제를 강조하는 효과를 내고 있다.
④ 화자의 정서를 반어적으로 표현하여 떠난 임을 잊으려 하고 있다.
⑤ 미래의 상황을 가정하여, 임에 대한 화자의 그리움을 표현하고 있다.

07 (나)에 있는 어휘의 뜻이 바르게 연결된 것은?

① 님다히 : 님에게
② 아므려나 : 아무에게나
③ 해쓰면 : 해가 뜨며
④ 오뎐된 : 오전에
⑤ 싀여디여 : 죽어져서

[08~13] 다음 글을 읽고 물음에 답하시오.

(가) ㉠<u>가시리 가시리잇고</u> 나ᄂᆞᆫ
ᄇᆞ리고 가시리잇고 나ᄂᆞᆫ
㉡<u>위 증즐가 대평셩ᄃᆡ(大平聖代)</u>

㉢<u>날러는 엇디 살라 ᄒᆞ고</u>
ᄇᆞ리고 가시리잇고 나ᄂᆞᆫ
위 증즐가 대평셩ᄃᆡ(大平聖代)

잡ᄉᆞ와 두어리마ᄂᆞᄂᆞᆫ
㉣<u>선ᄒᆞ면 아니 올셰라.</u>
위 증즐가 대평셩ᄃᆡ(大平聖代)

셜온 님 보내ᄋᆞᆸ노니 나ᄂᆞᆫ
㉤<u>가시ᄂᆞᆫ ᄃᆞᆺ 도셔 오쇼셔</u> 나ᄂᆞᆫ
위 증즐가 대평셩ᄃᆡ(大平聖代)

– 작자미상, 「가시리」 –

(나) 뎨 가ᄂᆞᆫ 뎌 각시 본 듯도 ᄒᆞᆫ뎌이고
텬샹(天上) ᄇᆡᆨ옥경(白玉京)을 엇디ᄒᆞ야 니별(離別)ᄒᆞ고
ᄒᆡ 다 뎌 져믄 날의 눌을 보라 가시ᄂᆞᆫ고
어와 네여이고 이내 ᄉᆞ셜 드러 보오
내 얼굴 이 거동이 님 괴얌즉 ᄒᆞᆫ가마ᄂᆞᆫ
엇딘디 날 보시고 네로다 녀기실ᄉᆡ
나도 님을 미더 군ᄠᅳ디 전혀 업서
이ᄅᆡ야 교ᄐᆡ야 어ᄌᆞ러이 ᄒᆞ돗썬디
반기시ᄂᆞᆫ ᄂᆞᆺ비치 녜와 엇디 다ᄅᆞ신고
누어 ᄉᆡᆼ각ᄒᆞ고 니러 안자 혜여ᄒᆞ니
내 몸의 지은 죄 뫼ᄀᆞ티 ᄡᅡ혀시니
ⓐ<u>하ᄂᆞᆯ히라 원망ᄒᆞ며 사ᄅᆞᆷ이라 허믈ᄒᆞ랴</u>
셜워 플텨 혜니 조믈(造物)의 타시로다
글란 ᄉᆡᆼ각 마오 ᄆᆡ친 일이 이셔이다
님을 뫼셔 이셔 님의 일을 내 알거니
믈 ᄀᆞᄐᆞᆫ 얼굴이 편ᄒᆞ실 적 몃 날일고
츈한 고열(春寒苦熱)은 엇디ᄒᆞ야 디내시며
츄일 동텬(秋日冬天)은 뉘라셔 뫼셧ᄂᆞᆫ고
쥭조반(粥早飯) 죠셕(朝夕) 뫼 녜와 ᄀᆞᆺ티 셰시ᄂᆞᆫ가
기나긴 밤의 ᄌᆞᆷ은 엇디 자시ᄂᆞᆫ고
님다히 쇼식(消息)을 아므려나 아쟈 ᄒᆞ니
오ᄂᆞᆯ도 거의로다 ᄂᆡ일이나 사ᄅᆞᆷ 올가
내 ᄆᆞ음 둘 ᄃᆡ 업다 어드러로 가쟛 말고
잡거니 밀거니 놉픈 뫼히 올라가니
ⓑ<u>구롬은ᄏᆞ니와 안개ᄂᆞᆫ 므ᄉᆞ 일고</u>
산쳔(山川)이 어둡거니 일월(日月)을 엇디 보며
지쳑(咫尺)을 모ᄅᆞ거든 쳔 리(千里)ᄅᆞᆯ ᄇᆞ라보랴

출하리 믈ᄀᆞ의 가 ᄇᆡ 길히나 보랴 ᄒᆞ니
ᄇᆞ람이야 믈결이야 어둥졍 된뎌이고
샤공은 어ᄃᆡ 가고 븬 ᄇᆡ만 걸렷ᄂᆞᆫ고
강텬(江天)의 혼자 셔셔 디ᄂᆞᆫ ᄒᆡ를 구버보니
님다히 쇼식(消息)이 더옥 아득ᄒᆞᆫ뎌이고
모쳠(茅簷) ᄎᆞᆫ 자리의 밤듕만 도라오니
ⓒ반벽청등(半壁青燈)은 눌 위ᄒᆞ야 ᄇᆞᆰ갓ᄂᆞᆫ고
오ᄅᆞ며 ᄂᆞ리며 헤ᄠᅳ며 바자니니
져근덧 녁진(力盡)ᄒᆞ야 픗ᄌᆞᆷ을 잠간 드니
정셩(精誠)이 지극ᄒᆞ야 ᄭᅮᆷ의 님을 보니
옥(玉) ᄀᆞᄐᆞᆫ 얼굴이 반(半)이 나마 늘거셰라
ᄆᆞᄋᆞᆷ의 머근 말ᄉᆞᆷ 슬ᄏᆞ장 ᄉᆞᆲ쟈 ᄒᆞ니

눈믈이 바라 나니 말ᄉᆞᆷ인들 어이ᄒᆞ며
졍(情)을 못다 ᄒᆞ야 목이조차 몌여ᄒᆞ니
ⓓ오뎐된 계셩(鷄聲)의 ᄌᆞᆷ은 엇디 ᄭᆡ돗던고
어와 허ᄉᆞ(虛事)로다 이 님이 어ᄃᆡ 간고
결의 니러 안자 창(窓)을 열고 ᄇᆞ라보니
어엿븐 그림재 날 조출 뿐이로다
ⓔ출하리 싀여디여 낙월(落月)이나 되야이셔
님 겨신 창(窓) 안ᄒᆡ 번드시 비최리라
각시님 ㉠ᄃᆞᆯ이야ᄏᆞ니와 구ᄌᆞᆫ비나 되쇼셔

– 정철, 「속미인곡」 –

08 (가)에 대한 설명으로 적절하지 않은 것은?

① 갈래는 고려시대에 평민들이 부르던 고려가요이다.
② 민족의 전통적 정서인 한(恨)의 정서를 형상화하였다.
③ 화자의 정서를 간결한 형식에 담아 절묘하게 표현하였다.
④ 자연물에 감정을 이입하여 주제 의식을 강조하고 있다.
⑤ 상대에게 말하듯이 표현하여 주제를 효과적으로 표현하고 있다.

09 (가)의 ㉠~㉤에 대한 설명으로 적절하지 않은 것은?

① ㉠ : 의문형 문장을 활용하여 화자의 정서를 나타낸다.
② ㉡ : 별다른 뜻이 없는 여음구, 후렴구라고 할 수 있다.
③ ㉢ : 임을 붙잡지 못하고 체념하는 심정을 드러내고 있다.
④ ㉣ : 이별의 상황에 소극적으로 대응하는 이유가 드러나 있다.
⑤ ㉤ : 임과 재회하기를 바라는 화자의 소망과 기원이 표현되어 있다.

10 **(나)에 대한 설명으로 적절하지 않은 것은?**

① 대화체 형식으로 화자의 정서를 드러내고 있다.
② 불교적 가치관을 바탕으로 현실의 갈등을 종교적으로 승화하고 있다.
③ 자연물에 상징적 의미를 부여하여 화자의 심정을 간접적으로 표현하고 있다.
④ 고사(古事)나 한시의 인용이 거의 없이 우리말의 묘미를 잘 살려 표현하고 있다.
⑤ 임금을 사모하고 그리워하는 마음을 임과 이별한 여인의 심정에 의탁하여 표현하고 있다.

11 **(나)의 ⓐ~ⓔ에 대한 설명으로 적절하지 않은 것은?**

① ⓐ를 통해 화자의 비관적 처지가 하늘과 타인으로부터 비롯된 것임을 알 수 있다.
② ⓑ에서 '구름'과 '안개'는 화자의 임 사이를 가로막는 장애물로 가능하고 있다.
③ ⓒ에서 '반벽청등'은 화자의 외로움을 심화시키는 소재로 볼 수 있다.
④ ⓓ에는 꿈을 깨게 한 닭 울음소리에 대한 화자의 원망이 드러나 있다.
⑤ ⓔ에는 죽어서라도 임과 함께 하고 싶은 화자의 간절한 정서가 나타난다.

12 **(나)의 밑줄 친 ㉠'달'과 문맥적 기능이 가장 가까운 것을 〈보기〉의 밑줄 친 단어에서 찾으면?**

보기

고려가요 '동동'中 일부

이월 보름에, 아! 높이 켠 등불 같아라.
만인 비치실 모습이로다.
아으 동동다리

삼월 나면서 핀 아! 늦봄 진달래꽃이여
남이 부러워할 자태를 지니고 나셨도다.
아으 동동다리

사월 아니 잊고, 아! 오셨네, 꾀꼬리여.
무슨 일로 녹사님은 옛 나를 잊고 계신가.
아으 동동다리

유월 보름에, 아! 벼랑가에 버려진 빗 같아라.
돌아보실 님을 잠시라도 좇아가겠습니다.
아으 동동다리

팔월 보름은, 아! 한가윗날이건마는
님을 모시고 지내야만 오늘이 한가위여라.
아으 동동다리

① 등불 ② 진달래꽃 ③ 꾀꼬리 ④ 빗 ⑤ 한가윗날

13 (나)에 나타난 시적 화자의 정서와 가장 <u>이질적인 것</u>을 찾으면?

① 잔 들고 혼자 안자 먼 뫼를 바라보니
그리던 님이 오는 반가움이 이만하랴
말씀도 웃음도 아니어도 못내 좋아하노라

② 千萬里(천만리) 머나먼 길에 고은 님 이별하고
내 ᄆᆞ음 둘 데 없어 냇ᄀᆞ에 앉아 있어
저 물도 내 안과 같아서 울면서 밤길 가는구나

③ 어져 내일이야 그릴 줄을 모로ᄃᆞ냐
있어라 ᄒᆞ면 가랴마ᄂᆞᆫ 제 구ᄐᆡ여
보내고 그리ᄂᆞᆫ 情(정)은 나도 몰라 ᄒᆞ노라

④ 묏버들 가지 꺽어 보내노라 임의 손에
자시ᄂᆞᆫ 窓(창)밧긔 심거두고 보쇼셔
밤비에 새잎 꽃 나거든 날인가도 여기소서

⑤ ᄆᆞ음이 어린 後(후)이니 ᄒᆞᄂᆞᆫ 일이 다 어리다
萬重雲山(만중운산)에 어ᄂᆡ 님 오리마ᄂᆞᆫ
지ᄂᆞᆫ 잎 부ᄂᆞᆫ ᄇᆞ람에 행여 그사람인가 ᄒᆞ노라

[14~19] 다음 글을 읽고 물음에 답하시오.

(가) ㉠<u>가시리 가시리잇고 나ᄂᆞᆫ</u>
ᄇᆞ리고 가시리잇고 나ᄂᆞᆫ
㉡<u>위 증즐가 대평셩대(大平聖代)</u>

㉢<u>날러ᄂᆞᆫ 엇디 살라 ᄒᆞ고</u>
ᄇᆞ리고 가시리잇고 나ᄂᆞᆫ
위 증즐가 대평셩대(大平聖代)

㉣<u>잡ᄉᆞ와 두어리마ᄂᆞᄂᆞᆫ</u>
<u>선ᄒᆞ면 아니 올셰라.</u>
위 증즐가 대평셩대(大平聖代)

㉤<u>셜온 님</u> 보내ᄋᆞᆸ노니 나ᄂᆞᆫ
가시ᄂᆞᆫ ᄃᆞᆺ 도셔 오쇼셔 나ᄂᆞᆫ
위 증즐가 대평셩대(大平聖代)

– 작자미상, 「가시리」 –

(나) 먼 훗날 당신이 찾으시면
그때에 내 말이 "잊었노라"

당신이 속으로 나무라면
"무척 그리다 잊었노라"

그래도 당신이 나무라면
"믿기지 않아서 잊었노라"

오늘도 어제도 아니 잊고
먼 훗날 그때에 "잊었노라"

– 김소월, 「먼 후일」 –

---

14 **(가)에 대한 설명으로 가장 적절한 것은?**

① 민족의 전통적 정서인 情(정)을 확인할 수 있다.
② aaba형의 민요적 형식을 1연에서 확인할 수 있다.
③ 화자의 궁극적인 소망을 3연 1행에서 확인할 수 있다.
④ 임을 떠나보내는 이유를 4연 2행에서 확인할 수 있다.
⑤ 다양하게 해석되는 조흥구를 사용했음을 확인할 수 있다.

15 **(나)에 대한 설명으로 적절하지 <u>않은</u> 것은?**

① 애상적 성격의 서정시에 해당한다.
② 미래의 상황을 가정하며 시상을 전개하고 있다.
③ 반복과 변조의 기법으로 그리움을 드러내고 있다.
④ '당신'에 대한 화자의 본심을 4연에서 나타내고 있다.
⑤ 반어법을 사용하여 '당신'에 대한 화자의 회의적 태도를 표현하고 있다.

16 **다음 중 시적 대상에 대한 시적 화자의 태도가 (가)와 가장 유사한 것은?**

① 무쇠로 큰 소를 만들어/쇠로 된 나무가 있는 산에다 놓고/그 소가 쇠로 된 풀을 다 먹어야만/사랑하는 님과 이별하고 싶습니다.

– 작자미상, 「정석가」 –

② 서경이 서울이지만/닦은 곳인 작은 서울을 사랑하지만/이별하기보다는 길쌈하던 베를 버리고서라도/사랑만 해주신다면 울면서 따르겠습니다.

– 작자미상, 「서경별곡」 –

③ 나보기가 역겨워/가실 때에는/말없이 고이 보내 드리우리다.//영변에 약산/진달래꽃/아름 따다 가실 길에 뿌리우리다.//가시는 걸음 걸음/놓은 그 꽃을/사뿐히 즈려 밟고 가시옵소서.

– 김소월, 「진달래꽃」 –

④ 우리들의 사랑을 위하여서는/이별이, 이별이 있어야하네//높았다. 낮았다. 출렁이는 물살과/ 물살 몰아 갔다 오는 바람만이 있어야 하네//오, 우리들의 그리움을 위하여서는/푸른 은핫물이 있어야 하네

– 서정주, 「견우의 노래」 –

⑤ 생사의 길은/예 있으매 머뭇거리고/나는 간다는 말도/못다 이르고 어찌갑니까/어느 가을 이른 바람에/이에 저에 떨어질 잎처럼/한 가지에 나고/가는 곳 모르온저/아아, 미타찰에 만날 나/도 닦아 기다리겠노라.

– 월명사, 「제망매가」 –

17 (가)의 화자가 시상 전개에 따라 겪는 심리의 변화에 대해 빈칸에 들어갈 것으로 옳은 것끼리 묶은 것은?

	화자의 심리
1연	㉮

→

	화자의 심리
2연	㉯

↓

3연	㉰

←

4연	㉱

	㉮	㉯	㉰	㉱
ⓐ	애원과 탄식	한탄과 후회	애원의 고조	소망과 기원
ⓑ	애원과 탄식	애원의 고조, 원망	감정의 절제와 체념	소망과 기원
ⓒ	애원과 탄식	임에 대한 원망	애원의 고조	소망과 기원
ⓓ	애원과 탄식	애원의 고조, 원망	감정의 절제와 체념	당부와 체념
ⓔ	애원과 탄식	임에 대한 원망	애원의 고조	당부와 체념

① ⓐ ② ⓑ ③ ⓒ ④ ⓓ ⑤ ⓔ

18 ㉠~㉤에 대한 설명으로 적절하지 않은 것은?

① ㉠ : 이별의 상황을 거듭 확인하여 이별을 원치 않는 화자의 마음을 강조함.
② ㉡ : 후대에 궁중의 악곡으로 수용되는 과정에서 첨가된 후렴구임.
③ ㉢ : 떠나는 임에 대한 원망과 슬픔을 의미함.
④ ㉣ : 시적상황에 대해 낙관적인 화자의 태도가 나타남.
⑤ ㉤ : 서러움의 주체가 시적 화자인 경우와 '임'인 경우로 해석할 수 있음.

19 <보기> 중 (가)와 (나)에 대한 설명으로 적절한 것끼리 묶은 것은?

보기

ㄱ. (가)와 (나) 모두 한 줄을 세 덩어리로 나누어 읽는 3음보의 율격을 갖고 있어.
ㄴ. 3음보의 율격은 (가)와 (나)가 민요적인 성격을 갖는 것에 큰 영향을 미치진 않아.
ㄷ. (가)와 (나)의 시적화자는 모두 이별의 상황에 처해있어.
ㄹ. 맞아, 하지만 (가)의 화자는 이미 이별한 상황이고 (나)의 화자는 이별을 하려는 상황이라는 차이가 있어.
ㅁ. (가)와 (나) 모두 기-승-전-결의 4단 구성을 취하고 있어.
ㅂ. (가)와 (나) 모두 반복되는 표현을 통해 의미를 강조하고 있어.

① ㄱ, ㄷ, ㄹ, ㅁ ② ㄱ, ㄷ, ㅁ, ㅂ ③ ㄱ, ㄴ, ㄷ, ㅁ
④ ㄱ, ㄴ, ㄷ, ㅂ ⑤ ㄱ, ㄷ, ㄹ, ㅁ, ㅂ

[20~26] 다음 글을 읽고 물음에 답하시오.

(가) 뎨 가ᄂᆞᆫ 뎌 각시 본 듯도 ᄒᆞᆫ뎌이고
텬샹(天上) ᄇᆡᆨ옥경(白玉京)을 엇디ᄒᆞ야 니별(離別)ᄒᆞ고
ᄒᆡ 다 뎌 져믄 날의 눌을 보라 가시ᄂᆞᆫ고
어와 네여이고 이내 ᄉᆞ셜 드러 보오
내 얼굴 이 거동이 님 괴얌즉 ᄒᆞᆫ가마ᄂᆞᆫ
엇딘디 날 보시고 네로다 녀기실ᄉᆡ
나도 님을 미더 군ᄠᅳ디 전혀 업서
이ᄅᆡ야 교ᄐᆡ야 어ᄌᆞ러이 ᄒᆞᆫ돗쎤디
반기시ᄂᆞᆫ ㉠ᄂᆞᆺ비치 녜와 엇디 다ᄅᆞ신고
누어 ᄉᆡᆼ각ᄒᆞ고 니러 안자 혜여ᄒᆞ니
내 몸의 지은 죄 뫼ᄀᆞ티 ᄡᅡ혀시니
하ᄂᆞᆯ히라 원망ᄒᆞ며 사ᄅᆞᆷ이라 허믈ᄒᆞ랴
〈 ㉮ 〉
글란 ᄉᆡᆼ각 마오 ᄆᆡ친 일이 이셔이다
님을 뫼셔 이셔 님의 일을 내 알거니
믈 ᄀᆞᄐᆞᆫ 얼굴이 편ᄒᆞ실 적 몃 날일고
㉡츈한 고열(春寒苦熱)은 엇디ᄒᆞ야 디내시며
㉢츄일 동텬(秋日冬天)은 뉘라셔 뫼셧ᄂᆞᆫ고
쥭조반(粥早飯) ㉣죠셕(朝夕) 뫼 녜와 ᄀᆞᆺ티 셰시ᄂᆞᆫ가
기나긴 밤의 ᄌᆞᆷ은 엇디 자시ᄂᆞᆫ고
㉤님다히 쇼식(消息)을 아므려나 아쟈 ᄒᆞ니
오ᄂᆞᆯ도 거의로다 ᄂᆡ일이나 사ᄅᆞᆷ 올가
내 ᄆᆞᄋᆞᆷ 둘 ᄃᆡ 업다 어드러로 가쟛 말고
잡거니 밀거니 놉픈 뫼ᄒᆡ 올라가니
㉥구롬은ᄏᆞ니와 안개ᄂᆞᆫ 므ᄉᆞ 일고
산쳔(山川)이 어둡거니 ㉦일월(日月)을 엇디 보며
지쳑(咫尺)을 모ᄅᆞ거든 쳔 리(千里)ᄅᆞᆯ ᄇᆞ라보랴
출하리 믈ᄀᆞ의 가 ᄇᆡ 길히나 보랴 ᄒᆞ니
㉧ᄇᆞ람이야 ㉨믈결이야 어둥졍 된뎌이고
샤공은 어ᄃᆡ 가고 빈 ᄇᆡ만 걸렷ᄂᆞᆫ고
강텬(江天)의 혼자 셔셔 디ᄂᆞᆫ ᄒᆡᄅᆞᆯ 구버보니
님다히 쇼식(消息)이 더옥 아득ᄒᆞᆫ뎌이고
모쳠(茅簷) ᄎᆞᆫ 자리의 밤듕만 도라오니
㉩반벽쳥등(半壁靑燈)은 눌 위ᄒᆞ야 ᄇᆞᆰ갓ᄂᆞᆫ고
오ᄅᆞ며 ᄂᆞ리며 헤ᄯᅳ며 바자니니
져근덧 녁진(力盡)ᄒᆞ야 픗ᄌᆞᆷ을 잠간 드니
졍셩(精誠)이 지극ᄒᆞ야 ㉪ᄭᅮᆷ의 님을 보니
옥(玉) ᄀᆞᄐᆞᆫ 얼굴이 반(半)이 나마 늘거셰라
ᄆᆞᄋᆞᆷ의 머근 말ᄉᆞᆷ 슬ᄏᆞ장 ᄉᆞᆲ쟈 ᄒᆞ니
눈믈이 바라 나니 말ᄉᆞᆷ인들 어이ᄒᆞ며

졍(情)을 못다 ᄒᆞ야 목이조차 몌여ᄒᆞ니
ⓔ<u>오뎐된 계셩(鷄聲)</u>의 ᄌᆞᆷ은 엇디 ᄭᆡ돗던고

(나) 어와 허ᄉᆞ(虛事)로다 이 님이 어ᄃᆡ 간고
결의 니러 안자 창(窓)을 열고 ᄇᆞ라보니
어엿븐 그림재 날 조ᄎᆞᆯ ᄲᅮᆫ이로다
ᄎᆞᆯ하리 싀여디여 낙월(落月)이나 되야이셔
님 겨신 창(窓) 안ᄒᆡ 번드시 비최리라
각시님 ᄃᆞᆯ이야ᄏᆞ니와 구ᄌᆞᆫ비나 되쇼셔

– 정철, 「속미인곡」 –

20 윗글에 대한 설명으로 적절하지 <u>않은</u> 것은?

① 이별한 여인의 심정을 하소연하는 방식이다.
② 일정한 음보율의 반복을 통해 운율을 형성한다.
③ 묻고 답하는 대화의 방식으로 시상을 전개하고 있다.
④ 사미인곡의 속편으로 우리말의 묘미를 잘 살려 표현했다.
⑤ 왕과 자신의 관계를 명시하여 충신연주지사의 문학적 전통을 잇고 있다.

21 ㉠~㉤의 의미로 적절하지 <u>않은</u> 것은?

① ㉠ : 얼굴 빛, 안색
② ㉡ : 이른 봄의 추위와 여름철의 더위
③ ㉢ : 가을날과 겨울날
④ ㉣ : 아침저녁의 경치
⑤ ㉤ : 임이 계신 쪽

22 앞 뒤 문맥을 참고하여 〈 ㉮ 〉안에 들어갈 구절로 가장 적절한 것은?

① ᄒᆞᄅᆞ밤 서리김의 기러기 우리 녤제
② ᄭᅮᆷ의나 님을 보려 ᄐᆡᆨ 밧고 비겨시니
③ 님의게 보내오려 님겻니 ᄃᆡ ᄇᆞ라보니
④ 셜워 플텨 혜니 조믈(造物)의 타시로다
⑤ 니거든 여러 두고 날인가 반기실가

23 ㉦~㉫의 문맥적 의미로 적절하지 않은 것은?

① ㉦ : 유일한 존재로, 온 세상을 비춘다는 측면에서 '조물주'를 상징한다.
② ㉧, ㉨ : 임에게 가고 싶은데 이를 방해하는 역할을 하고 있는 소재로 간신배나 政敵(정적)을 상징한다.
③ ㉩ : 밤새 제 몸을 태워 불을 밝히는 등불로, 임을 애타게 그리워하는 화자의 외로움을 부각시킨다.
④ ㉪ : 임과 재회하는 공간적 기능이 있으나, 가상적이고 일시적이라는 한계성을 지닌다.
⑤ ㉫ : 꿈에서 깨어난 것에 대한 화자의 서운함의 정서가 드러난다.

24 다음 중 ㉥의 상징적 의미와 가장 유사한 것은?

① 저승이 어딘지는 똑똑히 모르지만, / 춘향의 사랑보단 오히려 더 먼/ 딴 나라는 아마 아닐 것입니다.// 천 갈 땅 밑을 검은 물로 흐르거나 / 도솔천(兜率天)의 하늘을 구름으로 날더라도/ 그건 결국 도련님 곁 아니어요?//

– 서정주, 「춘향유문」 –

② 손에 닿을 듯한 봄 하늘에 / 구름은 무심히도 북으로 흘러가고. // 어디서 울려 오는 포성(砲聲) 몇 발./ 나는 그만 이 은원(恩怨)의 무덤 앞에 / 목놓아 버린다.

– 구상, 「초토의 시8」 –

③ 남(南)으로 창(窓)을 내겠소./ 밭이 한참 갈이 / 괭이로 파고 / 호미론 김을 매지요.// 구름이 꼬인다 갈리 있소/ 새 노래는 공으로 들으랴오.

– 김상용, 「남으로 창을 내겠소」 –

④ 아침저녁/ 네 마음속 구름을 닦고/ 티 없이 맑은 영원의 하늘 / 볼 수 있는 사람은/ 외경(畏敬)을 알리라.// 아침저녁/ 네 머리 위 쇠항아릴 찢고/ 티 없이 맑은 구원의 하늘/ 마실 수 있는 사람은

– 신동엽, 「누가 하늘을 보았다 하는가」 –

⑤ 하늘은 날더러 구름이 되라 하고 / 땅을 날더러 바람이 되라 하네. / 청룡(靑龍) 흑룡(黑龍) 흩어져 비 개인 나루 / 잡초나 일깨우는 잔바람이 되라네

– 신경림, 「목계장터」 –

25 보조적 위치에 있는 화자로 등장한 여인의 대화의 성격으로 적절한 것은?

① 질책 – 충고 – 위로
② 인사 – 위로 – 충고
③ 위로 – 하소연 – 충고
④ 충고 – 질책 – 위로
⑤ 인사 – 충고 – 질책

26 다음 〈보기〉의 설명을 참고하여 「속미인곡」의 작가의 의도와 유사하지 않은 것은?

보기

정치적으로 실패한 신하가 임금에 대한 분노나 울분을 직접 토한다는 것은 불가능하다. 그래서 그는 버림받은 불행한 궁중의 여인이 되어 돌아오지 않는 임금을 그리워한다는 은유를 만들어 낸다. 이것은 불행한 여성을 상상 속에 설정함으로써 자신의 비극적 심정을 대리로 발산하는 방법이다.

– 김병국, 「서포 김만중의 생애와 문학」 –

① 내 님믈 그리ᅀᆞ와 우니다니 / (산) 졉동새 난 이슷ᄒᆞ요이다. / 아니시며 거츠르신 ᄃᆞᆯ 아으 / 殘月曉星(잔월 효성)이 아ᄅᆞ시리이다, / 넉시라도 님은 ᄒᆞᆫᄃᆡ 녀져라 아으 / 벼기더시니 뉘러시니잇가. / 過(과)도 허믈도 千萬(천만) 업소이다, / ᄆᆞᆯ힛마리신뎌 / ᄉᆞᆯ웃븐뎌 아으 / 니미 나ᄅᆞᆯ ᄒᆞ마 니ᄌᆞ시니잇가. / 아소 님하, 도람 드르샤 괴오쇼셔.

– 정서, 「정과정」 –

② 태초(太初)의 아츰 / 봄날 아츰도 아니고 / 여름, 가을, 겨울 그런날 / 아츰도 아닌 아츰에 // 빨 – 간 꽃이 피어났네 / 햇빛이 푸른데 // 그 전(前)날 밤에 / 그 전(前)날 밤에 / 모든 것이 마련되었네. // 사랑은 뱀과 함께 독(毒)은 어린 꽃과 함께

– 윤동주, 「태초의 아침」 –

③ 님은 갔습니다. 아아, 사랑하는 나의 님은 갔습니다. / 푸른 산빛을 깨치고 단풍나무 숲을 향하여 난 작은 길을 걸어서 차마 떨치고 갔습니다. / 황금의 꽃같이 굳고 빛나든 옛 맹세는 차디찬 티끌이 되어서 한숨의 미풍에 날아갔습니다. / 날카로운 첫 키스의 추억은 나의 운명의 지침을 돌려놓고 뒷걸음쳐서 사라졌습니다.

– 한용운, 「님의 침묵」 –

④ 저승이 어떤지 똑똑히 모르지만, / 춘향의 사랑보단 오히려 더 먼 / 딴 나라는 아마 아닐 것입니다. // 천 길 땅 밑을 검은 물로 흐르거나 / 도솔천(兜率天)의 하늘은 구름으로 날더라도 / 그건 결국 도련님 곁 아니어요? // 더구나 그 구름이 소나기 되어 퍼볼 때 / 춘향은 틀림없이 거기 있을 거여요.

– 서정주, 「춘향유문」 –

⑤ 나 보기가 역겨워 / 가실 때에는 / 말없이 고이 보내 드리우리다. / 영변(寧邊)에 약산(藥山) / 진달래꽃 / 아름 따다 가실 길에 뿌리우리다. / 가시는 걸음걸음 / 놓인 그 꽃을 / 사뿐히 즈려 밟고 가시옵소서. / 나 보기가 역겨워 / 가실 때에는 / 죽어도 아니 눈물 흘리오리다.

– 김소월, 「진달래꽃」 –

객관식 심화문제

[01~04] 다음 글을 읽고, 물음에 답하시오.

가시리 가시리잇고 ㉠나ᄂᆞᆫ
ᄇᆞ리고 가시리잇고 나ᄂᆞᆫ
㉡위 증즐가 대평셩대(大平聖代)

날러는 엇디 살라 ᄒᆞ고
ᄇᆞ리고 가시리잇고 나ᄂᆞᆫ
위 증즐가 대평셩대(大平聖代)

㉢잡ᄉᆞ와 두어리마ᄂᆞᄂᆞᆫ
㉣선ᄒᆞ면 아니 올셰라.
위 증즐가 대평셩대(大平聖代)

셜온 님 보내ᄋᆞᆸ노니 나ᄂᆞᆫ
㉤가시ᄂᆞᆫ ᄃᆞᆺ 도셔 오쇼셔 나ᄂᆞᆫ
위 증즐가 대평셩대(大平聖代)

01 이 작품에 대한 설명으로 적절하지 않은 것은?

① 다양한 비유와 상징을 통해 화자의 정서를 드러내고 있다.
② 3 · 3 · 2조를 기본으로 하며, 3음보의 율격을 보이고 있다.
③ 이별의 정한(情恨)을 민요적 율격에 담아 표현했다.
④ 오랫동안 구전되어 오다가 조선 시대에 문자로 기록되었다.
⑤ 고려 시대 평민들이 부르던 노래로 기승전결의 4단 구성으로 되어 있다.

02 이 작품의 표현상 특징으로 가장 적절한 것은?

① 후렴구를 통해 화자의 궁극적인 지향점을 드러내고 있다.
② 동일한 문장을 반복하여 화자의 정서를 강조하고 있다.
③ 과거와 현재를 대비하여 화자의 처지를 부각하고 있다.
④ 음성 상징어를 활용하여 시적 긴장감을 조성하고 있다.
⑤ 자연의 소재를 활용하여 시적 분위기를 형성하고 있다.

03 ㉠~㉤에 대한 설명으로 적절하지 않은 것은?

① ㉠ : 이 작품이 노래로 불렸음을 알 수 있다.
② ㉡ : 구전되다 기록으로 정착되는 과정에서 삽입된 것으로 볼 수 있다.
③ ㉢ : 시적 상황을 대하는 화자의 속마음이 표출된 부분이다.
④ ㉣ : 시적 상황에 대해 체념하는 행동의 이유를 짐작할 수 있다.
⑤ ㉤ : 임에 대한 불신과 미래에 대한 불안감이 고조된다.

04 이 작품의 시적화자가 처한 상황이나 정서를 노래한 것으로 적절하지 않은 것은?

① 묏버들 갈ᄒᆡ 것거 보내로나 님의 손ᄃᆡ/ 자시ᄂᆞᆫ 창(窓) 밧긔 심거 두고 보쇼셔/ 밤비에 새 닙곳 나거든 날인가도 너기쇼셔

– 홍랑 –

② 님 글인 상사몽(相思夢)이 실솔(蟋蟀)의 넉시 되야/ 추야장(秋夜長) 깁픈 밤에 님의 방(房)에 드럿다가/ 날 닛고 깁히 든 잠을 ᄭᅵ와 볼가 하노라.

– 박효관 –

③ 바람도 쉬여 넘는 고개, 구름이라도 쉬여 넘는 고개/ 산진이 수진이 해동청 바라매라도 다 쉬여 넘는 고봉 장성령 고개/ 그 너머 님이 왔다 하면 나는 아니 한 번도 쉬여 넘어가리라

– 작자 미상 –

④ 두터비 ᄑᆞ리를 물고 두험 우회 치ᄃᆞ라 안자/것넌 산(山) ᄇᆞ라보니 백송골(白松骨)이 써잇거ᄂᆞᆯ, 가슴이 금즉ᄒᆞ여 풀덕 쒀여 내ᄃᆞᆺ다가 두험아래 잣바지거고,/ 모쳐라 ᄂᆞᆯ낸 낼싀만졍 에헐질 번ᄒᆞᆫ괘라.

– 작자 미상 –

⑤ 귀ᄯᅩ리 져 귀ᄯᅩ리 어엿부다 져 귀ᄯᅩ리 / 여인 귀ᄯᅩ리 지ᄂᆞᆫ ᄃᆞᆯ 새ᄂᆞᆫ 밤의 긴 소ᄅᆡ 쟈른 소ᄅᆡ 절절(節節)이 슬픈 소ᄅᆡ 제 혼자 우러 녜어 紗窓(사창) 여윈 ᄌᆞᆷ을 ᄉᆞᆯ뜨리도 ᄊᆡ오ᄂᆞᆫ고야. / 두어라, 제 비록 미물이나 無人洞房(무인동방)에 내 뜻 알리는 너뿐인가 ᄒᆞ노라.

– 작자 미상 –

[05~07] 다음 글을 읽고, 물음에 답하시오.

뎨 가ᄂᆞᆫ ⓐ뎌 각시 본 듯도 ᄒᆞᆫ뎌이고
텬샹(天上) ᄇᆡᆨ옥경(白玉京)을 엇디ᄒᆞ야 니별(離別)ᄒᆞ고
ᄒᆡ 다 뎌 져믄 날의 눌을 보라 가시ᄂᆞᆫ고
어와 ⓑ네여이고 이내 ᄉᆞ셜 드러 보오
내 얼굴 이 거동이 님 괴얌즉 ᄒᆞᆫ가마ᄂᆞᆫ
엇던디 날 보시고 ⓒ네로다 녀기실ᄉᆡ
나도 님을 미더 군ᄠᅳ디 전혀 업서

이ᄅᆡ야 교ᄐᆡ야 어ᄌᆞ러이 ᄒᆞ돗썬디
반기시ᄂᆞᆫ ᄂᆞᆺ비치 녜와 엇디 다ᄅᆞ신고
누어 ᄉᆡᆼ각ᄒᆞ고 니러 안자 혜여ᄒᆞ니
내 몸의 지은 죄 뫼ᄀᆞ티 ᄡᅡ혀시니
하ᄂᆞᆯ히라 원망ᄒᆞ며 사ᄅᆞᆷ이라 허믈ᄒᆞ랴
셜워 플텨 혜니 조믈(造物)의 타시로다
글란 ᄉᆡᆼ각 마오 ᄆᆡ친 일이 이셔이다
님을 뫼셔 이셔 님의 일을 내 알거니
믈 ᄀᆞᄐᆞᆫ 얼굴이 편ᄒᆞ실 적 몃 날일고
츈한 고열(春寒苦熱)은 엇디ᄒᆞ야 디내시며
츄일 동텬(秋日冬天)은 뉘라셔 뫼셧ᄂᆞᆫ고
쥭조반(粥早飯) 죠셕(朝夕) 뫼 녜와 ᄀᆞᆺ티 셰시ᄂᆞᆫ가
기나긴 밤의 ᄌᆞᆷ은 엇디 자시ᄂᆞᆫ고
님다히 쇼식(消息)을 아므려나 아쟈 ᄒᆞ니
오ᄂᆞᆯ도 거의로다 ᄂᆡ일이나 사ᄅᆞᆷ 올가
내 ᄆᆞ음 둘 ᄃᆡ 업다 어드러로 가쟛 말고
잡거니 밀거니 놉픈 뫼ᄒᆡ 올라가니
구롬은ᄏᆞ니와 안개ᄂᆞᆫ ᄆᆞᄉᆞ 일고
산쳔(山川)이 어둡거니 일월(日月)을 엇디 보며
지쳑(咫尺)을 모ᄅᆞ거든 쳔 리(千里)ᄅᆞᆯ ᄇᆞ라보랴
ᄎᆞᆯ하리 믈ᄀᆞ의 가 ᄇᆡ 길히나 보랴 ᄒᆞ니
ᄇᆞ람이야 믈결이야 어둥졍 된뎌이고
샤공은 어ᄃᆡ 가고 빈 ᄇᆡ만 걸렷ᄂᆞᆫ고
강텬(江天)의 혼자 셔셔 디ᄂᆞᆫ ᄒᆡᄅᆞᆯ 구버보니
님다히 쇼식(消息)이 더옥 아득ᄒᆞᆫ뎌이고
모쳠(茅簷) ᄎᆞᆫ 자리의 밤듕만 도라오니
반벽쳥등(半壁靑燈)은 눌 위ᄒᆞ야 ᄇᆞᆯ갓ᄂᆞᆫ고
오ᄅᆞ며 ᄂᆞ리며 헤ᄯᅳ며 바자니니
져근덧 녁진(力盡)ᄒᆞ야 픗ᄌᆞᆷ을 잠간 드니
졍셩(精誠)이 지극ᄒᆞ야 ᄭᅮᆷ의 님을 보니
옥(玉) ᄀᆞᄐᆞᆫ 얼굴이 반(半)이 나마 늘거셰라
ᄆᆞ음의 머근 말ᄉᆞᆷ 슬ᄏᆞ장 ᄉᆞᆲ쟈 ᄒᆞ니
눈믈이 바라 나니 말ᄉᆞᆷ인들 어이ᄒᆞ며
졍(情)을 못다 ᄒᆞ야 목이조차 메여ᄒᆞ니
오뎐된 계셩(鷄聲)의 ᄌᆞᆷ은 엇디 ᄭᆡ돗던고
어와 허ᄉᆞ(虛事)로다 이 님이 어ᄃᆡ 간고
결의 니러 안자 창(窓)을 열고 ᄇᆞ라보니
어엿븐 그림재 ⓓ날 조ᄎᆞᆯ ᄲᅮᆫ이로다
ᄎᆞᆯ하리 ᄉᆡ여디여 ㉠낙월(落月)이나 되야이셔
님 겨신 창(窓) 안ᄒᆡ 번드시 비최리라
ⓔ각시님 ᄃᆞᆯ이야ᄏᆞ니와 ㉡구ᄌᆞᆫ 비나 되쇼셔

– 정철, 「속미인곡」 –

05 이 작품에 대한 설명으로 적절하지 않은 것은?

① 시간이 지남에 따라 화자의 내적 갈등이 해소되고 있다.
② 우리말을 효과적으로 구사하여 표현미를 높이고 있다.
③ 핵심 인물과 보조 인물이 대화하는 형식으로 전개되고 있다.
④ 자연물을 이용해 화자의 정서를 우회적으로 나타내고 있다.
⑤ 여성 화자를 설정하여 임을 향한 애절한 그리움의 정서를 심화하고 있다.

06 ㉠, ㉡에 대한 설명으로 적절하지 않은 것은?

① ㉠ : 임이 자신을 몰라주더라도 임과 함께하려는 여인의 소망이 드러난 소재이다.
② ㉠ : 임에 대한 여인의 변함없는 사랑을 의미하는 시각적 이미지의 소재이다.
③ ㉡ : 연인의 분신이자 소극적 애정관을 나타내는 것이라는 점에서 ㉠과 유사하다.
④ ㉡ : 임에 대한 그리움을 전하고자 하는 간절함이 내포되어 있다.
⑤ ㉡ : 임에게 다가가고 싶은 연인의 간절한 마음을 전달하는 방법이다.

07 ⓐ~ⓔ 중 가리키는 대상이 다른 하나는?

① ⓐ ② ⓑ ③ ⓒ ④ ⓓ ⑤ ⓔ

[08~11] 다음 글을 읽고, 물음에 답하시오.

(가) 가시리 가시리잇고 나ᄂᆞᆫ
ᄇᆞ리고 가시리잇고 나ᄂᆞᆫ
㉠위 증즐가 대평셩ᄃᆡ

날러는 엇디 살라 ᄒᆞ고
ᄇᆞ리고 가시리잇고 나ᄂᆞᆫ
위 증즐가 대평셩ᄃᆡ

잡ᄉᆞ와 두어리마ᄂᆞᄂᆞᆫ
선ᄒᆞ면 아니 올셰라.
위 증즐가 대평셩ᄃᆡ

셜온 님 보내ᄋᆞᆸ노니 나ᄂᆞᆫ
가시ᄂᆞᆫ ᄃᆞᆺ 도셔 오쇼셔 나ᄂᆞᆫ
위 증즐가 대평셩ᄃᆡ

– 「가시리」 –

(나) 먼 훗날 당신이 찾으시면
그때에 내 말이 "잊었노라."

당신이 속으로 나무라면
"무척 그리다가 잊었노라."

그래도 당신이 나무라면
"믿기지 않아서 잊었노라."

오늘도 어제도 아니 잊고
먼 훗날 그때에 "잊었노라."

– 김소월, 「먼 후일」 –

08 (가)에 대한 설명으로 적절하지 않은 것은?

① 3음보의 율격으로 리듬감을 형성하였다.
② 여성적 목소리를 통해 정서를 표출하고 있다.
③ 민족의 정서적 정서인 한(恨)의 정서를 형상화하였다.
④ 화자의 정서를 간결한 형식에 담아 절묘하게 표현하였다.
⑤ 고려 시대 평민들이 부르던 민요적 시가로, 향찰(鄕札)로 표기되었다.

09 (가)의 화자가 처한 상황과 가장 유사한 것은?

① 비 갠 둑에 풀빛이 고운데.
남포에서 임 보내며 슬픈 노래 부르네.
대동강 물이야 언제나 마르려나.
이별 눈물 해마다 푸른 물결 보태나니.

– 정지상, 「송인」 –

② 살어리 살어리랏다 청산(靑山)에 살어리랏다
멀위랑 ᄃᆞ래랑 먹고, 청산(靑山)에 살어리랏다
얄리얄리 얄랑셩 얄라리 얄리

– 작자 미상, 「청산별곡」 –

③ 백설(白雪)이 ᄌᆞ자진 골에 구루미 머흐레라.
반가온 매화(梅花)ᄂᆞᆫ 어ᄂᆡ 곳에 픠엿ᄂᆞᆫ고.
석양(夕陽)에 홀로 셔 이셔 갈 곳 몰라 ᄒᆞ노라.

– 이색 –

④ 말 업슨 청산(靑山)이오, 태(態) 업슨 유수(流水) ㅣ로다.
갑 업슨 청풍(淸風)이오. 임자 업슨 명월(明月)이라.
이 중(中)에 병(病) 업슨 이 몸이 분별(分別) 업시 늙으리라.

– 성혼 –

⑤ 창(窓) 내고쟈 창(窓)을 내고쟈 이 내 가슴에 창(窓) 내고쟈.
고모장지 세살장지 들장지 열장지 암들져귀 수돌져귀 배목걸새 크나큰 장도리로 뚱닥 바가 이 내 가슴에 창(窓) 내고쟈.
잇다감 하 답답ᄒᆞᆯ 제면 여다져 볼가 ᄒᆞ노라.

– 작자 미상 –

10 ㉠의 역할로 적절하지 않은 것은?

① 각 연을 분절시키는 기능을 한다.
② 작품 전체에 통일감을 부여해 준다.
③ 작품 전체를 유기적으로 연결하는 역할을 한다.
④ 운율을 형성하고 음악적 흥취를 고조시키는 역할을 한다.
⑤ 송축(頌祝)의 내용을 첨가하여 주제를 효과적으로 드러낸다.

11 (가)와 (나)를 비교하여 감상한 내용으로 거리가 먼 것은?

① (가)와 (나) 모두 3음보의 전통적 율격을 띠고 있다.
② (가)와 (나) 모두 '기승전결'의 4단 구성을 취하고 있다.
③ (가)와 (나)의 화자 모두 공통적으로 이별의 상황에 처해 있다.
④ (가)는 '가시리'를, (나)는 '잊었노라'라는 시어를 반복하여 의미를 강조하고, 운율을 형성하고 있다.
⑤ (가)의 화자는 현실에 순응하는 소극적 태도를 보이는 반면 (나)의 화자는 현실을 거부하는 적극적 태도를 보인다.

[12~16] **다음 글을 읽고, 물음에 답하시오.**

뎨 가ᄂᆞᆫ 뎌 각시 본 듯도 ᄒᆞᆫ뎌이고
텬샹(天上) ᄇᆡᆨ옥경(白玉京)을 엇디ᄒᆞ야 니별(離別)ᄒᆞ고
ᄒᆡ 다 뎌 져믄 날의 눌을 보라 가시ᄂᆞᆫ고
어와 네여이고 내 ᄉᆞ셜 드러 보오
내 얼굴 이 거동이 님 괴얌 즉ᄒᆞᆫ가마ᄂᆞᆫ
엇딘디 날 보시고 네로다 녀기실ᄉᆡ
㉠<u>나도 님을 미더 군ᄠᅳ디 전혀 업서</u>
이ᄅᆡ야 교ᄐᆡ야 어ᄌᆞ러이 ᄒᆞ돗쎤디
반기시ᄂᆞᆫ ᄂᆞᆺ비치 녜와 엇디 다ᄅᆞ신고
누어 ᄉᆡᆼ각ᄒᆞ고 니러 안자 혜여ᄒᆞ니
내 몸의 지은 죄 뫼ᄀᆞ티 ᄡᅡ혀시니
하ᄂᆞᆯ히라 원망ᄒᆞ며 사ᄅᆞᆷ이라 허믈ᄒᆞ랴
셜워 플텨 혜니 조믈(造物)의 타시로다
글란 ᄉᆡᆼ각 마오 ᄆᆡ친 일이 이셔이다
님을 뫼셔 이셔 님의 일을 내 알거니
㉡<u>믈 ᄀᆞᄐᆞᆫ 얼굴이 편ᄒᆞ실 적 몃 날일고</u>
츈한 고열(春寒苦熱)은 엇디ᄒᆞ야 디내시며
츄일동텬(秋日冬天)은 뉘라셔 뫼셧ᄂᆞᆫ고
쥭조반(粥早飯) 죠셕(朝夕) 뫼 녜와 ᄀᆞᆺ티 셰시ᄂᆞᆫ가
기나긴 밤의 ᄌᆞᆷ은 엇디 자시ᄂᆞᆫ고
님다히 쇼식(消息)을 아므려나 아쟈 ᄒᆞ니
오ᄂᆞᆯ도 거의로다 ᄂᆡ일이나 사ᄅᆞᆷ 올가
내 ᄆᆞᄋᆞᆷ 둘 ᄃᆡ 업다 어드러로 가쟛 말고
잡거니 밀거니 놉픈 뫼ᄒᆡ 올라가니
㉢<u>구롬은ᄏᆞ니와 안개ᄂᆞᆫ 므ᄉᆞ 일고</u>
산쳔(山川)이 어둡거니 일월(日月)을 엇디 보며
지쳑(咫尺)을 모ᄅᆞ거든 쳔 리(千里)ᄅᆞᆯ ᄇᆞ라보랴
ᄎᆞᆯ하리 믈ᄀᆞ의 가 ᄇᆡ 길히나 보랴 ᄒᆞ니
ᄇᆞ람이야 믈결이야 어둥졍 된뎌이고
샤공은 어ᄃᆡ 가고 븬 ᄇᆡ만 걸렷ᄂᆞᆫ고
강텬(江天)의 혼자 셔셔 디ᄂᆞᆫ ᄒᆡᄅᆞᆯ 구버보니
님다히 쇼식(消息)이 더옥 아득ᄒᆞᆫ뎌이고
모쳠(茅簷) ᄎᆞᆫ 자리의 밤듕만 도라오니
반벽쳥등(半壁靑燈)은 눌 위ᄒᆞ야 ᄇᆞᆯ갓ᄂᆞᆫ고
오ᄅᆞ며 ᄂᆞ리며 헤ᄯᅳ며 바자니니
져근덧 녁진(力盡)ᄒᆞ야 픗ᄌᆞᆷ을 잠간 드니
㉣<u>정셩(精誠)이 지극ᄒᆞ야 ᄭᅮᆷ의 님을 보니</u>
옥(玉) ᄀᆞᄐᆞᆫ 얼굴이 반(半)이 나마 늘거셰라
ᄆᆞᄋᆞᆷ의 머근 말ᄉᆞᆷ 슬ᄏᆞ장 ᄉᆞᆲ쟈 ᄒᆞ니
눈믈이 바라 나니 말ᄉᆞᆷ인들 어이ᄒᆞ며
졍(情)을 못다 ᄒᆞ야 목이조차 몌여ᄒᆞ니
오뎐된 계셩(鷄聲)의 ᄌᆞᆷ은 엇디 ᄭᆡ돗던고

[A]
어와 허ᄉᆞ(虛事)로다 이 님이 어ᄃᆡ 간고
결의 니러 안자 창(窓)을 열고 ᄇᆞ라보니
ⓜ어엿븐 그림재 날 조ᄎᆞᆯ ᄲᅮᆫ이로다
ᄎᆞᆯ하리 싀여디여 낙월(落月)이나 되야 이셔
님 겨신 창(窓) 안히 번드시 비최리라
각시님 ᄃᆞᆯ이야ᄏᆞ니와 구ᄌᆞᆫ비나 되쇼셔

– 정철, 「속미인곡(續美人曲)」 –

12 윗글의 시상 전개의 주된 특징으로 적절한 것은?

① 자연과 인간사를 대비하여 주제를 부각하고 있다.
② 중심 인물과 보조 인물의 대화 형식을 취하고 있다.
③ 계절의 변화에 따른 화자의 정서적 추이를 나타내고 있다.
④ 공간의 이동에 따라 상황이 변화하고 있음을 드러내고 있다.
⑤ 현재의 경험과 고사(故事)를 연관 지어 가며 시상을 전개하고 있다.

13 윗글을 다음과 같이 구조화했을 때 적절하지 않은 것은?

①	여인 1의 질문	백옥경을 떠난 이유를 물음
②	여인 2의 답변	자신의 죄와 임의 변심 탓이라고 대답함
③	여인 1의 위로	그렇게 생각하지 말라고 위로함
④	여인 2의 하소연	임에 대한 염려와 임의 소식을 알고 싶은 안타까운 심정, 독수공방의 애달픔, 임에 대한 간절한 사모의 정 등을 하소연함
⑤	여인 1의 조언	달 대신 비가 되라고 말해 줌

14 ㉠~㉤을 감상한 내용으로 적절하지 않은 것은?

① ㉠ : 임이 자신을 사랑하기에 자신도 다른 생각을 하지 않는다는 것으로 임에 대한 순수한 사랑과 믿음의 자세가 드러나는군.
② ㉡ : 임에 대한 염려가 드러나는 부분으로 임을 곁에서 보필하지 못하는 안타까운 마음이 담겨있군.
③ ㉢ : '구름'과 '안개'는 임과의 만남을 방해하는 장애물 또는 당시 조정을 어지럽히던 간신배로, 'ᄇᆞ람', '물결'도 이와 유사한 의미의 시어로군.
④ ㉣ : 'ᄭᅮᆷ'은 화자가 그리운 임을 만날 수 있는 공간으로, 화자는 꿈속에서나마 임을 만나 안도감을 느끼는군.
⑤ ㉤ : 홀로 된 화자의 쓸쓸한 처지를 강조하는 표현으로 외로움의 심경이 드러나는군.

15 윗글에 나오는 어휘와 뜻을 연결한 것 중 적절한 것을 〈보기〉에서 모두 고른 것은?

보기

ㄱ. 괴얌즉 - 미움받음직
ㄴ. 츈한 고열(春寒苦熱) - 이른 봄의 추위와 여름철의 괴로운 더위
ㄷ. 모쳠 : 기와로 지붕을 이은 집
ㄹ. 오뎐된 계성(鷄聲) - 방정맞은 닭 울음소리
ㅁ. 싀여디여 - 죽어져서

① ㉠, ㉡, ㉢
② ㉠, ㉢, ㉣
③ ㉡, ㉢, ㉤
④ ㉡, ㉣, ㉤
⑤ ㉢, ㉣, ㉤

16 [A]와 〈보기〉를 비교한 내용으로 적절한 것은?

보기

ᄒᆞᄅᆞ도 열두 때 ᄒᆞᆫ ᄃᆞᆯ도 셜흔 날
져근덧 ᄉᆡᆼ각마리 이 시ᄅᆞᆷ 닛쟈 ᄒᆞ니
ᄆᆞᄋᆞᆷ의 미쳐 이셔 골수(骨髓)*의 께텨시니*
편작(扁鵲)*이 열히 오나 이 병을 엇디ᄒᆞ리
어와 내 병이야 이 님의 타시로다
출하리 싀어디여 범나븨 되오리라
곳나모* 가지마다 간 ᄃᆡ 죡죡 안니다가
향 므틴 ᄂᆞᆯ애*로 님의 오ᄉᆡ 올므리라
님이야 날인 줄 모ᄅᆞ셔도 내 님 조ᄎᆞ려 ᄒᆞ노라

- 정철 「사미인곡(思美人曲)」 중에서 -

*골수(骨髓) : 뼛속
*께터시니 : 사무쳤으니
*편작(扁鵲) : 중국 춘추 시대의 명의. 여기서는 뛰어난 의사를 가리킴
*곳나모 : 꽃나무
*ᄂᆞᆯ애 : 날개

① 〈보기〉와 달리 [A]에는 자신을 희화화하는 태도가 드러나 있다.
② [A]와 〈보기〉는 모두 보조 화자가 중심 화자에게 위로를 건네는 형식이다.
③ [A]와 달리 〈보기〉의 화자는 자신이 처한 상황을 긍정적으로 인식하고 있다.
④ [A]와 〈보기〉는 모두 동일한 어구의 반복을 통해 임에 대한 사랑을 강조하고 있다.
⑤ [A]와 〈보기〉의 화자 모두 죽어서라도 임을 따르고자 하는 염원을 드러내고 있다.

[17~19] **다음 글을 읽고, 물음에 답하시오.**

(가) 뎨 가ᄂᆞᆫ 뎌 각시 본 듯도 ᄒᆞᆫ뎌이고
텬샹(天上) ᄇᆡᆨ옥경(白玉京)을 엇디ᄒᆞ야 니별(離別)ᄒᆞ고
ᄒᆡ 다 뎌 져믄 날의 눌을 보라 가시ᄂᆞᆫ고
어와 네여이고 이내 ᄉᆞ셜 드러 보오
내 얼굴 이 거동이 님 괴얌즉 ᄒᆞᆫ가마ᄂᆞᆫ
엇딘디 날 보시고 네로다 녀기실ᄉᆡ
나도 님을 미더 군ᄠᅳ디 전혀 업서
이ᄅᆡ야 교ᄐᆡ야 어ᄌᆞ러이 ᄒᆞ돗쎤디
반기시ᄂᆞᆫ ᄂᆞᆺ비치 녜와 엇디 다ᄅᆞ신고
누어 ᄉᆡᆼ각ᄒᆞ고 니러 안자 혜여ᄒᆞ니
㉠내 몸의 지은 죄 뫼ᄀᆞ티 빠혀시니
하ᄂᆞᆯ히라 원망ᄒᆞ며 사ᄅᆞᆷ이라 허믈ᄒᆞ랴
셜워 플텨 혜니 조믈(造物)의 타시로다
글란 ᄉᆡᆼ각 마오 ᄆᆡ친 일이 이셔이다
님을 뫼셔 이셔 님의 일을 내 알거니
믈 ᄀᆞᄐᆞᆫ 얼굴이 편ᄒᆞ실 적 몃 날일고
츈한 고열(春寒苦熱)은 엇디ᄒᆞ야 디내시며
츄일 동텬(秋日冬天)은 뉘라셔 뫼셧ᄂᆞᆫ고
쥭조반(粥早飯) 죠셕(朝夕) 뫼 녜와 ᄀᆞᆺ티 셰시ᄂᆞᆫ가
기나긴 밤의 ᄌᆞᆷ은 엇디 자시ᄂᆞᆫ고
님다히 쇼식(消息)을 아므려나 아쟈 ᄒᆞ니
오ᄂᆞᆯ도 거의로다 ᄂᆡ일이나 사ᄅᆞᆷ 올가
내 ᄆᆞ음 둘 ᄃᆡ 업다 어드러로 가쟛 말고
㉡잡거니 밀거니 놉픈 뫼ᄒᆡ 올라가니
구롬은ᄏᆞ니와 안개ᄂᆞᆫ 므ᄉᆞ 일고
산쳔(山川)이 어둡거니 일월(日月)을 엇디 보며
지쳑(咫尺)을 모ᄅᆞ거든 쳔 리(千里)ᄅᆞᆯ ᄇᆞ라보랴
ᄎᆞᆯ하리 믈ᄀᆞ의 가 ᄇᆡ 길히나 보랴 ᄒᆞ니
ᄇᆞ람이야 믈결이야 어둥졍 된뎌이고
㉢샤공은 어ᄃᆡ 가고 빈 ᄇᆡ만 걸렷ᄂᆞᆫ고
강텬(江天)의 혼자 셔셔 디ᄂᆞᆫ ᄒᆡᄅᆞᆯ 구버보니
님다히 쇼식(消息)이 더옥 아득ᄒᆞᆫ뎌이고
모쳠(茅簷) ᄎᆞᆫ 자리의 밤듕만 도라오니
반벽쳥등(半壁靑燈)은 눌 위ᄒᆞ야 ᄇᆞᆰ갓ᄂᆞᆫ고
오ᄅᆞ며 ᄂᆞ리며 헤ᄠᅳ며 바자니니
져근덧 녁진(力盡)ᄒᆞ야 픗ᄌᆞᆷ을 잠간 드니
정셩(精誠)이 지극ᄒᆞ야 ᄭᅮᆷ의 님을 보니
옥(玉) ᄀᆞᄐᆞᆫ 얼굴이 반(半)이 나마 늘거셰라
ᄆᆞ음의 머근 말ᄉᆞᆷ 슬ᄏᆞ장 ᄉᆞᆲ쟈 ᄒᆞ니
눈믈이 바라 나니 말ᄉᆞᆷ인ᄃᆞᆯ 어이ᄒᆞ며
졍(情)을 못다 ᄒᆞ야 목이조차 몌여ᄒᆞ니
오뎐된 계셩(鷄聲)의 ᄌᆞᆷ은 엇디 ᄭᆡ돗던고
어와 허ᄉᆞ(虛事)로다 이 님이 어ᄃᆡ 간고

결의 니러 안자 창(窓)을 열고 ᄇᆞ라보니
어엿븐 그림재 날 조ᄎᆞᆯ ᄲᅮᆫ이로다
ᄎᆞᆯ하리 싀여디여 ⓐ낙월(落月)이나 되야이셔
님 겨신 창(窓) 안ᄒᆡ 번드시 비최리라
각시님 ᄃᆞᆯ이야ᄏᆞ니와 ⓑ구즌 비나 되쇼셔

– 정철, '속미인곡(續美人曲)' –

(나) 동풍(東風)이 건듯 부러 적설(積雪)을 헤쳐 내니
㉣창(窓) 밖에 심은 매화(梅花) 두세 가지 피여세라.
가득이나 냉담한데 암향(暗香)은 무슨 일고.
황혼(黃昏)의 달이 돋아 베갯맡에 비치니
느끼는 듯 반기는 듯 임이신가 아니신가.
저 매화(梅花) 꺾어 내어 임 계신 데 보내고저.
임이 너를 보고 엇더타 너기실고.
꽃 지고 새 잎 나니, 녹음(綠陰)이 깔렸는데
나위(羅幃) 적막(寂寞)하고 수막(繡幕)이 비어 있다.
부용(芙蓉)을 걷어 놓고 공작(孔雀)을 둘러 두니,
가뜩 시름 한데 날은 엇디 기돗던고.
원앙금(鴛鴦錦) 버혀 놓고 오색실(五色線) 플텨 내어,
금자로 겨누어서 임의 옷 지어내니,
수품(手品)은 커니와 제도(制度)도 갖출시고.
산호수(珊瑚樹) 지게 위에 백옥함(白玉函)에 담아 두고
임에게 보내오려 임 계신 데 바라보니,
산인가 구름인가 험하고 험할시고.
천 리(千里) 만 리(萬里) 길에 뉘라서 찾아갈고
가거든 열어 두고 나인가 반기실가.
하룻밤 서리김에 기러기 울어 녈 제,
높은 누각에 혼자 올라 수정염(水晶簾)을 걷은 말이,
동산(東山)에 달이 나고 북극성이 뵈니,
임이신가 반기니 눈물이 절로 난다.
㉤청광(淸光)을 쥐어 내어 봉황루(鳳凰樓)에 부치고져,
누국 위에 걸어두고 팔황(八荒)에 다 비추어,
심산(深山) 궁곡(窮谷) 대낮같이 만드소서.
천지가 얼고 막혀 백설(白雪)이 한 빛일 때,
사람은 물론이거니와 날짐승도 그쳐 있다.
소상남반(瀟湘南畔)도 추위가 이렇거든
옥루고처(玉樓高處)도 더욱 일러 무엇하리.
양춘(陽春)을 부쳐내어 임 계신 데 쏘이고져.
초가집 처마에 비친 해를 옥루에 올리고져.
붉은 치마 여며 입고 푸른 소매 반(半)만 걷어,
해 저물고 대나무에 혜아림도 하도 할샤.
짧은 해 수이 지고 긴밤을 고초 앉아,
청등(靑燈) 걸은 곁에 전공후(鈿箜篌) 노하 두고,
꿈에나 임을 보려 턱 받고 비겨시니,
앙금(鴦衾)도 차도 찰샤 이 밤은 언제 샐고.

하루도 열 두 때, 한 달도 서른 날,
져근덧 생각 마라. 이 시름 잊자 하니,
마음에 맺혀 있어 골수(骨髓)에 끼쳤으니,
편작(扁鵲)이 열이 오나 이 병을 어찌하리.
어와 내 병이야 임의 탓이로다.
차라리 싀어디여 ⓒ범나비 되오리라.
꽃나무 가지마다 간 데 족족 앉았다가,
향 묻은 나래로 임의 옷에 옮으리라.
임이야 나인 줄 모르셔도 내 임 좇으려 하노라.

– 정철, '사미인곡(思美人曲)' –

---

17 (가)와 (나)를 비교 감상한 것으로 적절하지 <u>않은</u> 것은?

① (가)와 (나)는 모두 우리말의 아름다움을 잘 살려 표현하고 있다.
② (가)는 두 화자의 대화체가 나타나는 반면 (나)는 독백적 어조로 시상을 전개하고 있다.
③ (가)와 달리 (나)는 사계절 자연의 변화에 따라 시상을 전개하며 화자의 정서를 드러내고 있다.
④ (나)와 달리 (가)는 대구적 표현을 통해 리듬감을 형성하고 있다.
⑤ (나)와 달리 (가)는 시의 전반부에서 화자가 임과 이별하게 된 원인과 정황을 설명하고 있다.

18 〈보기〉를 바탕으로 ㉠~㉤을 이해한 것으로 적절하지 <u>않은</u> 것은?

보기

정철은 50세 되던 해인 선조 18년, 동인(東人)의 탄핵을 받아 관직에서 물러나 고향인 전남 창평에 칩거하며 '사미인곡'과 '속미인곡'을 썼다. 이 노래는 신하로서의 외로움과 임금에 대한 변함없는 충성심을 여성 화자의 목소리로 연정의 마음에 빗대어 표현한 충신연주지사에 속한다.

① ㉠ : 이별 상황에 대해 임을 탓하거나 원망하지 않고 오히려 자신의 탓으로 돌리는 것에서 신하로서 군주를 비판하지 않는 유학자의 자세가 드러나는군.
② ㉡ : 화자의 임 사이를 가로막고 있는 '구름'과 '안개'는 화자를 관직에서 물러나게 한 동인 세력을 비유하는군.
③ ㉢ : '빈 배'는 감정이입의 방법을 통해 칩거하며 살아가는 신하로서의 외로움을 강조하는군.
④ ㉣ : 냉담한 중에도 향기를 풍기는 '매화'는 이별 상황에서도 변함없는 신하의 지조와 절개를 상징하는군.
⑤ ㉤ : '청광'으로 '심산궁곡'을 대낮처럼 만들라는 것에서 임금이 선정을 베풀기를 염원하는 신하의 충정이 나타나는군.

19 ⓐ, ⓑ, ⓒ를 이해한 것으로 적절하지 <u>않은</u> 것은?

① ⓐ, ⓑ, ⓒ 모두 죽어서라도 임을 따르고자 하는 화자의 간절한 사모의 정이 드러나는군.
② ⓐ, ⓑ, ⓒ를 임에게 화자의 마음을 전해 주는 매개체로 볼 수도 있겠군.
③ ⓑ는 화자의 이별의 슬픈 눈물을 함축적으로 드러내고 있는 것으로 볼 수도 있겠군.
④ 멀리서 임을 바라보는 ⓐ에 비해, ⓑ와 ⓒ는 임에게 보다 적극적인 사랑을 드러낼 수 있는 존재라 볼 수 있군.
⑤ 임과의 재회에 대해 ⓑ는 비관적인 인식을, ⓒ는 낙관적인 인식을 각각 드러내고 있군.

[20~30] 다음 글을 읽고, 물음에 답하시오.

(가)

㉠ 가시리 가시리잇고 나ᄂᆞᆫ
ᄇᆞ리고 가시리잇고 나ᄂᆞᆫ
㉡위 증즐가 大平聖代(대평셩ᄃᆡ)

㉢ 날러는 엇디 살라 ᄒᆞ고
ᄇᆞ리고 가시리잇고 나ᄂᆞᆫ
위 증즐가 大平聖代(대평셩ᄃᆡ)

㉣잡ᄉᆞ와 두어리마ᄂᆞᄂᆞᆫ
선ᄒᆞ면 아니 올셰라.
위 증즐가 大平聖代(대평셩ᄃᆡ)

셜온 님 보내ᄋᆞᆸ노니 나ᄂᆞᆫ
㉤가시ᄂᆞᆫ ᄃᆞᆺ 도셔 오쇼셔 나ᄂᆞᆫ
위 증즐가 大平聖代(대평셩ᄃᆡ)

– 작자 미상, 「가시리」 –

(나)

나 보기가 역겨워
가실 때에는
말없이 고이 보내 드리우리다.

영변(寧邊)에 약산(藥山)
진달래꽃,
아름 따다 가실 길에 뿌리우리다.

가시는 걸음 걸음
놓인 그 꽃을
사뿐히 즈려밟고 가시옵소서.

나 보기가 역겨워
가실 때에는
죽어도 아니 눈물 흘리우리다.

– 김소월, 「진달래꽃」 –

20 (가)에 대한 설명으로 적절한 것을 〈보기〉에서 있는 대로 고른 것은?

보기

ㄱ. '가시리'는 화자가 시적 대상에게 하는 말로 반복되게 쓰여 리듬감을 형성한다.
ㄴ. '위 증즐가 大平聖代(대평셩딕)'는 전체 주제와는 무관하지만 반복을 통해 시의 음악성을 확보한다.
ㄷ. '아니 올셰라'는 화자의 정서를 직접 드러내는 시어로, 화자가 이별을 거부하는 이유를 알려 주는 단서이다.
ㄹ. '보내ᄋᆞᆸ노니'는 화자의 결정을 드러내는 시어로, 이별 상황에서 체념적인 화자의 모습을 의미한다.
ㅁ. 각 연의 내용이 독립적으로 전개되는 분연체로 구성되어 있다.
ㅂ. '나ᄂᆞᆫ'은 흥을 돋우기 위한 여음으로 투식어에 해당한다.

① ㄱ, ㄴ, ㄹ ② ㄷ, ㄹ, ㅁ ③ ㄴ, ㄹ, ㅁ, ㅂ
④ ㄱ, ㄴ, ㄹ, ㅂ ⑤ ㄱ, ㄷ, ㄹ, ㅁ, ㅂ

21 (가)의 화자에 대한 이해로 적절하지 <u>않은</u> 것은?

① 임이 떠나려고 하는 상황에 놓여 있어.
② 임이 떠나지 못하게 붙잡고 싶은 욕망이 있어.
③ 임이 가시자마자 곧 돌아와주기를 기원하고 있어.
④ 임에 대해 품게 된 불만을 노골적으로 드러내고 있어.
⑤ 임을 붙잡으면 임이 돌아오지 않을까 염려하고 있어.

22 (가)에서 다음의 밑줄 친 내용을 설명하기 위한 시구로 적절하지 <u>않은</u> 것은?

(가) 작품은 얼굴도 소리도 보이지 않는 '님'이란 존재가 작품 전체의 중심을 이루는 인물이다. 처음부터 끝까지 <u>이 노래를 이끌어가는 주체는 '님'</u>이며 화자인 '나'는 수동적인 존재일 뿐이다.

① 가시리 가시리잇고 ② ᄇᆞ리고 가시리잇고
③ 잡ᄉᆞ와 두어리마ᄂᆞᄂᆞᆫ ④ 선ᄒᆞ면 아니 올셰라
⑤ 가시ᄂᆞᆫ ᄃᆞᆺ 도셔 오쇼셔

23 ㉠~㉤에 대한 설명으로 적절하지 않은 것은?

① ㉠ : 설의적 표현을 활용하여 나를 버리고 떠나지 말라는 애원의 의미를 강조하고 있다.
② ㉡ : 시의 분위기와 어울리지 않는 시구로 궁중악으로 편입되는 과정에서 정치적 내용이 첨가되었음을 보여준다.
③ ㉢ : 1연의 질문이 형식을 되풀이함으로써 떠나는 임에 대한 원망을 고조시키고 있다.
④ ㉣ : 생각 같아서는 상대방을 잡아 두고 싶다는 화자의 간절한 마음을 드러내고 있다.
⑤ ㉤ : 가자마자 바로 나에게 돌아오라는 역설적 표현을 사용해 임의 귀환에 대한 화자의 소망을 드러내고 있다.

24 (가)에 나타난 시적 화자의 정서와 태도 변화를 표현한 것으로 가장 적절한 것은?

① 안타까움 → 슬픔, 원망 → 체념, 순응 → 소망, 기원
② 안타까움 → 소망, 기원, → 슬픔, 원망 → 절제, 체념
③ 안타까움 → 슬픔, 원망 → 체념, 극복 → 순응, 기원
④ 안타까움 → 체념, 절제 → 슬픔, 원망 → 기원, 축복
⑤ 안타까움 → 슬픔, 원망 → 소망, 기원 → 절제, 체념

25 (가) 시에 대한 설명으로 적절하지 않은 것은?

① 시어의 반복을 통해 주제를 강조하고 있음.
② 민간에서 구전되다가 궁중악으로 편입된 노래임.
③ 후렴구와 여음구의 사용으로 운율을 형성하고 있음.
④ 화자는 현실 극복 의지와 미래 지향적 태도를 지니고 있음.
⑤ 이별의 상황에서 느끼는 슬픔과 정한(情恨)을 솔직하게 표현함.

26 〈보기〉를 바탕으로 (가)를 감상한 것으로 적절하지 않은 것은?

보기

형식상 특징
- 3음보를 기본으로 하여 3 · 3 · 2조의 음수율이 많이 나타남
- 분연체로 구성되며 음악성을 살리는 후렴구가 반복됨

내용상 특징
- 남녀 간의 애정, 이별의 안타까움 등 진솔함이 표현됨
- 적극적으로 만류하지 못하고 체념하는 소극적 태도를 보임

① 1연에서 이 시의 형식상 특징을 확인할 수 있음.
② '위 증즐가 大平聖代(대평셩ᄃᆡ)'의 반복은 후렴구로 음악성을 살려줌.
③ '날러는 엇디 살라 ᄒᆞ고'에서 떠나는 임에 대한 애원과 원망이 고조됨.
④ '선ᄒᆞ면 아니 올셰라'에는 마음이 상하여 이별을 적극적으로 거부하는 태도를 드러냄.
⑤ '가시는 ᄃᆞᆺ 도셔 오쇼셔'에는 임과의 재회를 기원하는 표현이자 간절하게 임의 귀환을 기다리겠다는 태도임.

27 (나)에 쓰인 표현상의 특징에 대한 설명으로 적절하지 않은 것은?

① 이별의 상황을 가정하여 시상을 전개하고 있다.
② 색채 이미지의 대조를 통해 화자의 정서를 부각하고 있다.
③ 행에 따라 호흡의 속도를 다르게 하여 리듬의 변화를 주었다.
④ 종결 어미 '-우리다'의 반복을 통해 음악적 효과를 나타낸다.
⑤ 7.5조를 기본으로 다소의 가감을 보이는 음수율을 통해 리듬감을 형성하고 있다.

28 (가), (나)의 공통점으로 가장 적절한 것은?

① 설의법을 사용하여 화자의 고조된 감정을 나타낸다.
② 유사한 문장 구조를 반복하여 시적 상황을 부각한다.
③ 명암의 선명한 대비를 통해 시적 분위기를 환기한다.
④ 풍자적 어조를 활용하여 화자의 비판적 상황을 표출한다.
⑤ 영탄의 방식으로 시상을 마무리하여 주제 의식을 드러낸다.

29 (가), (나)의 표현 방식에 대한 설명으로 가장 적절한 것은?

① (가), (나)에서 모두 시적 상황에 어울리지 않는 시행이 포함되어 있다.
② (가)와 달리 (나)에서는 순우리말 시어를 통해 애절한 마음이 나타나고 있다.
③ (가)와 달리 (나)에서는 점층적인 표현을 통해 갈등하는 내면이 강조되고 있다.
④ (나)와 달리 (가)에서는 색채어를 통해 시적 대상의 면모가 드러나고 있다.
⑤ (나)와 달리 (가)에서는 반복되는 구절을 통해 시각적으로 연이 구분되고 있다.

30 (가), (나)를 감상한 내용으로 적절하지 않은 것은?

① (가)는 3음보의 민요적 율격으로 기-승-전-결의 구조로 이루어져 있다.
② (나)는 임에 대한 아름답고 숭고한 사랑을 상징적 시어를 통해 표현하고 있다.
③ (가)와 달리 (나)는 임이 돌아오기를 바라는 화자의 바람이 드러나 있다.
④ (가)와 (나)는 모두 여성적이고 애상적인 어조를 통해 주제를 효과적으로 부각하고 있다.
⑤ (가)의 화자는 원망과 안타까움을 드러내고 (나)의 화자는 이별을 예감하며 인고의 의지로 슬픔을 극복하는 모습을 보이고 있다.

[31~34] 다음 글을 읽고, 물음에 답하시오.

(가)

데 가ᄂᆞᆫ 뎌 각시 본 듯도 ᄒᆞᆫ뎌이고
텬상(天上) ᄇᆡᆨ옥경(白玉京)을 엇디ᄒᆞ야 니별(離別)ᄒᆞ고
ᄒᆡ 다 뎌 져믄 날의 눌을 보라 가시ᄂᆞᆫ고
어와 네여이고 이내 ᄉᆞ셜 드러 보오
내 얼굴 이 거동이 님 괴얌즉 ᄒᆞᆫ가마ᄂᆞᆫ
엇딘디 날 보시고 네로다 녀기실ᄉᆡ
나도 님을 미더 군ᄠᅳ디 전혀 업서
이ᄅᆡ야 교ᄐᆡ야 어ᄌᆞ러이 ᄒᆞ돗썬디
반기시ᄂᆞᆫ ᄂᆞᆺ비치 녜와 엇디 다ᄅᆞ신고
누어 ᄉᆡᆼ각ᄒᆞ고 니러 안자 혜여ᄒᆞ니
내 몸의 지은 죄 뫼ᄀᆞ티 ᄡᅡ혀시니
하ᄂᆞᆯ히라 원망ᄒᆞ며 사ᄅᆞᆷ이라 허믈ᄒᆞ랴
셜워 플텨 혜니 조믈(造物)의 타시로다
글란 ᄉᆡᆼ각 마오 ᄆᆡ친 일이 이셔이다
님을 뫼셔 이셔 님의 일을 내 알거니
믈 ᄀᆞᄐᆞᆫ 얼굴이 편ᄒᆞ실 적 몃 날일고

춘한 고열(春寒苦熱)은 엇디ᄒᆞ야 디내시며
츄일 동텬(秋日冬天)은 뉘라셔 뫼셧ᄂᆞᆫ고
쥭조반(粥早飯) 죠셕(朝夕) 뫼 녜와 ᄀᆞᆺ티 셰시ᄂᆞᆫ가
기나긴 밤의 ᄌᆞᆷ은 엇디 자시ᄂᆞᆫ고
님다히 쇼식(消息)을 아므려나 아쟈 ᄒᆞ니
오ᄂᆞᆯ도 거의로다 ᄂᆡ일이나 사ᄅᆞᆷ 올가
내 ᄆᆞ음 둘 ᄃᆡ 업다 어드러로 가쟛 말고
잡거니 밀거니 놉픈 뫼히 올라가니
구롬은ᄏᆞ니와 안개ᄂᆞᆫ 므ᄉᆞ 일고
산쳔(山川)이 어둡거니 일월(日月)을 엇디 보며
지쳑(咫尺)을 모ᄅᆞ거든 쳔 리(千里)ᄅᆞᆯ ᄇᆞ라보랴
출하리 믈ᄀᆞ의 가 ᄇᆡ 길히나 보랴 ᄒᆞ니
ᄇᆞ람이야 믈결이야 어둥졍 된뎌이고
샤공은 어ᄃᆡ 가고 뷘 ᄇᆡ만 걸렷ᄂᆞᆫ고
강텬(江天)의 혼자 셔셔 디ᄂᆞᆫ ᄒᆡᄅᆞᆯ 구버보니
님다히 쇼식(消息)이 더옥 아득ᄒᆞᆫ뎌이고
모쳠(茅簷) ᄎᆞᆫ 자리의 밤듕만 도라오니
반벽쳥등(半壁靑燈)은 눌 위ᄒᆞ야 ᄇᆞᆰ갓ᄂᆞᆫ고
오ᄅᆞ며 ᄂᆞ리며 헤ᄯᅳ며 바자니니
져근덧 녁진(力盡)ᄒᆞ야 픗ᄌᆞᆷ을 잠간 드니
졍셩(精誠)이 지극ᄒᆞ야 ᄭᅮᆷ의 님을 보니
옥(玉) ᄀᆞᄐᆞᆫ 얼굴이 반(半)이 나마 늘거셰라
ᄆᆞ음의 머근 말ᄉᆞᆷ 슬ᄏᆞ장 ᄉᆞᆲ쟈 ᄒᆞ니
눈믈이 바라 나니 말ᄉᆞᆷ인ᄃᆞᆯ 어이ᄒᆞ며
졍(情)을 못다 ᄒᆞ야 목이조차 몌여ᄒᆞ니
오뎐된 ㉠계셩(鷄聲)의 ᄌᆞᆷ은 엇디 ᄭᆡ돗던고
어와 허ᄉᆞ(虛事)로다 이 님이 어ᄃᆡ 간고
결의 니러 안자 창(窓)을 열고 ᄇᆞ라보니
어엿븐 그림재 날 조ᄎᆞᆯ ᄲᅮᆫ이로다
출하리 ᄉᆡ여디여 ㉡낙월(落月)이나 되야이셔
님 겨신 창(窓) 안ᄒᆡ 번드시 비최리라
각시님 ᄃᆞᆯ이야ᄏᆞ니와 구ᄌᆞᆫ 비나 되쇼셔

– 속미인곡 –

(나) 건곤(乾坤)이 폐ᄉᆡᆨ(閉塞)ᄒᆞ야 ᄇᆡᆨ셜(白雪)이 ᄒᆞᆫ 빗친 제
사ᄅᆞᆷ은ᄏᆞ니와 ᄂᆞᆯ새도 긋쳐 잇다.
쇼샹 남반(瀟湘南畔)도 치오미 이렷커든
옥누고쳐(玉樓高處)야 더옥 닐너므슴하리.
양츈(陽春)을 부쳐 내여 님 겨신 ᄃᆡ 쏘이고져.
모쳠(茅簷) 비쵠 ᄒᆡᄅᆞᆯ 옥누(玉樓)의 올리고져.
홍샹(紅裳)을 니ᄆᆞᄎᆞ고 취슈(翠袖)ᄅᆞᆯ 반(半)만 거더
일모 슈듁(日暮脩竹)의 혬가림도 하도 할샤

다른 ᄒᆡ 수이 디여 긴 밤을 고초 안자
청등(靑燈) 거른 겻ᄐᆡ 뎐공후(鈿箜篌) 노하 두고
쑴에나 님을 보려 ᄐᆡᆨ밧고 비겨시니
앙금(鴦衾)도 ᄎᆞ도 출샤 이 밤은 언제 샐고
ᄒᆞᄅᆞ도 열두 ᄣᅢ ᄒᆞᆫ ᄃᆞᆯ도 셜흔 날
져근덧 ᄉᆡᆼ각 마라 이 시름 닛쟈 ᄒᆞ니
ᄆᆞ음의 ᄆᆡ쳐 이셔 골슈(骨髓)의 ᄢᅦ텨시니
편쟉(扁鵲)이 열히 오나 이 병을 엇디ᄒᆞ리
어와 내 병이야 이 님의 타시로다
출하리 싀여디여 범나븨 되오리라
쏫나모 가지마다 간ᄃᆡ 족족 안니다가
향 므든 ᄂᆞᆯ애로 님의 오ᄉᆡ 올므리라
님이야 날인 줄 모로셔도 내 님 조ᄎᆞ려 ᄒᆞ노라

– 사미인곡 중 일부 –

---

31 (가)와 (나)의 공통점으로 적절하지 않은 것은?

① (가)와 (나)는 모두 4음보 연속체의 형식으로 구성되어, 시조에 비해서 자신의 이야기를 길게 할 수 있다.
② (가)와 (나)는 여성 화자의 목소리를 통해 자신이 말하고자 하는 바를 전하고 있다.
③ (가)와 (나)는 모두 두 여인의 대화 형식을 통해서 이야기를 전개하고 있다.
④ (가)와 (나)는 모두 님에 대한 그리움을 드러내고 있다.
⑤ (가)와 (나)는 모두 화자의 분신이 나타나 있는데, 화자의 분신을 통해 님을 만나고자 하는 욕망을 드러낸다.

32 아래의 밑줄 친 단어 중에서 (가)의 밑줄 친 ⓛ'낙월(落月)'과 같은 함축적 의미가 나타나 있는 작품을 찾으시오.

① 십 년(十年)을 경영(經營)ᄒᆞ여 초려삼간(草廬三間) 지여 내니
나 ᄒᆞᆫ 간 ᄃᆞᆯ ᄒᆞᆫ 간에 청풍(淸風) ᄒᆞᆫ 간 맛져 두고
강산(江山)은 할일 듸 업스니 둘러 두고 보리라
② 님 글인 상사몽(相思夢)이 실솔(蟋蟀)의 넉시 되야
추야장(秋夜長) 깁픈 밤에 님의 방(房)에 드럿다가
날 닛고 감히 든 ᄎᆞᆼ을 ᄭᆡ와 볼까 ᄒᆞ노라
③ 秋江(추강)에 밤이 드니 물결이 ᄎᆞ노메라
낚시 드리치니 고기 아니 무노메라
無心(무심)한 ᄃᆞᆯ빗만 싯고 뷘 배 저어 오노매라
④ ᄆᆞ음이 어린 後(후)ㅣ니 ᄒᆞᄂᆞᆫ 일이 다 어리다
萬重雲山(만중운산)에 어ᄂᆡ 님 오리마ᄂᆞᆫ
지ᄂᆞᆫ 님 부ᄂᆞᆫ ᄇᆞ람에 힝여 귄가 ᄒᆞ노라
⑤ 구름 비치 조타 ᄒᆞ나 검기를 ᄌᆞ로 ᄒᆞᆫ다
ᄇᆞ람 소리 ᄆᆞᆰ다 ᄒᆞ나 그칠 적이 하노매라
조코도 그칠 뉘 업기는 물ᄲᅮᆫ인가 ᄒᆞ노라

33 (가)의 밑줄 친 ㉠'계성(溪聲)'과 같은 문맥적 의미를 가진 시어를 아래 〈보기〉에서 찾으시오.

보기

<u>벽련화(碧蓮花)</u> 한 곡조를 시름 조ᄎᆞ 섯거 타니
소상 야우(瀟湘夜雨)의 댓소리 섯도ᄂᆞᆫ 듯
화표(華表) 천 년(千年)의 별학(別鶴)이 우니ᄂᆞᆫ 듯
옥수(玉水)의 타ᄂᆞᆫ 수단(手段) 녯 소래 잇다마ᄂᆞᆫ
부용장(芙蓉帳) 적막(寂寞)ᄒᆞ니 뉘 귀에 들리소니
<u>간장(肝腸)</u>이 구곡(九曲) 외야 구븨구븨 끈쳐서라
출하리 잠을 드러 ᄭᅮᆷ의나 임을 보려 ᄒᆞ니
바람의 디ᄂᆞᆫ 닙과 풀 속에 우는 <u>즘생</u>
므스 일 원수로서 잠조차 ᄭᅦ오ᄂᆞ다
천상(天上)의 견우 직녀(牽牛織女) 은하수(銀河水) 막혀서도
<u>칠월 칠석(七月七夕)</u> 일년 일도(一年一度) 실기(失期)치 아니거든
우리 님 가신 후는 무슨 약수(弱水) 가렷관듸
오거나 가거나 소식(消息)조차 ᄭᅳᆫ쳣는고
난간(欄干)와 비겨 서서 님 가신 ᄃᆡ 바라보니
초로(草露)ᄂᆞᆫ 맷쳐 잇고 모운(暮雲)이 디나갈 제
죽림(竹林) 푸른 고ᄃᆡ 새 소리 더욱 설다
색상의 서룬 사람 수업다 ᄒᆞ려니와
박명(薄命)ᄒᆞᆫ <u>홍안(紅顔)</u>이야 날 가ᄐᆞ니 ᄯᅩ 이실가
아마도 이 님의 지위로 살동말동 ᄒᆞ여라

– 규원가 중 일부 –

① 벽련화(碧蓮花)　② 간장(肝腸)　③ 즘생
④ 칠월 칠석(七月七夕)　⑤ 홍안(紅顔)

34 (가)의 시적 화자가 처한 상황 그리고 정서와 태도면에서 가장 <u>이질적인</u> 것을 아래에서 찾으시오.

① 묏버들 갈ᄒᆡ 것거 보내노라 님의 손ᄃᆡ
자시ᄂᆞᆫ 창(窓) 밧긔 심거 두고 보쇼서
밤비에 새 닙곳 나거든 날인가도 너기쇼셔
② 청산(淸山)은 내 뜻이오 녹수(綠水)ᄂᆞᆫ 님의 정(精)이
녹수(綠水) 흘너간들 청산(靑山)이냐 변(變)ᄒᆞᆯ손가
녹수(綠水)도 청산(靑山)을 못 니져 우러 에어 가ᄂᆞ고
③ 잔 들고 혼자 안자 먼 뫼흘 ᄇᆞ라보니
그리던 님이 오다 반가움이 이리ᄒᆞ랴
말숨도 우움도 아녀도 몯내 됴하 ᄒᆞ노라
④ 이화우(梨花雨) 흣ᄲᅮ릴 제 울며 잡고 이별(離別)ᄒᆞᆫ 님
추풍낙엽(秋風落葉)에 저도 날 ᄉᆡᆼ각ᄂᆞᆫ가
천 리(千里)에 외로운 ᄭᅮᆷ만 오락가락 ᄒᆞ노매
⑤ 방(房) 안에 혓ᄂᆞᆫ 촉(燭)를 눌과 이별(離別)ᄒᆞ엿관ᄃᆡ
눈물을 흘니면서 속 타ᄂᆞᆫ 줄 모르ᄂᆞ고
우리도 져 촉(燭)를 ᄀᆞᆺ도다 속 타ᄂᆞᆫ 줄 모로노라

서술형 심화문제

[01~10] 다음 글을 읽고, 물음에 답하시오.

(가) 가시리 가시리잇고 나ᄂᆞᆫ
ᄇᆞ리고 가시리잇고 나ᄂᆞᆫ
위 증즐가 대평셩ᄃᆡ(大平聖代)

날러는 엇디 살라 ᄒᆞ고
ᄇᆞ리고 가시리잇고 나ᄂᆞᆫ
위 증즐가 대평셩ᄃᆡ(大平聖代)

잡ᄉᆞ와 두어리마ᄂᆞᄂᆞᆫ
선ᄒᆞ면 아니 올셰라.
위 증즐가 대평셩ᄃᆡ(大平聖代)

셜온 님 보내ᅀᆞᆸ노니 나ᄂᆞᆫ
가시ᄂᆞᆫ ᄃᆞᆺ 도셔 오쇼셔 나ᄂᆞᆫ
위 증즐가 대평셩ᄃᆡ(大平聖代)

– 작자미상, 「가시리」 –

(나) 뎨 가ᄂᆞᆫ 뎌 각시 본 듯도 ᄒᆞᆫ뎌이고
텬샹(天上) ᄇᆡᆨ옥경(白玉京)을 엇디ᄒᆞ야 니별(離別)ᄒᆞ고
ᄒᆡ 다 뎌 져믄 날의 눌을 보라 가시ᄂᆞᆫ고
어와 네여이고 이내 ᄉᆞ셜 드러 보오
[A] 내 얼굴 이 거동이 님 괴얌즉 ᄒᆞᆫ가마ᄂᆞᆫ
엇딘디 날 보시고 네로다 녀기실ᄉᆡ
나도 님을 미더 군ᄠᅳ디 전혀 업서
이ᄅᆡ야 교ᄐᆡ야 어ᄌᆞ러이 ᄒᆞ돗썬디
반기시ᄂᆞᆫ ᄂᆞᆺ비치 녜와 엇디 다ᄅᆞ신고
누어 ᄉᆡᆼ각ᄒᆞ고 니러 안자 혜여ᄒᆞ니
내 몸의 지은 죄 뫼ᄀᆞ티 빠혀시니
하ᄂᆞᆯ히라 원망ᄒᆞ며 사ᄅᆞᆷ이라 허믈ᄒᆞ랴
셜워 플텨 혜니 조믈(造物)의 타시로다
글란 ᄉᆡᆼ각 마오 ᄆᆡ친 일이 이셔이다
님을 뫼셔 이셔 님의 일을 내 알거니
믈 ᄀᆞᄐᆞᆫ 얼굴이 편ᄒᆞ실 적 몃 날일고
츈한 고열(春寒苦熱)은 엇디ᄒᆞ야 디내시며
츄일 동텬(秋日冬天)은 뉘라셔 뫼셧ᄂᆞᆫ고
쥭조반(粥早飯) 죠셕(朝夕) 뫼 녜와 ᄀᆞᆺ티 셰시ᄂᆞᆫ가
기나긴 밤의 ᄌᆞᆷ은 엇디 자시ᄂᆞᆫ고
님다히 쇼식(消息)을 아므려나 아쟈 ᄒᆞ니
오ᄂᆞᆯ도 거의로다 ᄂᆡ일이나 사„ 올가
내 ᄆᆞᄋᆞᆷ 둘 ᄃᆡ 업다 어드러로 가쟛 말고

잡거니 밀거니 놉픈 뫼히 올라가니
구롬은ᄏᆞ니와 안개ᄂᆞᆫ 므ᄉᆞ 일고
산쳔(山川)이 어둡거니 일월(日月)을 엇디 보며
지쳑(咫尺)을 모ᄅᆞ거든 쳔 리(千里)ᄅᆞᆯ ᄇᆞ라보랴
ᄎᆞᆯ하리 믈ᄀᆞ의 가 ᄇᆡ 길히나 보랴 ᄒᆞ니
ᄇᆞ람이야 믈결이야 어둥졍 된뎌이고
샤공은 어ᄃᆡ 가고 븬 ᄇᆡ만 걸렷ᄂᆞᆫ고
강텬(江天)의 혼자 셔셔 디ᄂᆞᆫ ᄒᆡᄅᆞᆯ 구버보니
님다히 쇼식(消息)이 더옥 아득ᄒᆞᆫ뎌이고
모쳠(茅簷) ᄎᆞᆫ 자리의 밤듕만 도라오니
반벽쳥등(半壁靑燈)은 눌 위ᄒᆞ야 ᄇᆞᆯ갓ᄂᆞᆫ고
[B] 오ᄅᆞ며 ᄂᆞ리며 헤쓰며 바자니니
져근덧 녁진(力盡)ᄒᆞ야 픗ᄌᆞᆷ을 잠간 드니
졍셩(精誠)이 지극ᄒᆞ야 ᄭᅮᆷ의 님을 보니
옥(玉) ᄀᆞᄐᆞᆫ 얼굴이 반(半)이 나마 늘거셰라
ᄆᆞᄋᆞᆷ의 머근 말ᄉᆞᆷ 슬ᄏᆞ장 ᄉᆞᆲ쟈 ᄒᆞ니

눈믈이 바라 나니 말ᄉᆞᆷ인ᄃᆞᆯ 어이ᄒᆞ며
졍(情)을 못다 ᄒᆞ야 목이조차 메여ᄒᆞ니
오뎐된 계셩(鷄聲)의 ᄌᆞᆷ은 엇디 ᄭᆡ돗던고
어와 허ᄉᆞ(虛事)로다 이 님이 어ᄃᆡ 간고
결의 니러 안자 창(窓)을 열고 ᄇᆞ라보니
어엿븐 그림재 날 조ᄎᆞᆯ ᄲᅮᆫ이로다
ᄎᆞᆯ하리 싀여디여 낙월(落月)이나 되야이셔
님 겨신 창(窓) 안ᄒᆡ 번드시 비최리라
각시님 ᄃᆞᆯ이야ᄏᆞ니와 구ᄌᆞᆫ비나 되쇼셔

– 정철, 「속미인곡」 –

(다) 먼 후일 당신이 찾으시면
그때에 내 말이 "잊었노라."

당신이 속으로 나무라면
"무척 그리다가 잊었노라."

그래도 당신이 나무라면
"믿기지 않아서 잊었노라."

오늘도 어제도 아니 잊고
먼 후일 그때에 "잊었노라."

– 김소월, 「먼 후일」 –

01 (가)의 화자가 궁극적으로 소망하는 바가 드러난 부분을 (가)에서 찾아 한 행으로 쓰시오.

02 (가)를 읽고 고려가요 '가시리'와 현대시 '진달래꽃'에 공통적으로 나타나는 내용적 측면에서의 특징을 〈조건〉의 문장형태를 사용하여 한 문장으로 서술하시오.

나 보기가 역겨워 / 가실 때에는
말 없이 고이 보내드리우리다

영변에 약산 / 진달래꽃
아름 따다 가실 길에 뿌리우리다

가시는 걸음 걸음 / 놓인 그 꽃을
사뿐히 즈려밟고 가시옵소서

나 보기가 역겨워 / 가실 때에는
죽어도 아니 눈물 흘리우리다

– 김소월, 「진달래꽃」 –

조건

'우리 민족의 전통적 정서인 ~을(를) 공통적으로 드러내고 있다.'

03 (가)에서 (1) 위 증즐가 대평성디(大平聖代)를 무엇이라 하는지 쓰고, 이 작품에서 (2) 어떤 기능을 하는지 설명하시오.

04 (나)에서 자연물을 활용하여 적극적인 사랑의 태도를 비유적으로 표현한 어휘를 본문에서 찾아 쓰시오.

05 (1) (나)의 [A], [B]를 현대어로 해석하시오. (2) (나)에서 대립적 의미를 지닌 시어 두 개를 찾아 쓰시오.

조건

원문 그대로 쓸 것, 두 개만 쓸 것.

06 (나)는 임금을 향한 충성스러운 마음을 표현하는 '충신연주지사'에 해당한다. 이를 고려하여 '빅옥경(白玉京)'과 '구름'의 의미를 각각 두 음절의 한 단어로 쓰시오.

07 〈보기〉를 바탕으로 (나)의 작가가 여성 화자의 목소리를 빌려 임을 그리워하는 마음을 표현한 이유를 서술하시오

보기

- 정치적으로 실패한 신하가 임금에 대한 분노나 울분을 직접 토한다는 것은 불가능하다. 그래서 그는 버림받은 불행한 궁중의 여인이 되어 돌아오지 않는 임금을 그리워한다는 은유를 만들어 낸다. 이것은 불행한 여성을 상상 속에 설정함으로써 자신의 비극적 심정을 대리로 발산하는 방법이다.

– 김병국, 『서포 김만중의 생애와 문학』 –

- 「속미인곡」은 정철이 1585년에 당쟁으로 인해 관직에서 밀려나 낙향했을 때 지은 작품이다. 정철은 이 작품을 통해 임금인 선조에 대한 그리움과 변함없는 충절의 마음을 노래하고 있다.

08 (나)에서 〈보기〉의 ⓐ에 해당하는 말을 찾아 한 단어로 쓰시오.

보기

(ⓐ)은/는 '소용없이 밝아 있다'는 점에서 임의 부재를 강조하며, 임을 애타게 그리워하는 화자의 외로움을 부각시킨다.

09 (나)는 임금을 향한 충성스러운 마음을 표현하는 '충신연주지사'에 해당한다. 이를 고려하여 다음 시어들의 의미를 쓰시오.

	작품 속 의미
미인	(1)
백옥경	(2)
임	(3)
구름	(4)
일월	(5)

10 〈보기〉는 (다)에 대한 설명이다. 빈 칸에 알맞은 어휘를 순서대로 쓰시오.

보기

① (Ⓐ) 의 민요적 율격을 보이고 있다.
② (Ⓑ) 표현을 사용하여 화자의 내면을 효과적으로 부각시키고 있다.
③ 미래를 가정하는 표현인 '먼 후일, ~면'과 과거 시제 '잊었노라'를 (Ⓒ), 변조하여 사용하고 있다.

춘향전(春香傳)

– 작자 미상 –

[앞부분 줄거리] 조선 시대, 전라도 남원 땅의 퇴기 월매와 성 참판 사이에서 태어난 춘향은 어려서부터 용모와 재주가 뛰어났다. 춘향이
조선조 신분제 사회에서 기생의 딸은 기생의 신분임(몽룡과 혼사 장애를 겪는 원인)
열여섯이 되던 해, 남원 부사로 부임한 아버지를 따라 한양에 서 내려온 이몽룡은 단옷날 그네를 타러 나온 춘향을 보고 한눈에 반하여 백년가약을 맺는다. 하지만 이몽룡은 동부승지로 임명된 부친을 따라 한양으로 떠나고, 홀로 남은 춘향은 새로 부임한 변학도의 수청을 거부
정절을 지키는 춘향의 지조와 절개 → 신분 상승을 성취하게 되는 동인
하다 고초를 겪고 옥에 갇히고 만다. 한편 과거에 급제한 이몽룡은 암행어사가 되어 신분을 숨긴 채 춘향을 만나러 남원으로 내려온다.

향단이는 미음상이며 등불을 들고 어사또는 뒤를 따라 옥문에 당도하니 인적이 고요하고 옥졸도 간 곳 없네.
암행어사의 신분을 숨긴 채 걸인의 행색을 한 이몽룡

이때 춘향이 비몽사몽간에, 서방님이 오셨는데 머리에는 금관이요 몸에는 홍삼이라. 오로지 사랑만을 생각하며 목
꿈에서도 과거 급제해서 돌아올 이몽룡을 기다리는 춘향 → 오매불망(寤寐不忘)
을 안고 온갖 회포에 젖어 있던 터라.

"춘향아." / 부른들 대답이 있을쏘냐.
춘향이 이몽룡을 만나는 단꿈에 빠져있음

어사또 하는 말이,

"크게 한번 불러 보소."

"모르는 말씀이오. 여기서 동헌이 마주 있는데 소리가 크게 나면 사또가 염문(廉問)할 것이니 잠깐 지체하옵소서."
변학도(변 사또): 탐관오리, 춘향의 정절을 시험하는 인물

"뭐가 어때. 염문이 무엇인고? 내가 부를게 가만있소. 춘향아."
이몽룡의 당당한 태도를 통해 사또보다 높은 신분임을 짐작할 수 있음

부르는 소리에 춘향이, 깜짝 놀라 일어나며,

"허허 이 목소리 잠결인가 꿈결인가. 그 목소리 괴이하다."
비몽사몽간 몽룡의 목소리를 듣고 놀란 춘향

어사또 기가 막혀, / "내가 왔다고 말을 하소."

"왔단 말을 하게 되면 기절해서 간 떨어질 것이니 가만히 계시옵소서."
춘향이가 이몽룡을 매우 기다렸음을 알게 함

춘향이 저의 모친 음성을 듣고 깜짝 놀라서,

「"어머니 어찌 오셨소. 몹쓸 딸자식을 생각하와 천방지축으로 다니다가 낙상하기 쉽소. 다음부터는 오실라 마옵소서."」 「」: 어머니를 걱정하는 춘향의 마음

"날랑은 염려 말고 정신을 차리어라. 왔다."
걸인이 된 이몽룡에 대한 월매의 못마땅함, 장모의 괄시

"오다니 누가 와요?"

"그저 왔다."

"갑갑하여 나 죽겠소. 일러 주오. 꿈 가운데 님을 만나 온갖 회포 나누었더니 혹시 서방님께서 기별 왔소? 언제 오신단 소식 왔소? 벼슬 띠고 내려온단 공문 왔소? 답답하여라."

"너의 서방인지 남방인지 걸인 하나가 내려왔다."

언어유희를 통한 해학적 표현 : 남편을 이르는 말인 '서방(書房)'을 서쪽 방향을 이르는 말인 '서방(西方)'으로 치환하고 이와 유사한 '남방(南方)'과 연달아 발음하여 해학적으로 표현함. 동음이의어를 이용한 언어유희

"허허, 이게 웬 말인가. 서방님이 오시다니 꿈결에 보던 님을 생시에 본단 말인가."

문틈으로 손을 잡고 말 못하고 기겁하며,

"애고 이게 누구시오. 아마도 꿈이로다. 그토록 그린 님을 이리 쉽게 만날쏜가. 이제 죽어도 한이 없네. 어찌 그리 무정한가. 박명하다 나의 모녀. 서방님 이별 후에 자나 누우나 님 그리워 오래도록 한이더니, 내 신세 이리되어 매에 감겨 죽게 되는 날 살리러 와 계시오."

이몽룡과 이별한 후 오매불망 간절히 그리워했음을 드러냄

한참 이리 반기다가 님의 형상 자세히 보니 어찌 아니 한심하랴.

초라한 행색에 실망함

"여보 서방님, 내 몸 하나 죽는 것은 설운 마음 없소마는 서방님 이 지경이 웬일이오."

"오냐 춘향아, 설워 마라. 인명이 재천(在天)인데 설만들 죽을쏘냐."

춘향이 죽지 않으리라는 것을 암시함 ①

춘향이 저의 모친 불러,

〖 〗: 판소리로부터 발전한 판소리계 소설의 특징. 판소리 사설 중 창자가 사설을 늘어놓는 '아니리'에 해당하는 부분으로 볼 수 있음.

〖한양성 서방님을 칠년대한(七年大旱) 가문 날에 큰비 오기를 기다린들 나와 같이 맥 빠질쏜가. 심은 나무가 꺾어지고 공든 탑이 무너졌네. 가련하다 이내 신세 하릴없이 되었구나. 「어머님 나 죽은 후에라도 원이나 없게 하여 주옵소서. 나 입던 비단 장옷 봉황 장롱 안에 들었으니 그 옷 내어 팔아다가 한산 모시 바꾸어서 물색 곱게 도포 짓고 흰색 비단 긴 치마를 되는대로 팔아다가 관, 망건, 신발 사 드리고 좋은 병과 비녀, 밀화장도, 옥지환이 함 속에 들었으니 그것도 팔아다가 한삼(汗衫), 고의 흉하지 않게 하여 주오. 금명간 죽을 년이 세간 두어 무엇 할까. 용장롱, 봉장롱, 빼닫이를 되는 대로 팔아다가 좋은 진지 대접하오. 나 죽은 후에라도 나 없다 마시고 날 본 듯이 섬기소서.」 서방님 내 말씀 들으시오. 내일이 본관 사또 생신이라. 술에 취해 주정 나면 나를 올려 칠 것이니 형장 맞은 다리 장독(杖毒)이 났으니 수족인들 놀릴쏜가. 치렁치렁 흐트러진 머리 이럭저럭 걷어 얹고 이리 비틀 저리 비틀 들어가서 곤장 맞고 죽거들랑 삯꾼인 체 달려들어 둘러업고 우리 둘이 처음 만나 놀던 부용당 적막하고 고요한 데 뉘어 놓고 서방님 손수 염습하되 나의 혼백 위로하여 입은 옷 벗기지 말고 양지 끝에 묻었다가 서방님 귀히 되어 벼슬에 오르거든 잠시도 지

「 」: 자신이 죽고 난 후에도 이몽룡을 잘 대접해 줄 것을 부탁함. → 끝까지 지조와 정절을 지켜 지아비로 섬김

이몽룡이 나타나면 자신이 죽지 않을 것이라는 희망이 이몽룡의 걸인 행색을 보고 사라짐

금명간: 오늘이나 내일 사이, 곧

춘향은 자신이 영락없이 죽으리라고 지레짐작하고 유언으로 여러 가지 일을 당부하고 있다. 그중 자신이 죽으면 서방님이 손수 염습하여 선산 발치에 묻어 달라는 부탁은 스스로를 이몽룡의 정부인이자 이씨 문중의 적통 며느리로 인정해 잘라는 것이다. 또한 '수정원사춘향지묘'를 비석에 새겨 달라는 것은 본인이 절개를 지켜서 죽었다는 사실을 사람들이 알 수 있도록 해달라는 말로써, 자신의 행동을 정당하고 도덕적인 일로 생각하고 있음을 알 수 있다.

장독(杖毒): 장형으로 매를 심하게 맞아 생긴 상처의 독

부용당: 이몽룡과 즐겁고 행복했던 시절을 추억함

체 말고 육진장포로 다시 염습하여 조촐한 상여 위에 덩그렇게 실은 후에 북망산천 찾아갈 제 앞 남산 뒤 남산 다 버

무덤이 많은 곳이나 사람이 죽어서 묻히는 곳을 이르는 말 「 」: 춘향이 자신의 신세를 한탄함

리고 한양성으로 올려다가 선산발치에 묻어 주고 비문에 새기기를 수절원사춘향지묘라 여덟 자만 새겨 주오.「망부석

'선산'은 어사또의 조상이 묻힌 곳으로, 이곳에 묻힌다는 것은 춘향이 이몽룡 가족의 일원으로 인정받는 것. 즉 춘향의 신분 상승을 의미한다고 볼 수 있음.

이 아니 될까. 서산에 지는 해는 내일 다시 오련마는 불쌍한 춘향이는 한 번 가면 언제 다시 올까. 맺힌 한이나 풀어

「 」: 자신이 죽은 후 돌볼 사람이 없어 고생할 어머니를 걱정함

주오. 애고애고 내 신세야.」「불쌍한 나의 모친 나를 잃고 가산을 탕진하면 하릴없이 걸인 되어 이 집 저 집 걸식타가 언덕 밑에 조속조속 졸면서 기운 다해 죽게 되면 지리산 갈가마귀 두 날개를 떡 벌리고 둥덩실 날아들어 까옥까옥 두 눈을 다 파먹은들 어느 자식 있어 "후여!" 하고 날려 주리.」』

⦿ 어휘풀이

- **홍삼** 조회 때 입는 예복.
- **회포** 마음속에 품은 생각이나 정.
- **동헌** 지방 관아에서 고을 원이나 감사, 병사, 수사 및 그 밖의 수령들이 공사를 처리하던 중심 건물.
- **염문(廉問)** 사정이나 형편 따위를 몰래 물어봄.
- **칠년대한** 칠 년 동안이나 내리 계속되는 큰 가뭄. 중국 은나라 탕왕 때에 있었던 큰 가뭄에서 유래함.
- **장옷** 예전에, 여자들이 나들이할 때에 얼굴을 가리느라고 머리에서부터 길게 내려 쓰던 옷.
- **밀화장도(蜜花粧刀)** 밀화로 꾸민, 주머니 속에 넣거나 옷고름에 늘 차고 다니는 칼집이 있는 작은 칼.
- **한삼(汗衫)** 손을 가리기 위하여 두루마기나 여자의 저고리 따위의 윗옷 소매 끝에 흰 헝겊으로 길게 덧대는 소매.
- **고의** 남자의 여름 홑바지.
- **염습** 시신을 씻긴 뒤 수의를 갈아입히고 염포로 묶는 일.
- **육진장포(六鎭長布)** 함경북도의 육진이 있던 곳에서 나는 베.
- **선산발치** 조상의 무덤이 있는 산기슭.
- **수절원사(守節冤死)** 춘향지묘 '절개를 지키다 원통하게 죽은 춘향의 묘'라는 뜻.

확인학습

01 판소리계 소설의 특징이 드러난다. O□ X□

02 '어사또'와 '춘향 모친'은 같은 정도의 높임말로 서로에게 존대하고 있다. O□ X□

03 '춘향'은 불평하는 말로 '모친'에 대한 원망(怨望)을 드러내고 있다. O□ X□

04 '춘향'은 '모친'에게 질문을 퍼부으며 자세한 정보를 제시해주길 바라고 있다. O□ X□

05 '모친'은 이몽룡을 괄시하고 있다. O□ X□

애고애고 설워 울 때, / 어사또,

「 」: 이몽룡이 자신의 정체를 암시하는 부분

"울지 마라. 하늘이 무너져도 솟아날 구멍이 있느니라.「네가 나를 어찌 알고 이렇듯 설워하느냐."」

춘향이 죽지 않으리라는 것을 암시함 ②

작별하고 춘향 집에 돌아왔지.

화자가 현재의 상황으로 직접 청중에게 전달하는 말투로, 이 소설이 판소리계 소설임을 나타내 줌

춘향은 어둠침침 한밤중에 서방님을 번개같이 얼른 보고 옥방에 홀로 앉아 탄식하는 말이,

"밝은 하늘은 사람을 낼 제 대체로 공평하건만 나의 신세는 무슨 죄로 이팔청춘에 님 보내고 모진 목숨 살아 이 형문 이 형장 무슨 일인고. 옥중고생 서너 달에 밤낮없이 님 오시기만 바라더니 이제는 님의 얼굴 보았으나 희망 없이 되었구나. 죽어 황천에 돌아간들 옥황님께 무슨 말을 자랑하리."

끝까지 지조를 지켰으나 살 희망이 없다고 생각한 춘향의 실망감이 드러남

애고애고 설워 울 제, 맥이 빠져 반생반사(半生半死)하는구나.

거의 죽게 되어 죽을지 살지 모를 지경에 이름

어사또 춘향 집으로 와서 그날 밤을 새려 하고 문안 문밖 염문할 새 길청(吉廳)에 가 들으니 이방이 승발 불러 하는 말이,

"여보소, 들으니 어사또가 새문 밖 이 씨라더니 아까 삼경에 등불 켜 들고 춘향 어미 앞세우고 왔던 다 떨어진 옷과 갓을 쓴 손님이 아마도 수상하니, 내일 사또 잔치 끝에 잘 구별하여 별 탈이 없도록 십분 조심하소."

걸인 행색을 한 이몽룡을 암행어사로 의심함 → 극적 긴장감 조성

어사또가 그 말을 듣고, / "그놈들 알기는 아는데."

하고 또 장청(杖廳)에 가 들으니 행수, 군관 거동 보소.

"여러 군관님네, 아까 옥 주변 서성이던 걸인이 실로 괴이하더만. 아마도 분명 어사인 듯하니 용모 그린 것 내어놓고 자세히 보소."

어사또가 듣고, / "그놈들 모두 귀신이로다."

자신을 의심한 것에 대한 위기감을 느낌

하고 현사(縣司)에 가 들으니 호장 역시 그러하다. 육방(六房) 염문 다 한 후에 춘향 집으로·돌아와서 그 밤을 샌 연후에, 이튿날 출근 끝에 가까운 읍의 수령들이 모여든다. 운봉의 장관, 구례, 곡성, 순창, 옥과, 진안, 장수 원님이 차례로 모여든다. 왼쪽에 행수, 군관 오른쪽에 청령, 사령이 있고 본관 사또는 주인이 되어 한가운데 있어 하인 불러 분부하되,

「 」: 변 사또의 생일을 준비하는 분주한 모습

변학도의 생일잔치 → 탐관오리들을 한꺼번에 소탕할 수 있는 극적 상황의 배경이 됨

「"관청색 불러 다과를 올리라. 육고자 불러 큰 소를 잡고, 예방(禮房) 불러 악공을 대령하고, 승발 불러 천막을 대령하라. 사령 불러 잡인을 금하라."」

이렇듯 요란할 제 온갖 깃발이며 삼현육각 풍류 소리 공중에 떠 있고, 붉은 옷 붉은 치마 입은 기생들은 흰 손 비단 치마 높이 들어 춤을 추고, 지화자 둥덩실 하는 소리에 어사의 마음이 심란하구나.

백성들의 피폐한 삶에는 관심이 없는 지배층의 화려한 잔치에 대한 어사또의 반감 →편집자적 논평(서술자의 개입)

"여봐라 사령들아, 너의 사또에게 여쭈어라. 먼 데 있는 걸인이 좋은 잔치에 왔으니 술과 안주나 좀 얻어먹자고 여쭈어라."

탐관오리인 변 사또의 생일잔치를 좋은 잔치라고 하여 비판함 → 반어적 표현

저 사령의 거동 보소.

판소리 사설 고유의 문체 - 관객을 대상으로 이야기하는 표현 방식

"우리 사또님이 걸인을 금하였으니, 어느 양반인지는 모르오만 그런 말은 내지도 마오."

등을 밀쳐 내니 어찌 아니 명관(名官)인가.

암행어사를 알아보지 못하는 관리를 명관(정치를 잘하여 이름난 관리)이라고 반어적으로 표현함. → 편집자적 논평

운봉 영장이 그 거동을 보고 본관 사또에게 청하는 말이,

잔치에 모인 양반 중에서 유일하게 이몽룡을 인간적으로 대하고, 몽룡의 식견을 알아봄. 사태를 빨리 파악하는 인물

"저 걸인의 의관은 남루하나 양반의 후예인 듯하니 말석에 앉히고 술잔이나 먹여 보냄이 어떠하뇨?"
옷 따위가 낡아 해지고 차림새가 너저분함. 좌석의 차례에서 맨 끝자리

본관 사또 하는 말이, / "운봉의 소견대로 하오마는."
걸인을 대접하려는 말이 못마땅하나 마지못해 운봉의 의견을 받아들임

'마는' 하는 끝말을 내뱉고는 입맛이 사납겠다. 어사또 속으로,
편집자적 논평

"오냐, 도적질은 내가 하마, 오라는 네가 받아라."
잔치 음식을 실컷 먹고 나서 부패한 변학도를 징벌하겠다는 의미

운봉 영장이 분부하여, / "저 양반 듭시라고 하여라."

어사또 들어가 단정히 앉아 좌우를 살펴보니, 당 위의 모든 수령 다담상을 앞에 놓고 진양조가 높아 가는데, 어사또의 상을 보니 어찌 아니 통분하랴. 모서리 떨어진 개상판에 닥나무 젓가락, 콩나물, 깍두기, 막걸리 한 사발 놓았구나. 상을「발길로 탁 차 던지며 운봉 영장의 갈비를 가리키며, / "갈비 한 대 먹고지고."」/ "다리도 잡수시오." 하고는 운봉이 하는 말이,
잔치의 흥이 오름 / 편집자적 논평 – 형편없는 상에 대한 분노 / 어사또를 푸대접하고 있음 → 변 사또의 상과 대비됨 / 「」: 동음이의어를 활용한 언어유희. 운봉 영장의 갈비(신체)–갈비(음식)

"이러한 잔치에 풍류로만 놀아서는 맛이 적사오니 차운 한 수씩 하여 보면 어떠하오?"
① 어색한 분위기 전환 ② 어사또를 쫓아낼 구실

"그 말이 옳다." 하니 운봉이 운을 낼 제 '높을 고(高)' 자, '기름 고(膏)' 자 두 자를 내어놓고 차례로 운을 달아 시를 짓는다. 이때 어사또 하는 말이,

"걸인이 어려서 한시(漢詩)깨나 읽었더니 좋은 잔치 당하여서 술과 안주를 포식하고 그냥 가기 민망하니 차운 한 수 하사이다."
반어적 표현 : 형편없는 대접을 받음

운봉 영장이 반겨 듣고 필연(筆硯)을 내어 주니, 좌중 사람들이 다 짓지도 않았는데 순식간에 글 두 귀를 지었으되, 백성들의 형편을 생각하고 본관 사또의 정체를 감안하여 지었것다.
어사또의 학식이 높고 글재주가 뛰어남 / 어사또가 지은 시조에 대한 서술자의 판단

「」: 어사또가 지은 한시의 내용을 통해 부패한 사회상과 백성들의 피폐한 삶, 부조리한 현실의 모순을 고발하고 변 사또의 정체를 폭로함.

「금준미주(金樽美酒)는 천인혈(千人血)이요

옥반가효(玉盤佳肴)는 만성고(萬姓膏)라

촉루낙시(燭淚落時) 민루낙(民淚落)이요

가성고처(歌聲高處) 원성고(怨聲高)라」

이 글 뜻은,

금동이의 아름다운 술은 일만 백성의 피요
백성들의 고통, 혈세

옥소반의 아름다운 안주는 일만 백성의 기름이라.
백성들의 고통, 혈세

촛불 눈물 떨어질 때 백성 눈물 떨어지고
백성의 고통

노랫소리 높은 곳에 원망 소리 높았더라.
백성들의 원망

이렇듯이 지었으되 본관 사또는 몰라보는데 운봉 영장은 글을 보며 속으로,
변 사또의 어리석음

'아뿔싸, 일이 났다.' / 이때 어사또가 하직하고 간 연후에 각 아전들을 분부하되,
어사또의 한시로 어사또의 신분을 눈치채고 곧 암행어사가 출도할 것을 알아냄

"야야, 일이 났다."

「」: 어사 출도를 대비하는 모습. 운봉이 아전들을 단속하는 부분으로 확장적 문체를 통한 장면 극대화가 나타남

「공방 불러 돗자리 단속, 병방 불러 역마(驛馬) 단속, 관청색 불러 다과상 단속, 옥형방 불러 죄인 단속, 집사 불러 형구(刑具) 단속, 형방 불러 정부 단속, 사령 불러 숙직 단속,」 한참 이리 요란할 제 사정 모르는 저 본관 사또가

"여보 운봉은 어디를 다니시오?" / "소피 보고 들어오오."

본관 사또가 술주정이 나서 분부하되, / "춘향을 급히 올리라."

⊙ 어휘풀이

- **길청(-廳)** 군아(郡衙)에서 구실아치가 일을 보던 곳.
- **승발(承發)** 지방 관아의 구실아치 밑에서 잡무(雜務)를 맡아보던 사람.
- **새문** 서울 서대문.
- **현사(縣司)** 물품을 출납하는 곳.
- **호장(戶長)** 고을 구실아치의 우두머리.
- **관청색(官廳色)** 조선 시대에, 수령의 음식을 맡아 보던 구실아치.
- **육고자(肉庫子)** 육고에 속하여 관아에 육류를 바치던 관노.
- **운봉 영장(雲峰營將)** 운봉의 진영장. 진영장은 조선 시대에 둔, 각 진영의 으뜸 벼슬을 이르는 말.
- **오라** 도둑이나 죄인을 묶을 때 쓰던, 붉고 굵은 줄.
- **다담상(茶啖床)** 손님을 대접하기 위하여 내놓은 다과(茶菓) 따위를 차린 상.
- **진양조** 민속 음악에서 쓰는 판소리 및 산조장단의 하나. 가장 느린 장단임.
- **통분하랴** 원통하고 분하랴.
- **개상판** 개다리소반. 상다리 모양이 개의 다리처럼 구부러진 소반.
- **차운(次韻)** 남이 지은 시의 운자(韻字)를 따서 시를 지음. 또는 그런 방법.
- **필연(筆硯)** 붓과 벼루를 아울러 이르는 말.
- **옥소반** 옥으로 만든 소반.
- **아전** 조선 시대에, 중앙과 지방의 관아에 속한 구실아치.
- **소피** '오줌'을 완곡하게 이르는 말.

확인학습

01 이 글의 향유 계층은 양반 계층에서 평민 계층으로 확대되었다. O□ X□

02 이 글은 서술자가 인물과 사건에 개입하는 부분이 자주 나타난다. O□ X□

03 이 글은 확장적 문체에 의한 장면의 극대화가 나타난다. O□ X□

04 이 글은 평민들의 비속어와 양반층의 한자어가 뒤섞여 있다. O□ X□

05 이 글의 운봉은 생일잔치에 어사또를 초대하였다. O□ X□

06 이 글의 백성들은 본관 사또를 '명관(名官)'이라 칭송하였다. O□ X□

07 이 글의 운봉은 어사또의 차림새를 보고 그의 정체를 직감하였다. O□ X□

08 이 글의 어사또는 음식상이 초라한 것에 대해 원통해하고 있다. O□ X□

09 이 글의 어사또는 자신의 한시 짓기 능력을 뽐내기 위해 시를 지었다. O□ X□

10 이 글의 운봉은 이몽룡의 한시를 통해 어사 출두를 예감한 것으로 보아 경계심이 많은 인물이다. O□ X□

11 이 글의 한시는 다양한 계층의 언어를 구사하여 언어의 이중성을 엿볼 수 있다. O□ X□

12 이 글의 운봉은 긴박한 상황에도 소피를 보고 들어오는 것으로 보아 눈치가 없는 인물이다. O□ X□

13 이 글의 본관 사또는 걸인을 금하는 것으로 보아 인색한 인물이다. O□ X□

14 이 글의 본관 사또는 이몽룡의 한시를 듣고도 술주정을 부리는 것으로 보아 아둔한 인물이다. O□ X□

15 이 글의 어사또의 옷 차림새를 한자성어로 나타내면 폐포파립(敝袍破笠)이라 할 수 있다. O□ X□

「 」: 암행어사가 출도하는 장면의 위기감과 긴박감을 열거의 방식으로 속도감 있게 전개함

「이때에 어사또 부하들과 내통한다. 서리를 보고 눈길을 보내니 서리, 중방 거동 보소. 역졸을 불러 단속할 제 이리 가며 수군, 저리 가며 수군수군. 서리, 역졸 거동 보소. 외올망건 공단 모자 새 패랭이 눌러쓰고, 석 자 감발 새 짚신에 한삼 고의 산뜻하게 차려입고, 육모 방망이 사슴 가죽끈을 손목에 걸어 쥐고, 여기서 번쩍 저기서 번쩍, 남원읍이 우글우글. 청파 역졸 거동 보소. 달 같은 마패를 햇빛같이 번쩍 들어,」

판소리 사설 고유의 문체 - 관객에게 이야기하는 듯한 표현 방식

마패를 달과 해에 비유함

"암행어사 출도야."

극적 반전:흉청스러운 변 사또의 생일잔치가 변 사또를 징벌하는 장으로 바뀜. 상황의 극적 반전

외치는 소리에 강산이 무너지고 천지가 뒤집히는 듯 초목금수(草木禽獸)인들 아니 떨랴. 남문에서,

암행어사가 출도하는 장면의 위엄을 표현(과장법, 직유법)→편집자적 논평

"출도야." / 북문에서, / "출도야."

동서문 출도 소리 청천(靑天)에 진동하고,

과장법

"모든 아전들 들라."

외치는 소리에 육방(六房)이 넋을 잃어,

"공형이오." / 등채로 휘닥딱.

벌 받는 장면을 속도감 있게 표현함 → 희화화

"애고 죽겠다."

"공방, 공방."

공방이 자리 들고 들어오며,

"안 하겠다던 공방을 하라더니 저 불속에 어찌 들랴."

어사 출도의 상황

등채로 휘닥딱.

【 】: 긴장감 넘치는 극적 장면에서 인물의 대사나 행동을 해학적으로 표현하여 독자에게 극적 장면의 재미를 더함(열거법, 대구법, 과장법)

【"애고 박 터졌네."

「 」: 수령들이 도망하는 모습을 희화화하여 대상이 느끼는 혼란을 효과적으로 나타냄

좌수(座首), 별감(別監) 넋을 잃고 이방, 호방 혼을 잃고 나졸들이 분주하네. 「모든 수령 도망갈 제 거동 보소. 인궤 잃고 강정 들고, 병부(兵符) 잃고 송편 들고, 탕건 잃고 용수 쓰고, 갓 잃고 소반 쓰고, 칼집 쥐고 오줌 누기, 부서지는 것은 거문고요 깨지는 것은 북과 장고라.」】

본관 사또가 똥을 싸고 멍석 구멍 생쥐 눈 뜨듯 하고, 안으로 들어가서,

공포에 질린 변 사또의 모습을 비유를 통해 해학적으로 표현함

"어 추워라. 문 들어온다 바람 닫아라. 물 마르다 목 들여라."

언어 도치를 통한 언어유희:해학성 → 매우 당황한 변 사또의 심리를 해학적으로 표현함

관청색은 상을 잃고 문짝을 이고 내달으니, 서리, 역졸 달려들어 후닥딱.

해학적인 표현

"애고 나 죽네."

이때 어사또 분부하되,

"이 골은 대감이 좌정하시던 골이라. 잡소리를 금하고 객사(客舍)로 옮겨라."

이몽룡의 아버지

자리에 앉은 후에,

"본관 사또는 봉고파직하라."

분부하니,

"본관 사또는 봉고파직이오."
탐관오리의 척결, 인과응보

사대문(四大門)에 방을 붙이고 옥형리 불러 분부하되,

"네 골 옥에 갇힌 죄수를 다 올리라."

호령하니 죄인을 올린다. 다 각각 죄를 물은 후에 죄가 없는 자는 풀어 줄새.
본관 사또의 설정을 바로잡는 어사또

"저 계집은 무엇인고?"
춘향이인 줄 알면서 모르는 척 하는 어사또

형리 여쭈오되,

"기생 월매의 딸이온대 관청에서 포악한 죄로 옥중에 있삽내다."
변 사또의 수청 요구를 거절함

"무슨 죄인고?" / 형리 아뢰되,

「 」: 춘향이 옥에 갇힌 이유

「"본관 사또 수청 들라고 불렀더니 수절이 정절이라. 수청 아니 들려 하고 사또에게 악을 쓰며 달려든 춘향이로소이다."」
정절을 지킨 춘향의 강한 의지 강조

어사또 분부하되,

"너 같은 년이 수절한다고 관장(官長)에게 포악하였으니 살기를 바랄쏘냐. 죽어 마땅하되 내 수청도 거역할까?"
춘향의 정절에 대한 의지와 속마음을 떠보기 위해 시험함

춘향이 기가 막혀,

「 」: 변 사또와 마찬가지로 수청을 요구하는 어사또에 대한 춘향의 냉소적 대답

「"내려오는 관장마다 모두 명관(名官)이로구나.」 어사또 들으시오. 층암절벽 높은 바위가 바람 분들 무너지며, 청송 녹죽 푸른 나무가 눈이 온들 변하리까. 그런 분부 마옵시고 어서 바삐 죽여 주오."
반어적 표현
자신의 지조와 절개를 강조 - 은유, 대구, 설의법
정절을 지키려는 의지

하며,

"향단아, 서방님 어디 계신가 보아라. 어젯밤에 옥 문간에 와 계실 제 천만당부 하였더니 어디를 가셨는지 나 죽는 줄 모르는가."
시신을 수습하여 묻어 달라고 했던 당부

어사또 분부하되,

"얼굴 들어 나를 보라."
극적 반전을 통한 갈등의 해소

하시니 춘향이 고개 들어 위를 살펴보니, 걸인으로 왔던 낭군이 분명히 어사또가 되어 앉았구나. 반웃음 반 울음에,

「 」: 변 사또 때문에 죽을 위기에 처했던 춘향이 어사 출도로 다시 살아나게 된 상황

"얼씨구나 좋을시고 어사 낭군 좋을시고.「남원 읍내 가을이 들어 떨어지게 되었더니, 객사에 봄이 들어 이화춘풍(李花春風) 날 살린다.」 꿈이냐 생시냐? 꿈을 깰까 염려로다."
봄바람, 이몽룡

한참 이리 즐길 적에 춘향 어미 들어와서 가없이 즐겨하는 말을 어찌 다 설화(說話)하랴.
편집자적 논평

춘향의 높은 절개 광채 있게 되었으니 어찌 아니 좋을쏜가.
편집자적 논평

– 「열녀춘향수절가」, 완판 84장본 –

⊙ 어휘풀이

- **서리** 지방 관아에서 근무하던 하급 관리로, 말단 행정 실무와 대민(對民) 업무를 담당했음.
- **중방** 수령을 따라다니며 시중을 들던 사람.
- **역졸** 예전에, 관원이 부리던 하인.
- **외올망건** 여러 겹이 아닌 단 하나의 올로 뜬 망건.
- **감발** 발감개. 버선이나 양말 대신 발에 감는 좁고 긴 무명천.
- **육모** 방망이 역졸 · 포졸들이 쓰던 여섯 모가 진 방망이.
- **초목금수(草木禽獸)** 풀과 나무와 날짐승과 길짐승을 아울러 이르는 말. 온갖 생물을 이른다.
- **공형(公兄)** 삼공형. 조선 시대에 각 고을의 세 구실아치. 호장, 이방, 수형리를 이른다.
- **등채** 무장할 때 쓰던 채찍.
- **인궤** 인뒤웅이. 관아에서 쓰던 인(印)을 넣어 두던 상자.
- **병부** 조선 시대에, 군대를 동원하는 표지로 쓰던 동글납작한 나무패.
- **용수** 싸리나 대오리로 만든 둥글고 긴 통. 술이나 장 등을 거르는 데 씀.
- **봉고파직(封庫罷職)** 어사나 감사가 못된 짓을 많이 한 고을의 원을 파면하고 관가의 창고를 봉하여 잠금. 또는 그런 일.
- **관장(官長)** 관가의 장(長)이라는 뜻으로, 시골 백성이 고을 원을 높여 이르던 말.
- **청송녹죽(青松綠竹)** 푸른 소나무와 푸른 대나무.

⊙ 핵심정리

갈래	판소리계 소설, 염정 소설	성격	풍자적, 해학적
제재	춘향과 이 도령의 사랑, 춘 향의 정절	배경	조선 시대 후기, 전라도 남원
주제	• 신분을 뛰어넘는 애절한 사랑, 여성의 지조와 정절 • 불의한 지배층에 대한 비판 • 신분적 갈등의 극복을 통한 인간 해방		
특징	• 서술자가 자신의 의견을 표출하는 편집자적 논평이 많이 나타남. • 풍자와 해학을 통한 골계미가 드러남. • 언어유희를 통한 해학적 표현이 사용됨, • 토속적 어휘를 사용함. • 고사(故事)나 한문 투 표현, 평민의 언어가 동시에 사용됨. – 양반에서 평민에 이르기까지 향유 계층의 폭이 넓었음. • 확장적 문체에 의한 장면 극대화가 나타남		

확인학습

01 이 글의 갈래는 풍자와 해학이 주된 요소이다. O☐ X☐

02 이 글은 근원 설화를 기반으로 형성되었다. O☐ X☐

03 이 글의 서술자는 사건을 객관적인 태도로 서술하고 있다. O☐ X☐

04 이 글의 주제는 다양하게 해석될 수 있다. O☐ X☐

05 이 글에는 평민의 말투와 양반의 말투가 혼재되어 있다. O☐ X☐

06 이 글은 현재형 어미를 사용하여 현장감을 살리고 있다. O☐ X☐

07 이 글은 서술자의 개입을 제한하여 독자들의 상상력을 극대화하고 있다. O☐ X☐

08 이 글은 의성어와 의태어를 활용하여 생동감을 주고 있다. O☐ X☐

09 이 글은 운문체를 통해 장면을 역동적으로 묘사하고 있다. O☐ X☐

10 이 글은 동일한 통사 구조의 반복을 통해 리듬감을 형성하고 있다. O☐ X☐

11 이 글에 드러난 당대의 사회상을 보면 계급을 구분하는 신분 제도가 있었음을 알 수 있다. O☐ X☐

12 이 글을 보면 당시에 일반적으로 남녀 간의 사랑이 자유로웠음을 알 수 있다. O☐ X☐

13 이 글은 여운을 남기는 결말 구조로 독자의 상상력을 자극시킨다. O☐ X☐

14 이 글의 결말은 일대기적 구성의 마무리를 보여 주며, 고전 소설의 전형적인 구성 방식을 보여 준다. O☐ X☐

15 이 글은 모든 갈등이 해소되고 행복한 결말로 끝난다. O☐ X☐

객관식 기본문제

[01~03] 다음 글을 읽고 물음에 답하시오.

이렇듯 요란할 제 온갖 깃발이며 삼현육각 풍류 소리 공중에 떠 있고, 붉은 옷 붉은 치마 입은 기생들은 흰 손 비단 치마 높이 들어 춤을 추고, 지화자 둥덩실 하는 소리에 ㉠어사의 마음이 심란하구나.

"여봐라 사령들아. 너의 사또에게 여쭈어라. 먼 데 있는 걸인이 좋은 잔치에 왔으니 술과 안주나 좀 얻어먹자고 여쭈어라."

저 사령 거동 보소.

"우리 사또님이 걸인을 금하였으니, 어느 양반인지는 모르오만 그런 말은 내지도 마오."

등을 밀쳐 내니 어찌 아니 명관(名官)인가.

운봉 영장이 그 거동을 보고 본관 사또에게 청하는 말이,

"저 걸인의 의관은 남루하나 양반의 후예인 듯하니 말석에 앉히고 술잔이나 먹여 보냄이 어떠하뇨?"

본관 사또 하는 말이,

"운봉 소견대로 하오마는."

'마는' 하는 끝말을 내뱉고는 입맛이 사납겠다. 어사 속으로

"오냐. 도적질은 내가 하마. 오라는 네가 받아라."

운봉 영장이 분부하여,

"저 양반 듭시라고 하여라."

어사또 들어가 단정히 앉아 좌우를 살펴보니 당 위의 모든 수령 다담상을 앞에 놓고 진양조가 높아 가는데, ㉡어사또의 상을 보니 어찌 아니 통분하랴. 모서리 떨어진 개상판에 닥나무 젓가락, 콩나물, 깍두기, 막걸리 한 사발 놓았구나. 상을 발길로 탁 차 던지며 운봉 영장의 갈비를 가리키며,

"갈비 한대 먹고지고."

"다리도 잡수시오." 하고는 운봉이 하는 말이,

"이러한 잔치에 풍류로만 놀아서는 맛이 적사오니 차운 한 수씩 하여 보면 어떠하오?"

"그 말이 옳다." 하니 운봉이 운을 낼 제 '높을 고(高)'자, '기름 고(膏)'자 두 자를 내어놓고 차례로 운을 달아 시를 짓는다. 이때 어사또 하는 말이

"걸인이 어려서 한시(漢詩)깨나 읽었더니 좋은 잔치 당하여서 술과 안주를 포식하고 그냥 가기 민망하니 차운 한 수 하사이다."

운봉 영장이 반겨 듣고 필연(筆硯)을 내어 주니, 좌중 사람들이 다 짓지도 않았는데 글 두 귀를 지었으되, 백성들의 형편을 생각하고 본관 사또의 정체를 감안하여 지었것다.

금준미주(金樽美酒)는 천인혈(千人血)이요
옥반가효(玉盤佳肴)는 만성고(萬姓膏)라
촉루낙시(燭淚落時) 민루낙(民淚落)이요
가성고처(歌聲高處) 원성고(怨聲高)라

이 글 뜻은,
금동이의 아름다운 술은 일만 백성의 피요
옥소반의 아름다운 안주는 일만 백성의 기름이라.
촛불 눈물 떨어질 때 백성 눈물 떨어지고
노랫소리 높은 곳에 원망소리 높았더라.

이렇듯이 지었으되 ㉢본관 사또는 몰라보는데 운봉 영장은 글을 보며 속으로,

'아뿔싸. 일이 났다.'

이때 어사또가 하직하고 간 연후에 각 아전들을 분부하되,

"야야. 일이 났다."

공방 불러 돗자리 단속, 병방 불러 역마(驛馬) 단속, 관청색 불러 다담상 단속, 옥형방 불러 죄인 단속, 집사 불러 형구(刑具) 단속, 형방 불러 장부 단속, 사령 불러 숙직 단속. 한참 이리 요란할 제 사정 모르는 저 본관 사또가,

"여보 운봉은 어디를 다니시오?"

"소피 보고 들어오오."

본관 사또가 술주정이 나서 분부하되,

"춘향을 급히 올리라."

이때에 어사또 부하들과 내통한다. 서리를 보고 눈길을 보내니 서리, 중방 거동 보소. 역을 불러 단속할 제 이리 가며 수군, 저리 가며 수군수군. 서리, 역졸 거동 보소. 외올망건 공단 모자 새 패랭이 눌러쓰고, 석 자 감발 새 짚신에 한삼 고의 산뜻하게 차려입고, 육모 방망이 사슴 가죽끈을 손목에 걸어 쥐고, 여기서 번쩍 저기서 번쩍, 남원읍이 우글우글. 청파 역졸 거동 보소. 달 같은 마패를 햇빛같이 번쩍 들어,

"암행어사 출도야."

외치는 소리에 강산이 무너지고 천지가 뒤집히는 듯 초목금수(草木禽獸)인들 아니 떨랴. 남문에서,

"출도야."

북문에서,

"출도야."

동서문 출도 소리 청천(靑天)에 진동하고,

"모든 아전들 들라."

외치는 소리에 육방(六房)이 넋을 잃어,

"공형이오."

등채로 휘닥딱.

"애고 죽겠다."

"공방, 공방."

공방이 자리 들고 들어오며,

"안 하겠다던 공방을 하라더니 저 불속에 어찌 들랴."

등채로 휘닥딱.

"애고 박 터졌네."

좌수(座首), 별감(別監) 넋을 잃고 이방, 호방 혼을 잃고 나졸들이 분주하네. 모든 수령 도망갈 제 거동 보소. 인궤 잃고 강정 들고, 병부(兵符) 잃고 송편 들고, 탕건 잃고 용수 쓰고, 갓 잃고 소반 쓰고. 칼집 쥐고 오줌 누기. 부서지는 것은 거문고요 깨지는 것은 북과 장고라. 본관사또가 똥을 싸고 멍석 구멍 새앙 쥐 눈 뜨듯 하고, 안으로 들어가서,

"어 추워라. 문 들어온다 바람 닫아라. 물 마르다 목 들여라."

관청색은 상을 잃고 문짝을 이고 내달으니, 서리, 역졸 달려들어 후닥딱.

"애고 나 죽네."

이때 어사또 분부하되,

"이 골은 대감이 좌정하시던 골이라. 잡소리를 금하고 객사(客舍)로 옮겨라."

자리에 앉은 후에,

"본관 사또는 봉고파직하라."

분부하니,

"본관 사또는 봉고파직이오."

사대문(四大門)에 방을 붙이고 옥형리 불러 분부하되,

"네 골 옥에 갇힌 죄수를 다 올리라."

호령하니 죄인을 올린다. 다 각각 죄를 물은 후에 죄가 없는 자는 풀어 줄새,
"저 계집은 무엇인고?"
형리 여쭈오되,
"기생 월매의 딸이온데 관청에서 포악한 죄로 옥중에 있삽내다."
"무슨 죄인고?"
형리 아뢰되,
"본관 사또 수청 들라고 불렀더니 수절이 정절이라. 수청 아니 들려 하고 사또에게 악을 쓰며 달려든 춘향이로소이다."
어사또 분부하되,
"너 같은 년이 수절한다고 관장(官長)에게 포악하였으니 살기를 바랄쏘냐. 죽어 마땅하되 내 수청도 거역할까?"
춘향이 기가 막혀,
"내려오는 관장마다 모두 명관(名官)이로구나. 어사또 들으시오. 층암절벽 높은 바위가 바람 분들 무너지며, 청송녹죽 푸른 나무가 눈이 온들 변하리까. 그런 분부 마옵시고 어서 바삐 죽여 주오."
하며,
"향단아, 서방님 어디 계신가 보아라. 어젯밤에 옥 문간에 와 계실 제 천만당부 하였더니 어디를 가셨는지 나 죽는 줄 모르는가."
어사또 분부하되,
"얼굴 들어 나를 보라."
하시니 ㉣춘향이 고개 들어 위를 살펴보니, 걸인으로 왔던 낭군이 분명히 어사또가 되어 앉았구나. 반웃음 반 울음에,
"얼씨구나 좋을시고 어사 낭군 좋을시고. 남원 읍내 가을이 들어 떨어지게 되었더니, 객사에 봄이 들어 이화춘풍(李花春風) 날 살린다. 꿈이냐 생시냐? 꿈을 깰까 염려로다."
한참 이리 즐길 적에 춘향 어미 들어와서 가없이 즐겨하는 말을 어찌 다 설화(說話)하랴.
㉤춘향의 높은 절개 광채 있게 되었으니 어찌 아니 좋을쏜가.

– 「열녀춘향수절가」, 완판 84장본 –

01 윗글에 대한 설명으로 옳지 않은 것은?

① 확장적 문체를 통해 장면을 극대화하고 있다.
② 삽입시를 통해 부패한 사회상을 고발하고 있다.
③ 시대적 배경을 구체적으로 묘사하여 현실감을 획득하고 있다.
④ 열거의 방식으로 어사 출도 장면을 속도감 있게 전개하고 있다.
⑤ 동음이의어를 활용한 언어유희를 통해 해학적 의미를 부각하고 있다.

02 다음 중 〈보기〉의 밑줄 친 부분과 같은 표현상의 특징이 드러나는 부분을 모두 고른 것은?

> **보기**
>
> 윤 직원 영감은 아들의 이렇듯 부르지도 않은 걸음을, 더욱이나 안방에까지 들어온 것을 이상타고 꼬집는 소립니다.
>
> "……멋허러 오냐? 돈 달라러 오지?"
>
> "동경서 전보가 왔는데요……."
>
> 지체를 바꾸어 윤 주사를 점잖고 너그러운 아버지로, 윤 직원 영감을 속 사납고 경망스런 어린 아들로 둘러놓았으면 꼬옥 맞겠습니다.
>
> "동경서? 전보?"
>
> "종학이 놈이 경시청에 붙잽혔다구요!"
>
> "으엉?"
>
> 외치는 소리도 컸거니와, 엉덩이를 꿍 찧는 바람에, 하마 방구들이 내려앉을 뻔했습니다. 모여 선 온 식구가 제가끔 정도에 따라 제각기 놀란 것은 물론이구요.
>
> – 채만식, 「태평천하」 –

① ㉠, ㉡　② ㉡, ㉤　③ ㉠, ㉡, ㉤　④ ㉡, ㉣, ㉤　⑤ ㉠, ㉢, ㉤

03 다음 중 〈보기〉를 참고하여 윗글을 감상한 내용으로 가장 알맞은 것은?

> **보기**
>
> 〈춘향전〉은 여러 사람의 공동작으로, 작가는 서민과 광대, 평민, 양반 등 복합적이라고 볼 수 있다. 〈춘향전〉은 애초에 민속적으로 유포되고 있던 여러 설화를 종합하여 형성된 판소리 사설이 광대들이 아전의 손에 의해 더 첨가되고 다듬어져서 그들이 각지를 유랑하며 대중이나 양반을 위하여 부르면서 널리 퍼지다가 소설로 정착되었기 때문이다.

① 풍자적 표현을 두드러지게 사용하고 있다.
② 열거, 직유, 과장 등 다양한 표현 방법이 드러난다.
③ 신분제 모순에 저항하는 민중의 비판의식을 드러내고 있다.
④ 양반들의 한문체 말투와 서민들의 상스러운 말투가 뒤섞여 있다.
⑤ 서술자가 관객을 대상으로 이야기하는 듯한 서술 방식을 취하고 있다.

[04~06] 다음 글을 읽고 물음에 답하시오.

(가) 애고애고 설워 울 때,
어사또,
"울지 마라. 하늘이 무너져도 솟아날 구멍이 있느니라. 네가 나를 어찌 알고 이렇듯 설워하느냐."
작별하고 춘향 집에 돌아왔지.
춘향은 어둠침침 한밤중에 서방님을 번개같이 얼른 보고 옥방에 홀로 앉아 탄식하는 말이,
"밝은 하늘은 사람을 낼 제 대체로 공평하건만 나의 신세는 무슨 죄로 이팔청춘에 님 보내고 모진 목숨 살아 이 형운 이 형장 무슨 일인고. 옥중고생 서너 달에 밤낮없이 님 오시기만 바라더니 이제는 님의 얼굴 보았으나 희망 없이 되었구나. 죽어 황천에 돌아간들 옥황님께 무슨 말을 자랑하리."
애고애고 설워 울 제, 맥이 빠져 반생반사(半生半死)하는구나.

(나) 이튿날 출근 끝에 가까운 읍의 수령들이 모여든다. 운봉의 장관, 구례, 곡성, 순창, 옥과, 진안, 장수 원님이 차례로 모여든다. 왼편에 행수, 군관 오른쪽에 청령, 사령이 있고 본관 사또는 한가운데 있어 하인 불러 분부하되,
"관청색 불러 다과를 올리라. 육고자 불러 큰 소를 잡고, 예방(禮房) 불러 악공을 대령하고, 승발 불러 천막을 대령하라. 사령 불러 잡인을 금하라."
이렇듯 요란할 제 온갖 깃발이며 삼현육각 풍류 소리 공중에 떠 있고, 붉은 옷 붉은 치마 입은 기생들은 흰 손 비단 치마 높이 들어 춤을 추고, 지화자 둥덩실 하는 소리에 ㉠어사의 마음이 심란하구나.
"여봐라 사령들아. 너의 사또에게 여쭈어라. 먼 데 있는 걸인이 좋은 잔치에 왔으니 술과 안주나 좀 얻어먹자고 여쭈어라."
저 사령의 거동 보소.
"우리 사또님이 걸인을 금하였으니, 어느 양반인지는 모르오만 그런 말은 내지도 마오."
등을 밀쳐 내니 어찌 아니 명관(名官)인가.
운봉 영장이 그 거동을 보고 본관 사또에게 청하는 말이,
"저 걸인의 의관은 남루하나 양반의 후예인 듯하니 말석에 앉히고 술잔이나 먹여 보냄이 어떠하뇨?"
본관 사또 하는 말이,
"운봉 소견대로 하오마는."
'마는' 하는 끝말을 내뱉고는 입맛이 사납겠다. 어사 속으로
"오냐. 도적질은 내가 하마. 오라는 네가 받아라."
운봉 영장이 분부하여,
"저 양반 듭시라고 하여라."
어사또 들어가 단정히 앉아 좌우를 살펴보니 당 위의 모든 수령 다담상을 앞에 놓고 진양조가 높아 가는데, 어사또의 상을 보니 어찌 아니 통분하랴. 모서리 떨어진 개상판에 닥나무 젓가락, 콩나물, 깍두기, 막걸리 한 사발 놓았구나. 상을 발길로 탁 차 던지며 운봉 영장의 갈비를 가리키며,
"갈비 한대 먹고지고."
"다리도 잡수시오." 하고는 운봉이 하는 말이,
"이러한 잔치에 풍류로만 놀아서는 맛이 적사오니 차운 한 수씩 하여 보면 어떠하오?"
"그 말이 옳다." 하니 운봉이 운을 낼 제 '높을 고(高)'자, '기름 고(膏)'자 두 자를 내어놓고 차례로 운을 달아 시를 짓는다. 이때 어사또 하는 말이,
"걸인이 어려서 한시(漢詩)깨나 읽었더니 좋은 잔치 당하여서 술과 안주를 포식하고 그냥 가기 민망하니 차운 한 수 하사이다."
운봉 영장이 반겨 듣고 필연(筆硯)을 내어 주니, 좌중 사람들이 다 짓지도 않았는데 글 두 귀를 지었으되, 백성들의 형편을 생각하고 본관 사또의 정체를 감안하여 지었것다.

금준미주(金樽美酒)는 천인혈(千人血)이요
옥반가효(玉盤佳肴)는 만성고(萬姓膏)라

촉루낙시(燭淚落時) 민루낙(民淚落)이요
가성고처(歌聲高處) 원성고(怨聲高)라

(다) "암행어사 출도야."
외치는 소리에 강산이 무너지고 천지가 뒤집히는 듯 초목금수(草木禽獸)인들 아니 떨랴. 남문에서,
"출도야." / 북문에서, / "출도야."
동서문 출도 소리 청천(青天)에 진동하고,
"모든 아전들 들라."
외치는 소리에 육방(六房)이 넋을 잃어,
"공형이오." / 등채로 휘닥딱.
"애고 죽겠다." / "공방, 공방."
공방이 자리 들고 들어오며,
"안 하겠다던 공방을 하라더니 저 불속에 어찌 들랴."
등채로 휘닥딱. / "애고 박 터졌네."
좌수(座首), 별감(別監) 넋을 잃고 이방, 호방 혼을 잃고 나졸들이 분주하네. 모든 수령 도망갈 제 거동 보소. 인궤 잃고 강정 들고, 병부(兵符) 잃고 송편 들고, 탕건 잃고 용수 쓰고, 갓 잃고 소반 쓰고. 칼집 쥐고 오줌 누기. 부서지는 것은 거문고요, 깨지는 것은 북과 장고라.
본관 사또가 똥을 싸고 멍석 구멍 새앙쥐 눈 뜨듯 하고, 안으로 들어가서,
"어 추워라. 문 들어온다 바람 닫아라. 물 마르다 목 들여라."
관청색은 상을 잃고 문짝을 이고 내달으니, 서리, 역졸 달려들어 후닥딱.
"애고 나 죽네."

---

04 윗글에 대한 설명으로 적절하지 않은 것은?

① 암행어사 출도의 위엄과 권위를 과장하여 표현하고 있다.
② 판소리계 소설로 운문체와 산문체가 혼합되어 나타나고 있다.
③ 사건의 극적 전개를 위해 입체적 구성 방식을 사용하고 있다.
④ 대상을 희화화함으로써 읽는 이로 하여금 해학미를 느끼게 하고 있다.
⑤ 반어적인 표현을 사용함으로써 상황에 대해 비판성이 강하게 드러나고 있다.

05 다음 중 ㉠과 같은 편집자적 논평이 나타나 있지 않은 것은?

① 토끼 잡혀 들어가 사면을 바라보니 강한 지장과 천택 자신이 좌우로 옹위(擁衛)를 하였거늘 눈만 깜짝깜짝 하고 있을 적에 용왕이 분부를 하시되.
② 이 여인네가 어떻게, 입주전부리가 궂던지, 말로 다 할 수 없던가 보더라, 거 불쌍한 심 봉사 가산(家産)을, 꼭 먹성질로만 탕진을 하는데, 행실이 꼭 이러것다.
③ 길동이 재배 하직하고 문을 나서매, 운산(雲山)이 첩첩(疊疊)하여 지향(指向) 없이 행(行)하니 어찌 가련(可憐)하지 아니하리요.
④ 그 아이 눈을 뜨고 이윽히 보다가 일어앉으며 고개를 숙이고 잠잠하거늘, 승상이 자세히 보니 두 눈썹 사이에 천지조화를 갈무리하고 가슴속에 만고흥망을 품었으니 진실로 영웅이라. 승상의 명감이 아니면 그 누가 알리오.
⑤ "남경 장사 선인들께 삼백 석에 몸이 팔려 인당수 제수로 가기로 하여 오늘이 행선 날이오니 저를 오늘 망종 보오." 사람이 슬픔이 극진하면 도리어 가슴이 막히는 법이라. 심 봉사가 하도 기가 막혀 울음도 아니 나오고 실성을 하는데

06 (나)에 삽입된 한시의 설명으로 적절하지 않은 것은?

① 어사또의 심리를 압축적으로 보여주고 있다.
② 탐관오리의 학정을 지적하여 비판하고 있다.
③ 대구와 은유를 통해 주제를 드러내고 있다.
④ 다양한 계층의 언어를 구사하여 언어의 이중성을 엿볼 수 있다.
⑤ 극적 긴장감을 고조시키고 새로운 사건 전개를 예고하고 있다.

[07~11] 다음 글을 읽고 물음에 답하시오.

한참 이리 반기다가 님의 형상 자세히 보니 어찌 아니 한심하랴.

"여보 서방님, 내 몸 하나 죽는 것은 설운 마음 없소마는 서방님 이 지경이 웬일이오."

"오냐 춘향아, 설워 마라. 인명이 재천(在天)인데 설만들 죽을쏘냐."

춘향이 저의 모친 불러,

"한양성 서방님을 칠년대한(七年大旱) 가문 날에 큰비 오기를 기다린들 나와 같이 맥 빠질쏜가. 심은 나무가 꺾어지고 공든 탑이 무너졌네. 가련하다 이내 신세 하릴없이 되었구나. 〈중략〉 내일이 본관 사또 생신이라. 술에 취해 주정 나면 나를 올려 칠 것이니 형장 맞은 다리 장독(杖毒)이 났으니 수족인들 놀릴쏜가. 치렁치렁 흐트러진 머리 이럭저럭 걷어 얹고 이리 비틀 저리 비틀 들어가서 곤장 맞고 죽거들랑 삯꾼인 체 달려들어 둘러업고 우리 둘이 처음 만나 놀던 부용당 적막하고 고요한 데 뉘어 놓고 서방님 손수 염습하되 나의 혼백 위로하여 입은 옷 벗기지 말고 양지 끝에 묻었다가 서방님 귀히 되어 벼슬에 오르거든 잠시도 지체 말고 육진장포로 다시 염습하여 조촐한 상여 위에 덩그렇게 실은 후에 북망산천 찾아갈 제 앞 남산 뒤 남산 다 버리고 한양성으로 올려다가 선산발치에 묻어 주고 비문에 새기기를 수절원사춘향지묘라 여덟 자만 새겨 주오.."

〈중략〉

"여봐라 사령들아. 너의 사또에게 여쭈어라. 먼 데 있는 걸인이 좋은 잔치에 왔으니 술과 안주나 좀 얻어먹자고 여쭈어라."

㉠저 사령 거동 보소.

"우리 사또님이 걸인을 금하였으니, 어느 양반인지는 모르오만 그런 말은 내지도 마오."

ⓐ등을 밀쳐 내니 어찌 아니 명관(名官)인가.

운봉 영장이 그 거동을 보고 본관 사또에게 청하는 말이,

"저 걸인의 의관은 남루하나 양반의 후예인 듯하니 말석에 앉히고 술잔이나 먹여 보냄이 어떠하뇨?"

본관 사또 하는 말이,

"운봉 소견대로 하오마는."

'마는' 하는 끝말을 내뱉고는 입맛이 사납겠다. 어사또 속으로

"오냐, 도적질은 내가 하마. 오라는 네가 받아라."

운봉 영장이 분부하여,

"저 양반 듭시라고 하여라."

어사또 들어가 단정히 앉아 좌우를 살펴보니 당 위의 모든 수령 다담상을 앞에 놓고 진양조가 높아 가는데, ⓑ어사또의 상을 보니 어찌 아니 통분하랴. 모서리 떨어진 개상판에 닥나무 젓가락, 콩나물, 깍두기, 막걸리 한 사발 놓았구나. 상을 발길로 탁 차 던지며 운봉 영장의 갈비를 가리키며,

"갈비 한 대 먹고지고."

"다리도 잡수시오." 하고는 운봉이 하는 말이,

"이러한 잔치에 풍류로만 놀아서는 맛이 적사오니 차운 한 수씩 하여 보면 어떠하오?"
"그 말이 옳다." 하니 운봉이 운을 낼 제 '높을 고(高)'자, '기름 고(膏)'자 두 자를 내어놓고 차례로 운을 달아 시를 짓는다. 이때 어사또 하는 말이
"걸인이 어려서 한시(漢詩)깨나 읽었더니 좋은 잔치 당하여서 술과 안주를 포식하고 그냥 가기 민망하니 차운 한 수 하사이다."
운봉 영장이 반겨 듣고 필연(筆硯)을 내어 주니, 좌중 사람들이 다 짓지도 않았는데 글 두 귀를 지었으되, 백성들의 형편을 생각하고 본관 사또의 정체를 감안하여 지었것다.

㉡금준미주(金樽美酒)는 천인혈(千人血)이요
옥반가효(玉盤佳肴)는 만성고(萬姓膏)라
촉루낙시(燭淚落時) 민루낙(民淚落)이요
가성고처(歌聲高處) 원성고(怨聲高)라

이 글 뜻은

금동이의 아름다운 술은 일만 백성의 피요,
옥소반의 아름다운 안주는 일만 백성의 기름이라.
촛불 눈물 떨어질 때 백성 눈물 떨어지고
노랫소리 높은 곳에 원망 소리 높았더라.

이렇듯이 지었으되 ⓒ본관 사또는 몰라보는데 운봉 영장은 글을 보며 속으로,
'아뿔싸. 일이 났다.'
이때 어사또가 하직하고 간 연후에 각 아전들을 분부하되,
"야야. 일이 났다."
㉢공방 불러 돗자리 단속, 병방 불러 역마(驛馬) 단속, 관청색 불러 다담상 단속, 옥형방 불러 죄인 단속, 집사 불러 형구(刑具) 단속, 형방 불러 장부 단속, 사령 불러 숙직 단속, 한참 이리 요란할 제 사정 모르는 저 본관 사또가,
"여보 운봉은 어디를 다니시오?"
"소피 보고 들어오오."

〈중략〉

동서문 출도 소리 청천(青天)에 진동하고,
"모든 아전들 들라."
외치는 소리에 육방(六房)이 넋을 잃어,
"공형이오."
등채로 휘닥딱.
"애고 죽겠다."
"공방, 공방."
공방이 자리 들고 들어오며,
ⓓ"안 하겠다던 공방을 하라더니 저 불속에 어찌 들랴."
등채로 휘닥딱.
"애고 박 터졌네."
좌수(座首), 별감(別監) 넋을 잃고 이방, 호방 혼을 잃고 나졸들이 분주하네. ㉣모든 수령 도망갈 제 거동 보소. 인궤 잃고 강정 들고, 병부(兵符) 잃고 송편 들고, 탕건 잃고 용수 쓰고, 갓 잃고 소반 쓰고, 칼집 쥐고 오줌 누기. 부서지는 것은 거문고요 깨지는 것은 북과 장고라.
㉤본관 사또가 똥을 싸고 멍석 구멍 새앙 쥐 눈 뜨듯 하고, 안으로 들어가서,

"어 추워라. 문 들어온다 바람 닫아라. 물 마르다 목 들여라."

관청색은 상을 잃고 문짝을 이고 내달으니, 서리, 역졸 달려들어 후닥딱.

"애고 나 죽네."

이때 어사또 분부하되,

"이 골은 대감이 좌정하시던 골이라. 잡소리를 금하고 객사(客舍)로 옮겨라."

자리에 앉은 후에,

"본관 사또는 봉고파직하라."

분부하니,

"본관 사또는 봉고파직이오."

사대문(四大門)에 방을 붙이고 옥형리 불러 분부하되,

"네 골 옥에 갇힌 죄수를 다 올리라."

호령하니 죄인을 올린다. 다 각각 죄를 물은 후에 죄가 없는 자는 풀어 줄새,

"저 계집은 무엇인고?"

형리 여쭈오되,

"기생 월매의 딸이온데 관청에서 포악한 죄로 옥중에 있삽내다."

"무슨 죄인고?"

형리 아뢰되,

"본관 사또 수청 들라고 불렀더니 수절이 정절이라. 수청 아니 들려 하고 사또에게 악을 쓰며 달려든 춘향이로소이다."

어사또 분부하되,

"너 같은 년이 수절한다고 관장(官長)에게 포악하였으니 살기를 바랄쏘냐. 죽어 마땅하되 내 수청도 거역할까?"

춘향이 기가 막혀,

"내려오는 관장마다 모두 명관(名官)이로구나. 어사또 들으시오. ⓗ층암절벽 높은 바위가 바람 분들 무너지며, 청송녹죽 푸른 나무가 눈이 온들 변하리까. 그런 분부 마옵시고 어서 바삐 죽여 주오." 하며,

"향단아, 서방님 어디 계신가 보아라. 어젯밤에 옥 문간에 와 계실 제 천만당부 하였더니 어디를 가셨는지 나 죽는 줄 모르는가."

어사또 분부하되,

"얼굴 들어 나를 보라."

하시니 ⓔ춘향이 고개 들어 위를 살펴보니, 걸인으로 왔던 낭군이 분명히 어사또가 되어 앉았구나. 반웃음 반 울음에,

"얼씨구나 좋을시고 어사 낭군 좋을시고. 남원 읍내 가을이 들어 떨어지게 되었더니, 객사에 봄이 들어 이화춘풍(李花春風) 날 살린다. 꿈이냐 생시냐? 꿈을 깰까 염려로다."

한참 이리 즐길 적에 춘향 어미 들어와서 가없이 즐겨하는 말을 어찌 다 설화(說話)하랴.

ⓕ춘향의 높은 절개 광채 있게 되었으니 어찌 아니 좋을쏜가.

– 작자 미상, 「춘향전」 –

07 윗글에 대한 설명으로 적절한 것은?

① 계절적 배경을 활용하여 사건의 전개를 암시하고 잇다.

② 한시를 삽입하여 공간적 배경의 아름다움을 드러내고 있다.

③ 비유적 표현을 활용하여 현실을 초월한 공간을 묘사하고 있다.

④ 대비되는 특성의 두 인물을 묘사하여 작품의 주제를 드러내고 있다.

⑤ 인물의 이중적인 면모를 묘사하여 가치관의 혼란을 나타내고 있다.

08 윗글과 〈보기〉에 공통적으로 나타나는 표현상의 특징에 대한 설명으로 적절한 것은?

보기

임이 오마 하거늘 저녁밥을 일찍 지어 먹고

중문 나서 대문 나가 문지방 위에 올라가 앉아 이마에 대고 오는가 가는가 건넌 산 바라보니 거머희뜩 서 있거늘 저것이 임이로구나. 버선을 벗어 품에 품고 신 벗어 손에 쥐고 곰비임비 임비곰비 천방지방 지방천방 진 데 마른 데를 가리지 말고 워렁퉁탕 건너가서 정엣말 하려 하고 곁눈으로 흘깃 보니 작년 칠월 사흗날 껍질 벗긴 주추리 삼대가 살뜰히도 날 속였구나.

모쳐라 밤이기에 망정이지 행여나 낮이런들 남 웃길 뻔하였어라.

– 작자미상, 「임이 오마 하거늘~」 –

① 과장법을 활용하여 인물과 화자의 성격을 강조하고 있다.
② 음성상징어를 활용하여 장면을 해학적으로 표현하고 있다.
③ 열거법을 활용하여 도망치는 모습을 생동감 있게 표현하고 있다.
④ 언어유희를 활용하여 인물과 화자의 내면 심리를 표현하고 있다.
⑤ 의인법을 활용하여 부정적 대상에 대한 원망의 심리를 표현하고 있다.

09 윗글의 ⓐ~ⓕ 중 〈보기〉의 Ⓐ에 드러난 서술상의 특징을 보이는 것으로 적절한 것만을 모두 고른 것은?

보기

각설이라. 차영이 무상하여 장경의 머리도 아니 빗기고 옷도 아니 하여 주니, 의상이 남루한 중에 머리에 이는 무수하고 몸에는 더러운 내가 나니, 동무 방자들이며 관속배가 곁에 오지 못하게 하니, 독부 되어 Ⓐ그 정상이 차마 보지 못할러라. 그러하기로 혹 마루 밑에도 자고 부엌에서도 자며 어미를 부르다가 날이 새면 방자 구실을 하여 지내더니, 일일은 저 입고 온 옷이 해어져 옷깃만 남았으니, 부모를 생각하고 슬피 울다가 옷을 벗어 이를 잡노라 혼솔기를 떼어 보니

– 작자 미상, 「장경전」 –

① ⓐ, ⓑ, ⓓ　② ⓐ, ⓑ, ⓕ　③ ⓑ, ⓒ, ⓔ　④ ⓑ, ⓓ, ⓕ　⑤ ⓒ, ⓓ, ⓔ

10 윗글의 ㉠~㉥ 중 판소리계 소설의 특징을 나타내는 기호와 그 특징에 대한 설명으로 적절한 것은?

① ㉠과 ㉤은 모두 구어적인 종결 표현을 활용하여 청중에게 이야기하는 듯한 느낌을 준다.
② ㉡은 열거를 ㉣은 대구를 활용하여 장면을 해학적이고 생동감 있게 표현한다.
③ ㉡과 ㉥은 모두 동음이의어를 통한 언어유희를 활용하여 웃음을 유발한다.
④ ㉢과 ㉣은 모두 장면의 극대화를 활용하여 흥미로운 대목을 다른 장면들과 균형 있게 묘사한다.
⑤ ㉤은 일상어를 ㉥은 한문투의 표현을 활용하여 작품의 독자층을 폭넓게 아우른다.

11 〈보기〉는 윗글을 변용한 현대 시 작품이다. 윗글과 〈보기〉를 관련지어 감상한 내용으로 적절한 것은?

보기

상하고 멍든 자리 마디마디 문지르며
눈물은 차고 남은 간을 젖어 내렸다
버들잎이 창살에 선뜻 스치는 날도
도련님 말방울 소리는 아니 들렸다
삼경(三更)을 세오다가 그는 고만 단장(斷腸)하다.
두견이 울어 두견이 울어 남원(南原) 고을도 깨어지고
오! 일편 단심(一片丹心)

깊은 겨울밤 비바람은 우루루루
피칠 해 논 옥창살을 들이치는데
옥 죽음한 원귀들이 구석구석에 휘휘 울어

밤새도록 까무러치고
해 돋을 녘 깨어나다
오! 일편 단심(一片丹心)

믿고 바라고 눈 아프게 보고 싶던 도련님이
죽기전에 와 주셨다. 춘향은 살았구나
쑥대머리 귀신 얼굴된 춘향이 보고
이도령은 자인스레 웃었다. 저 때문의 정절이 자랑스러워
"우리집이 팍 망해서 상거지가 되었지야."
틀림없는 도련님, 춘향은 원망도 안했니라
오! 일편 단심(一片丹心)

모진 춘향이 그 밤 새벽에 또 까무러쳐서는
영 다시 깨어나진 못했었다. 두견은 울었건만
도련님 다시 뵈어 한을 풀었으나 살아날 가망은 아주 끊기고
온몸 푸른 맥도 획 풀려 버렸을 법
출도 끝에 어사는 춘향의 몸을 거두며 울다
"내 변가보다 자인 무지하여 춘향을 죽였구나"
오! 일편단심(一片丹心)

– 김영랑, 「춘향(春香)」 –

① 〈보기〉와 달리 윗글은 이몽룡 대한 신의를 지키는 춘향의 모습을 통해 유교적 여인으로서 춘향의 인물됨을 강조한다.
② 〈보기〉와 달리 윗글은 걸인 행색을 한 이몽룡에게 실망하는 춘향의 모습을 통해 물질적 가치를 추구하는 춘향의 모습을 드러낸다.
③ 윗글과 달리 〈보기〉는 이몽룡을 기다리는 춘향의 모습을 통해 춘향이 옥중에서 감내한 고통과 시련을 상세하게 묘사한다.
④ 윗글과 〈보기〉는 모두 죽음을 두려워하지 않는 춘향의 모습을 통해 정질을 지킨 자신의 행동에 대한 춘향의 자랑스러움을 드러낸다.
⑤ 윗글과 〈보기〉는 모두 춘향을 기만하는 이몽룡의 모습을 통해 이몽룡을 응징의 대상으로 형상화한다.

[12~18] 다음 글을 읽고 물음에 답하시오.

[앞부분 줄거리] 조선 시대, 전라도 남원 땅의 ㉠기생 월매와 성 참판과의 사이에서 태어난 춘향은 어려서부터 용모와 재주가 뛰어났다. 춘향이 열여섯이 되던 해, 남원 부사로 부임한 아버지를 따라 한양에서 내려온 이몽룡은 단옷날 그네를 타러 나온 춘향을 보고 한눈에 반하여 백년가약을 맺는다. 하지만 이몽룡은 동부승지로 임명된 부친을 따라 한양으로 떠나고, 홀로 남은 춘향은 새로 부임한 변학도의 수청을 거부하다 고초를 겪고 옥에 갇히고 만다. 한편 과거에 급제한 이몽룡은 암행어사가 되어 신분을 숨긴 채 춘향을 만나러 남원으로 내려온다.

〈중략〉

(가) ㉡"너의 서방인지 남방인지 걸인 하나가 내려왔다."

"허허, 이게 웬 말인가. 서방님이 오시다니 꿈결에 보던 님을 생시에 본다는 말인가."

문틈으로 손을 잡고 말 못하고 기겁하며,

"애고, 이게 누구시오. 아마도 꿈이로다. 그토록 그린 님을 이리 쉽게 만날쏜가. 이제 죽어도 한이 없네. 어찌 그리 무정한가. 박명하다 나의 모녀, 서방님 이별 후에 자나 누우나 님 그리워 오래도록 한이더니, 내 신세 이리되어 매에 감겨 죽게 되는 날 살리러 와 계시오."

한참 이리 반기다가 님의 형상 자세히 보니 어찌 아니 한심하랴.

"여보 서방님, 내 몸 하나 죽는 것은 설운 마음 없소마는 서방님 이 지경이 웬일이오."

㉢"오냐 춘향아, 설워 마라. 인명이 재천(在天)인데 설만들 죽을쏘냐."

춘향이 저의 모친 불러,

"한양성 서방님을 칠년대한(七年大旱) 가문 날에 큰비 오기를 기다린들 나와 같이 맥 빠질쏜가. 심은 나무가 꺾어지고 공든 탑이 무너졌네. 가련하다 이내 신세 하릴없이 되었구나. 어머님 나 죽은 후에라도 원이나 없게 하여 주옵소서. 나 입던 비단 장옷 봉장 안에 들었으니 그 옷 내어 팔아다가 한산 모시 바꾸어서 물색 곱게 도포 짓고 흰색 비단 긴 치마를 되는대로 팔아다가 관, 망건, 신발 사 드리고 좋은 병과 비녀, 밀화장도, 옥지환이 함 속에 들었으니 그것도 팔아다가 한삼(汗衫), 고의 흉하지 않게 하여 주오. 금명간 죽을 년이 세간 두어 무엇 할까. 용장롱, 봉장롱, 빼닫이를 되는 대로 팔아다가 좋은 진지 대접하오. 나 죽은 후에라도 나 없다 마시고 날 본 듯이 섬기소서. 서방님, 내 말씀 들으시오! 내일이 본관 사또 생신이라. 술에 취해 주정 나면 나를 올려 칠 것이니 형문 맞은 다리 장독(杖毒)이 났으니 수족인들 놀릴쏜가. 치렁치렁 흐트러진 머리 이럭저럭 걷어 얹고 이리 비틀 저리 비틀 들어가서 곤장 맞고 죽거들랑 삯꾼인 체 달려들어 둘러업고 우리 둘이 처음 만나 놀던 부용당의 적막하고 고요한데 뉘어 놓고 서방님 손수 염습하되 나의 혼백 위로하여 입은 옷 벗기지 말고 양지 끝에 묻었다가 서방님 귀히 되어 벼슬에 오르거든 잠시도 지체 말고 육진장포로 다시 염습하여 조촐한 상여 위에 덩그렇게 실은 후에 북망산천 찾아갈 제 앞 남산 뒤 남산 다 버리고 ㉣한양성으로 올려다가 선산발치에 묻어 주고 비문에 새기기를 수절원사춘향지묘라 여덟 자만 새겨 주오. 〈중략〉

(나) 이렇듯 요란할 제 온갖 깃발이며 삼현육각 풍류 소리 공중에 떠 있고, 붉은 옷 붉은 치마 입은 기생들은 흰 손 비단 치마 높이 들어 춤을 추고, 지화자 둥덩실 하는 소리에 ㉤어사의 마음이 심란하구나.

"여봐라 사령들아. 너의 사또에게 여쭈어라. 먼 데 있는 걸인이 좋은 잔치에 왔으니 술과 안주나 좀 얻어먹자고 여쭈어라."

저 사령의 거동 보소.

"우리 사또님이 걸인을 금하였으니, 어느 양반인지는 모르오만 그런 말은 내지도 마오."

등을 밀쳐 내니 어찌 아니 명관(名官)인가.

운봉 영장이 그 거동을 보고 본관 사또에게 청하는 말이,

"저 걸인의 의관은 남루하나 양반의 후예인 듯하니 말석에 앉히고 술잔이나 먹여 보냄이 어떠하뇨?"

본관 사또 하는 말이,

"운봉 소견대로 하오마는."

'마는' 하는 끝말을 내뱉고는 입맛이 사납겠다. 어사 속으로

"오냐. 도적질은 내가 하마. 오라는 네가 받아라."
운봉 영장이 분부하여,
"저 양반 듭시라고 하여라."
어사또 들어가 단정히 앉아 좌우를 살펴보니 당 위의 모든 수령 다담상을 앞에 놓고 진양조가 높아 가는데, 어사또의 상을 보니 어찌 아니 통분하랴. 모서리 떨어진 개상판에 닥나무 젓가락, 콩나물, 깍두기, 막걸리 한 사발 놓았구나. 상을 발길로 탁 차 던지며 운봉 영장의 갈비를 가리키며,
"갈비 한대 먹고지고." / "다리도 잡수시오." 하고는 운봉이 하는 말이,
"이러한 잔치에 풍류로만 놀아서는 맛이 적사오니 차운 한 수씩 하여 보면 어떠하오?"
"그 말이 옳다." 하니 운봉이 운을 낼 제 '높을 고(高)'자, '기름 고(膏)'자 두 자를 내어놓고 차례로 운을 달아 시를 짓는다. 이때 어사또 하는 말이,
"걸인이 어려서 한시(漢詩)깨나 읽었더니 좋은 잔치 당하여서 술과 안주를 포식하고 그냥 가기 민망하니 차운 한 수 하사이다."
운봉 영장이 반겨 듣고 필연(筆硯)을 내어 주니, 좌중 사람들이 다 짓지도 않았는데 글 두 귀를 지었으되, (ⓐ) 지었것다.

[A]
금준미주(金樽美酒)는 천인혈(千人血)이요
옥반가효(玉盤佳肴)는 만성고(萬姓膏)라
촉루낙시(燭淚落時) 민루낙(民淚落)이요
가성고처(歌聲高處) 원성고(怨聲高)라

〈중략〉

(다) 달 같은 마패를 햇빛같이 번쩍 들어, / "암행어사 출도야."
외치는 소리에 강산이 무너지고 천지가 뒤집히는 듯 초목금수(草木禽獸)인들 아니 떨랴. 남문에서, / "출도야."
북문에서, / "출도야."
동서문 출도 소리 청천(青天)에 진동하고, / "모든 아전들 들라."
외치는 소리에 육방(六房)이 넋을 잃어, / "공형*이오."
등채로 휘닥딱. / "애고 죽겠다."
"공방, 공방."
공방이 자리 들고 들어오며,
"안 하겠다던 공방을 하라더니 저 불속에 어찌 들랴."
등채로 휘닥딱.

[B]
"애고 박 터졌네."
좌수(座首), 별감(別監) 넋을 잃고 이방, 호방 혼을 잃고 나졸들이 분주하네. 모든 수령 도망갈 제 거동 보소. 인궤 잃고 강정 들고, 병부(兵符) 잃고 송편 들고, 탕건 잃고 용수 쓰고, 갓 잃고 소반 쓰고. 칼집 쥐고 오줌 누기. 부서지는 것은 거문고요, 깨지는 것은 북과 장고라.

본관 사또가 똥을 싸고 멍석 구멍 새앙쥐 눈 뜨듯 하고, 안으로 들어가서,
"어 추워라. 문 들어온다 바람 닫아라. 물 마르다 목 들여라."
관청색은 상을 잃고 문짝을 이고 내달으니, 서리, 역졸 달려들어 후닥딱.
"애고 나 죽네."
이때 어사또 분부하되, / "이 골은 대감이 좌정하시던 골이라. 잡소리를 금하고 객사(客舍)로 옮겨라."
자리에 앉은 후에, / "본관 사또는 봉고파직하라."
분부하니, / "본관 사또는 봉고파직이오."

사대문(四大門)에 방을 붙이고 옥형리 불러 분부하되,
"네 골 옥에 갇힌 죄수를 다 올리라."
호령하니 죄인을 올린다. 다 각각 죄를 물은 후에 죄가 없는 자는 풀어 줄새,
"저 계집은 무엇인고?" / 형리 여쭈오되,
"기생 월매의 딸이온데 관청에서 포악한 죄로 옥중에 있삽내다."
"무슨 죄인고?" / 형리 아뢰되,
"본관 사또 수청 들라고 불렀더니 수절이 정절이라. 수청 아니 들려 하고 사또에게 악을 쓰며 달려든 춘향이로소이다."
어사또 분부하되,
"너 같은 년이 수절한다고 관장(官長)에게 포악하였으니 살기를 바랄쏘냐. 죽어 마땅하되 내 수청도 거역할까?"
춘향이 기가 막혀,
"내려오는 관장마다 모두 명관(名官)이로구나. 어사또 들으시오. ⓑ층암절벽 높은 바위가 바람 분들 무너지며, 청송녹죽 푸른 나무가 눈이 온들 변하리까. 그런 분부 마옵시고 어서 바삐 죽여 주오." / 하며,
"향단아, 서방님 어디 계신가 보아라. 어젯밤에 옥 문간에 와 계실 제 천만당부 하였더니 어디를 가셨는지 나 죽는 줄 모르는가."
어사또 분부하되, / "얼굴 들어 나를 보라."
하시니 춘향이 고개 들어 위를 살펴보니, 걸인으로 왔던 낭군이 분명히 어사또가 되어 앉았구나. 반웃음 반 울음에,
"얼씨구나 좋을시고 어사 낭군 좋을시고. 남원 읍내 가을이 들어 떨어지게 되었더니, 객사에 봄이 들어 이화춘풍(李花春風) 날 살린다. 꿈이냐 생시냐? 꿈을 깰까 염려로다."
한참 이리 즐길 적에 춘향 어미 들어와서 가없이 즐겨하는 말을 어찌 다 설화(說話)하랴.
춘향의 높은 절개 광채 있게 되었으니 어찌 아니 좋을쏜가.

– 「열녀춘향수절가」, 완판 84장본 –

12 윗글의 특징에 대한 이해로 적절한 것은?

① 열거와 대구에 의한 표현이 사용되었다.
② 판소리의 영향으로 운문체만 사용하고 있다.
③ 배경을 치밀하게 묘사하여 주제를 강조하고 있다.
④ 판소리로 공연된 것을 글로 만든 것이어서 사건이 과거형으로 전개된다.
⑤ 여러 계층을 아우르기 위해 예의를 지켜 점잖은 양반의 한문투만 사용하고 있다.

13 ㉠~㉤에 대한 이해로 적절하지 않은 것은?

① ㉠ : 이몽룡과 혼사 장애를 겪는 원인이 된다.
② ㉡ : 이몽룡에 대한 월매의 못마땅함을 언어 도치를 통한 언어유희로 표현하여 해학성을 드러내고 있다.
③ ㉢ : 춘향이 죽지 않으리라는 것을 암시한다.
④ ㉣ : 어사또의 '선산'에 묻힌다는 것은 추향이 이몽룡 가족의 일원으로 인정받는 것으로 춘향의 신분 상승을 의미한다.
⑤ ㉤ : 지배층의 화려한 잔치에 대한 어사또의 반감이 드러난다.

14 (ⓐ)에 들어갈 내용은?

① 춘향의 형편을 생각하고 본관 사또의 정체를 감안하여
② 춘향의 형편을 생각하고 이도령의 정체를 감안하여
③ 백성들의 형편을 생각하고 이도령의 정체를 감안하여
④ 백성들의 형편을 생각하고 본관 사또의 정체를 감안하여
⑤ 본관 사또의 형편을 생각하고 백성들의 정체를 감안하여

15 [A]에 대한 이해로 적절하지 않은 것은?

① 사건의 극적 긴장감을 고조시키고 있다.
② 새로운 사건이 전개될 것을 예고하고 있다.
③ 한자 성어로는 가렴주구(苛斂誅求)라 표현할 수 있다.
④ 초월적 공간을 통해 인물의 내적 갈등을 드러내고 있다.
⑤ 부패한 탐관오리의 학정에 시달려 백성들은 피폐한 삶을 살고 있음을 비판적으로 고발하는 내용이다.

16 [B]에 대한 이해로 적절한 것은?

① 점층적 표현을 통해 장면을 극대화하고 있다.
② 요약적 제시를 통해 시대적 배경을 제시하고 있다.
③ 열거와 대구를 사용하여 사건 해결의 실마리를 제시하고 있다.
④ 유사한 어구의 반복과 대구를 통해 서술자의 심정적 동조가 나타나 있다.
⑤ 긴장감 넘치는 극적 장면에서 인물의 대사나 행동을 해학적으로 표현하였다.

17 ⓑ에 대한 설명으로 적절하지 않은 것은?

① 4.4조의 운율감이 느껴진다.
② 단호한 어조로 의지를 강조한다.
③ 자신의 미래를 염려하는 의문형으로 표현했다.
④ '충암절벽', '청송녹죽'은 모두 춘향의 '지조와 절개'를 의미한다.
⑤ 수청을 들라는 어사또의 말에 춘향이가 자신의 생각을 표현했다.

18 〈보기〉는 「춘향전」으로부터 영향 받은 작품의 줄거리이다. 두 작품에 대한 독자의 반응으로 적절하지 않은 것은?

보기

김진희와 이혈룡이 한 글방에서 공부하였는데 모두 총명한 재주로서 옛사람들을 능가하였다. 두 사람은 부모님들의 남다른 우의를 생각하여 출세하면서 서로 도와주기로 맹세한다. 과거에 급제한 진희는 평양 감사가 되었으나 혈룡은 진희를 찾아갔으나 진희는 혈룡을 외면하고 그를 죽이려 한다. 이때 기행 옥단춘이 혈룡의 비범함을 보고 그를 구출한 다음 가연을 맺고 행복하게 지낸다. 이어 혈룡은 과거에 급제하고 암행어사가 되어 걸인 행색으로 옥단춘을 찾아갔는데, 그녀는 변함없이 혈룡을 반긴다. 혈룡은 연광정에서 잔치를 벌이고 놀던 진희를 다시 찾아간다. 김진희는 이혈룡이 나타나자 그를 다시 죽이려 하지만, 혈룡은 어사출두를 알린다. 김진희는 뇌성벽력을 맞아 죽게된다. 이혈룡은 좌의정이 되고 본처 김씨는 정렬부인에, 옥단춘은 정덕부인에 봉해지니 위의와 존명이 천하에 빛난다.

– 「옥단춘전」 줄거리 –

① 〈보기〉는 「춘향전」처럼 주인공이 행복한 결말에 이르는 것으로 사건을 마무리했군.
② 「춘향전」이 여성의 정절을 강조한 반면 〈보기〉는 인물 간의 신의를 강조하고 있군.
③ 〈보기〉는 「춘향전」처럼 어사의 능력을 발휘함으로써 문제 상황이 해결되고 있군.
④ 〈보기〉는 「춘향전」과 마찬가지로 권선징악의 주제의식이 드러나 있군.
⑤ 「춘향전」과 달리 〈보기〉는 신분 상승에 대한 지나친 욕망으로 파멸하는 인간을 다루고 있군.

[19~22] 다음 글을 읽고 물음에 답하시오.

어사또 들어가 단정히 앉아 좌우를 살펴보니, 당 위의 모든 수령 다담상을 앞에 놓고 진양조가 높아 가는데, 어사또의 상을 보니 어찌 아니 통분하랴.

[A] 모서리 떨어진 개상판에 닥나무 젓가락, 콩나물, 깍두기, 막걸리 한 사발 놓았구나. 상을 발길로 탁 차 던지며 운봉 영장의 갈비를 가리키며,
"갈비 한 대 먹고지고."

"다리도 잡수시오." 하고는 운봉이 하는 말이,

"이러한 잔치에 풍류로만 놀아서는 맛이 적사오니 차운(次韻) 한 수씩 하여 보면 어떠하오?"

"그 말이 옳다." 하니 운봉이 운을 낼 제 '높을 고(高)' 자, '기름 고(膏)' 자 두 자를 내어 놓고 차례로 운을 달아 시를 짓는다. 이때 어사또 하는 말이,

"걸인이 어려서 한시(漢詩)깨나 읽었더니 ㉠좋은 잔치 당하여서 술과 안주를 포식하고 그냥 가기 민망하니 차운 한 수 하사이다."

운봉 영장이 반겨 듣고 필연(筆硯)을 내어 주니, 좌중 사람들이 다 짓지도 않았는데 순식간에 글 두 귀를 지었으되, 백성들의 형편을 생각하고 본관 사또의 정체를 감안하여 지었것다.

[B]
금준미주(金樽美酒) 천인혈(千人血)이요
옥반가효(玉盤佳肴) 만성고(萬姓膏)라
촉루낙시(燭淚落時) 민루낙(民淚落)이요
가성고처(歌聲高處) 원성고(怨聲高)라.

이 글 뜻은,

금동이의 아름다운 술은 일만 백성의 피요
옥소반의 아름다운 안주는 일만 백성의 기름이라.
촛불 눈물 떨어질 때 백성 눈물 떨어지고
노랫소리 높은 곳에 원망 소리 높았더라.

이렇듯이 지었으되 본관 사또는 몰라보는데 운봉 영장은 글을 보며 속으로,

'아뿔싸. 일이 났다.'

19 윗글에 대한 설명으로 옳지 않은 것은?

① 어사또는 학식이 높고 글재주가 뛰어나다.
② 어사또는 본관 사또 생일잔치의 흥을 깨뜨리고 있다.
③ 운봉은 암행어사가 곧 출도할 것을 알아채고 긴장하고 있다.
④ 본관 사또는 어사또의 정체를 알아채지 못할 만큼 어리석다.
⑤ 운봉은 자신의 글솜씨를 뽐내기 위해 차운을 짓자고 제안하였다.

20 웃음을 유발하는 방식이 [A]와 가장 유사한 것은?

① 앞밭에는 당추 심고 뒷밭에는 고추 심어
② 원숭이 엉덩이는 빨개, 빨간 건 사과, 사과는 맛있어.
③ 마구간에 들어가 노새원님을 끌어다가 등에 솔질을 솰솰하여
④ 술 먹고 수란(水卵)먹고, 갓 쓰고 갓모(갓 위에 쓰는 덮개)쓰네
⑤ 이부(李夫)를 섬겼네다. 뭣이! 이부(二夫)를 섬기고 어찌 열녀라 할꼬?

21 ㉠과 유사한 표현방법이 쓰인 것을 찾으면?

① 나는 아직 기다리고 있을 테요, 찬란한 슬픔의 봄을.
② 아아, 님은 갔지만 나는 님을 보내지 아니하였습니다.
③ 오늘은 또 몇 십리 어디로 갈까 산으로 올라갈까 들로 갈까 오라는 곳이 없어 나는 못 가요.
④ 당 위의 모든 수령 다담상을 앞에 놓고 진양조가 높아 가는데, 어사또의 상을 보니 어찌 아니 통분하랴.
⑤ "우리 사또님이 걸인을 금하였으니, 어느 양반인지는 모르오만 그런 말은 내지도 마오." 등을 밀쳐 내니 어찌 아니 명관(名官)인가.

22 [B]에 대한 설명으로 옳지 않은 것은?

① '높을 고(高)' 자, '기름 고(膏)' 자의 두 자가 운자에 해당한다.
② 주제를 가장 잘 표현하는 한자성어는 '가렴주구(苛斂誅求)'이다.
③ 불의한 지배층에 대한 비판이라는 작품의 주제를 함축하고 있다.
④ 상황이 본관 사또의 흥청스러운 생일잔치로 바뀌는 계기가 된다.
⑤ 백성들이 지배층의 횡포로 피폐한 삶을 살고 있음을 풍자하고 있다.

[23~24] 다음 글을 읽고 물음에 답하시오.

이때에 어사또 부하들과 내통한다. 서리를 보고 눈길을 보내니 서리, 중방 거동 보소. 역을 불러 단속할 제 이리 가며 수군, 저리 가며 수군수군. 서리, 역졸 거동 보소. 외올망건 공단 모자 새 패랭이 눌러쓰고, 석 자 감발 새 짚신에 한삼 고의 산뜻하게 차려입고, 육모 방망이 사슴 가죽끈을 손목에 걸어 쥐고, 여기서 번쩍 저기서 번쩍, 남원읍이 우글우글. 청파 역졸 거동 보소. 달 같은 마패를 햇빛같이 번쩍 들어,

"암행어사 출도야."

외치는 소리에 강산이 무너지고 천지가 뒤집히는 듯 초목금수(草木禽獸)인들 아니 떨랴. 남문에서,

"출도야."

북문에서,
"출도야."
ⓐ동서문 출도 소리 청천(靑天)에 진동하고,
"모든 아전들 들라."
외치는 소리에 육방(六房)이 넋을 잃어,
"공형이오."
등채로 휘닥딱.
"애고 죽겠다."
"공방, 공방."
공방이 자리 들고 들어오며,
"안 하겠다던 공방을 하라더니 저 불속에 어찌 들랴."
등채로 휘닥딱.
"애고 박 터졌네."
좌수(座首), 별감(別監) 넋을 잃고 이방, 호방 혼을 잃고 나졸들이 분주하네. 모든 수령 도망갈 제 거동 보소. 인궤 잃고 강정 들고, 병부(兵符) 잃고 송편 들고, 탕건 잃고 용수 쓰고, 갓 잃고 소반 쓰고, 칼집 쥐고 오줌 누기. 부서지는 것은 거문고요 깨지는 것은 북과 장고라.
본관 사또가 똥을 싸고 멍석 구멍 생쥐 눈 뜨듯 하고, 안으로 들어가서,
"어 추워라. 문 들어온다 바람 닫아라. 물 마르다 목 들여라."
관청색은 상을 잃고 문짝을 이고 내달으니, 서리, 역졸 달려들어 후닥딱.
"애고 나 죽네."

---

23 윗글에 대한 설명으로 옳지 않은 것은?

① 판소리의 영향으로 운문체와 산문체가 혼합하여 쓰이고 있다.
② 서술자가 상황을 객관적으로 설명하여 해학적 웃음을 유발한다.
③ 암행어사가 출도하는 장면을 열거하여 위기감을 표현하고 있다.
④ 암행어사의 출도로 도망가는 수령들의 모습을 희화화하고 있다.
⑤ 관객에게 이야기를 하는 듯한 판소리 사설 고유의 문체가 나타난다.

24 표현 방식이 ⓐ와 동일한 것은?

① 아기의 눈이 보석처럼 반짝반짝 빛났다.
② 하늘을 올려다보니 해가 미소를 짓고 있었다.
③ 배가 너무 고파서 뱃가죽이 등에 붙은 느낌이었다.
④ 냉장고에 물도 있고 과일도 있고 아이스크림도 있다.
⑤ 미선이는 여름을 좋아하고 태형이는 겨울을 좋아한다.

[25~29] 다음 글을 읽고 물음에 답하시오.

어사또 들어가 단정히 앉아 좌우를 살펴보니, 당 위의 모든 수령 다담상을 앞에 놓고 ⓐ진양조가 높아 가는데, 어사또의 상을 보니 어찌 아니 ⓑ통분하랴.

모서리 떨어진 개상판에 닥나무 젓가락, 콩나물, 깍두기, 막걸리 한 사발 놓았구나. 상을 발길로 탁 차 던지며 운봉 영장의 갈비를 가리키며,

"갈비 한 대 먹고지고."

"다리도 잡수시오."

하고는 운봉이 하는 말이,

"이러한 잔치에 풍류로만 놀아서는 맛이 적사오니 차운 한 수씩 하여 보면 어떠하오?"

"그 말이 옳다."

하니 운봉이 운을 낼 제 '(㉠)' 자, '(㉡)' 자 두 자를 내어놓고 차례로 운을 달아 시를 짓는다. 이때 어사또 하는 말이,

"걸인이 어려서 한시(漢詩)깨나 읽었더니 좋은 잔치 당하여서 술과 안주를 포식하고 그냥 가기 민망하니 차운 한 수 하사이다."

운봉 영장이 반겨 듣고 ⓒ필연(筆硯)을 내어 주니, 좌중 사람들이 다 짓지도 않았는데 순식간에 글 두 귀를 지었으되, 백성들의 형편을 생각하고 본관 사또의 정체를 감안하여 지었겄다.

[A]
금준미주(金樽美酒)는 천인혈(千人血)이요
옥반가효(玉盤佳肴)는 만성고(萬姓膏)라
촉루낙시(燭淚落時) 민루낙(民淚落)이요
가성고처(歌聲高處) 원성고(怨聲高)라

이 글 뜻은

금동이의 아름다운 술은 일만 백성의 피요
옥소반의 아름다운 안주는 일만 백성의 기름이라.
촛불 눈물 떨어질 때 백성 눈물 떨어지고
노랫소리 높은 곳에 원망소리 높았더라.

이렇듯이 지었으되 본관 사또는 몰라보는데 운봉 영장은 글을 보며 속으로,

'아뿔싸. 일이 났다.'

이때 어사또가 하직하고 간 연후에 각 ⓓ아전들을 분부하되,

"야야. 일이 났다."

㉢공방 불러 돗자리 단속, 병방 불러 역마(驛馬) 단속, 관청색 불러 다담상 단속, 옥형방 불러 죄인 단속, 집사 불러 형구(刑具) 단속, 형방 불러 장부 단속, 사령 불러 숙직 단속. 한참 이리 요란할 제 사정 모르는 저 본관 사또가,

"여보 운봉은 어디를 다니시오?"

"ⓔ소피 보고 들어오오."

본관 사또가 술주정이 나서 분부하되,

"춘향을 급히 올리라."

25 밑줄 친 ⓐ~ⓔ 의 의미가 적절하지 않은 것은?

① ⓐ진양조–기름진 양고기와 닭고기
② ⓑ통분–원통하고 분함
③ ⓒ필연(筆硯)–붓과 벼루
④ ⓓ아전–중앙과 지방의 관아에 속한 구실아치
⑤ ⓔ소피–'오줌'을 완곡하게 이르는 말

26 밑줄 친 [A]의 주제를 드러내기에 적절한 한자성어를 고르면?

① 학수고대(鶴首苦待)
② 부화뇌동(附和雷同)
③ 안하무인(眼下無人)
④ 가렴주구(苛斂誅求)
⑤ 지록위마(指鹿爲馬)

27 ( )친 ㉠과 ㉡에 들어 갈 적절한 운자(韻字)에 해당하는 글자를 한시를 참고해서 2개 고르면?

① 술 주(酒)
② 피 혈(血)
③ 기름 고(膏)
④ 떨어질 낙(落)
⑤ 높을 고(高)

28 [A]의 기능으로 보기 어려운 것은?

① 새로운 사건을 예고한다.
② 인물 간의 갈등이 해소된다.
③ 분위기 전환의 계기가 된다.
④ 현실 상황을 풍자하고 있다.
⑤ 작품의 주제를 함축하고 있다.

29 밑줄 친 ⓒ의 의미로 가장 적절한 것은?

① 춘향을 문초할 준비를 함.
② 잔치에 참여하지 못한 사람들을 위로함.
③ 어사또의 지시 사항을 충실히 수행함.
④ 본관의 인자함을 여러 사람에게 알림.
⑤ 어사 출두에 긴급하게 대비함.

객관식 심화문제

[01~09] 다음 글을 읽고 물음에 답하시오.

(가) "뭐가 어때, 염문이 무엇인고? 내가 부를게 가만있소. 춘향아."
부르는 소리에 춘향이, 깜짝 놀라 일어나며,
"허허, 이 목소리 잠결인가 꿈결인가. 그 목소리 괴이하다."
어사도 기가 막혀,

[A]
"내가 왔다고 말을 하소."
"왔단 말을 하게 되면 기절해서 간 떨어질 것이니 가만히 계시옵소서."

춘향이 저의 모친 음성을 듣고 깜짝 놀라서,

[B]
"어머니 어찌 오셨소. 몹쓸 딸자식을 생각하와 천방지축으로 다니다가 낙상하기 쉽소. 다음부터는 오실라 마옵소서."

[C]
"날랑은 염려 말고 정신을 차리어라. 왔다."
"오다니 누가 와요?"
"그저 왔다."

[D]
"갑갑하여 나 죽겠소. 일러 주오. 꿈 가운데 님을 만나 온갖 회포 나누었더니 혹시 서방님께서 기별 왔소? 언제 오신단 소식 왔소? 벼슬 띠고 내려온단 공문 왔소? 답답하여라!"

"너의 서방인지 남방인지 걸인 하나가 내려왔다."
"허허, 이게 웬 말인가. 서방님이 오시다니 꿈결에 보던 님을 생시에 본다는 말인가."
문틈으로 손을 잡고 말 못하고 기겁하며,
"애고, 이게 누구시오. 아마도 꿈이로다. 그토록 그린 님을 이리 쉽게 만날쏜가. 이제 죽어도 한이 없네. 어찌 그리 무정한가. 박명하다 나의 모녀, 서방님 이별 후에 자나 누우나 님 그리워 오래도록 한이더니, 내 신세 이리되어 매에 감겨 죽게 되는 날 살리러 와 계시오."
한참 이리 반기다가 님의 형상 자세히 보니 어찌 아니 한심하랴.

[E]
"여보 서방님, 내 몸 하나 죽는 것은 설운 마음 없소마는 서방님 이 지경이 웬일이오."
"오냐 춘향아, 설워 마라. 인명이 재천(在天)인데 설만들 죽을쏘냐."

〈중략〉

"암행어사 출도야."
외치는 소리에 강산이 무너지고 천지가 뒤집히는 듯 초목금수(草木禽獸)인들 아니 떨랴. 남문에서,
"출도야."
북문에서,
"출도야."
동서문 출도 소리 청천(靑天)에 진동하고,
"모든 아전들 들라."
외치는 소리에 육방(六房)이 넋을 잃어,
"공형이오."
등채로 휘닥딱.
"애고 죽겠다."
"공방, 공방."
공방이 자리 들고 들어오며,
"안 하겠다던 공방을 하라더니 저 불속에 어찌 들랴."
등채로 휘닥딱.
"애고 박 터졌네."
좌수(座首), 별감(別監) 넋을 잃고 이방, 호방 혼을 잃고 나졸들이 분주하네. 모든 수령 도망갈 제 거동 보소. 인궤 잃고 강정 들고, 병부(兵符) 잃고 송편 들고, 탕건 잃고 용수 쓰고, 갓 잃고 소반 쓰고. 칼집 쥐고 오줌 누기. 부서지는 것은 거

문고요 깨지는 것은 북과 장고라.

본관 사또가 똥을 싸고 멍석 구멍 생쥐 눈 뜨듯 하고, 안으로 들어가서,

"어 추워라. ㉠문 들어온다 바람 닫아라. 물 마르다 목 들여라."

관청색은 상을 잃고 문짝을 이고 내달으니, 서리, 역졸 달려들어 후닥딱.

"애고 나 죽네."

이때 어사또 분부하되,

"이 골은 대감이 좌정하시던 골이라. 잡소리를 금하고 객사(客舍)로 옮겨라."

자리에 앉은 후에,

"본관 사또는 봉고파직하라."

분부하니,

"본관 사또는 봉고파직이오."

사대문(四大門)에 방을 붙이고 옥형리 불러 분부하되,

"네 골 옥에 갇힌 죄수를 다 올리라."

호령하니 죄인을 올린다. 다 각각 죄를 물은 후에 죄가 없는 자는 풀어 줄새,

"저 계집은 무엇인고?"

형리 여쭈오되,

"기생 월매의 딸이온데 관청에서 포악한 죄로 옥중에 있삽내다."

"무슨 죄인고?"

형리 아뢰되,

"본관 사또 수청 들라고 불렀더니 수절이 정절이라. 수청 아니 들려 하고 사또에게 악을 쓰며 달려든 춘향이로소이다."

어사또 분부하되,

"너 같은 년이 수절한다고 관장(官長)에게 포악하였으니 살기를 바랄쏘냐. 죽어 마땅하되 내 수청도 거역할까?"

춘향이 기가 막혀,

"내려오는 관장마다 모두 명관(名官)이로구나. 어사또 들으시오. ㉡층암절벽 높은 바위가 바람 분들 무너지며, 청송녹죽 푸른 나무가 눈이 온들 변하리까. 그런 분부 마옵시고 어서 바삐 죽여 주오."

하며,

"향단아, 서방님 어디 계신가 보아라. 어젯밤에 옥 문간에 와 계실 제 천만당부 하였더니 어디를 가셨는지 나 죽는 줄 모르는가."

어사또 분부하되,

"얼굴 들어 나를 보라."

하시니 춘향이 고개 들어 위를 살펴보니, 걸인으로 왔던 낭군이 분명히 어사또가 되어 앉았구나. 반웃음 반 울음에,

"얼씨구나 좋을시고 어사 낭군 좋을시고. 남원 읍내 가을이 들어 떨어지게 되었더니, 객사에 봄이 들어 이화춘풍(李花春風) 날 살린다. 꿈이냐 생시냐? 꿈을 깰까 염려로다."

한참 이리 즐길 적에 춘향 어미 들어와서 가없이 즐겨하는 말을 어찌 다 설화(說話)하랴.

춘향의 높은 절개 광채 있게 되었으니 어찌 아니 좋을쏜가.

– 「열녀춘향수절가」, 완판84장본 –

(나) 윤 직원 영감은 아들의 이렇듯 부르지도 않은 걸음을, 더욱이나 안방에까지 들어온 것을 이상타고 꼬집는 소립니다.

"……멋허러 오냐? 돈 달라러 오지?"

"동경서 전보가 왔는데요……."

㉢지체를 바꾸어 윤 주사를 점잖고 너그러운 아버지로, 윤 직원 영감을 속 사납고 경망스런 어린 아들로 둘러놓았으면 꼬옥 맞겠습니다.

"동경서? 전보?"

"종학이 놈이 경시청에 붙잡혔다구요!"

"으엉?"

외치는 소리도 컸거니와, 엉덩이를 꿍 찧는 바람에, 하마 방구들이 내려앉을 뻔했습니다. 모여 선 온 식구가 제가끔 정도에 따라 제각기 놀란 것은 물론이구요.

〈중략〉

윤 직원 영감은 이마로 얼굴로 땀이 방울방울 배어 오릅니다.

"……그런 쳐 죽일 놈이, 깎어 죽여두 아깝잖을 놈이! 그놈이 경찰서장 허라닝개루, 생판 사회주의 허다가 뎁다 경찰서에 잽혀? 으응?…… 오사육시를 헐 놈이, 그놈이 그게 어디 당헌 것이라구 지가 사회주의를 히여? 부자 놈의 자식이 무엇이 대껴서 부랑당 패에 들어?……."

아무도 숨도 크게 쉬지 못하고, 고개를 떨어뜨리고 섰기 아니면 앉았을 뿐, 윤 직원 영감이 잠깐 말을 그치자 방 안은 물을 친 듯이 조용합니다.

"……오죽이나 좋은 세상이여? 오죽이나……."

윤 직원 영감은 팔을 부르걷은 주먹으로 방바닥을 땅 치면서 성난 황소가 영각을 하듯 고함을 지릅니다.

"화적패가 있너냐아? 부랑당 같은 수령(守令)들이 있더냐?…… 재산이 있내야 도적놈의 것이요, 목숨은 파리 목숨 같던 말세(末世)넌 다 지내가고오……. 자 부아라, 거리거리 순사요, 골골마다 공명헌 정사(政事), 오죽이나 좋은 세상이여……. 남은 수십만 명 동병(動兵)을 히여서, 우리 조선 놈 보호히여 주니, 오죽이나 고마운 세상이여? 으응?…… 제 것 지니고 앉어서 편안허게 살 태평 세상, 이걸 태평천하라구 허는 것이여, 태평천하!…… 그런디 이런 태평천하에 태어난 부잣놈의 자식이, 더군다나 왜 지가 떵떵거리구 편안허게 살 것이지, 어찌서 지가 세상 망쳐 놀 부랑당 패에 참섭을 헌담 말이여, 으응?"

– 채만식, 「태평천하」 –

01 (가)에 대한 설명으로 가장 적절한 것을 〈보기〉에서 모두 골라 바르게 묶은 것은?

보기

ㄱ. 인물의 대화를 통해 주인공의 처지를 드러내고 있다.
ㄴ. 내적 독백을 통해 인물의 소망을 직접적으로 드러내고 있다.
ㄷ. 요약적 제시를 통해 인물의 일대기에 대한 정보를 제공하고 있다.
ㄹ. 순차적 사건 진행으로 갈등이 해소되는 과정을 보여주고 있다.

① ㄱ, ㄴ ② ㄱ, ㄹ ③ ㄴ, ㄷ ④ ㄴ, ㄹ ⑤ ㄷ, ㄹ

02 (가)에서 알 수 있는 내용으로 가장 적절한 것은?

① '어사또'는 '춘향'이 관장(官長)에게 포악한 죄가 크다고 생각한다.
② '본관 사또'는 봉고파직을 당한 것에 대해 '형리'에게 불만을 표시했다.
③ '춘향'은 '어사또'와가 한양으로 떠난 후 기별도 못 받고 꿈에서도 만나지 못했다.
④ '형리'는 '어사또'가 '춘향'의 정절을 시험하는 것을 알고 '춘향'의 죄에 대해 '어사또'에게 보고했다.
⑤ '월매'는 옥에 갇힌 '춘향'을 만나러 갈 때, '어사또'가 일부러 신분을 감추었다는 것을 눈치채지 못했다.

03 (가)의 [A]~[E]에 대한 설명으로 가장 적절한 것은?

① [A] : '어사또'와 '춘향 모친'은 같은 정도의 높임말로 서로에게 존대하고 있다.
② [B] : '춘향'은 불평하는 말로 '모친'에 대한 원망(怨望)을 드러내고 있다.
③ [C] : '춘향 모친'은 '왔다'라는 말의 주어를 생략함으로써 '어사또'에 대한 믿음을 드러내고 있다.
④ [D] : '춘향'은 '모친'에게 질문을 퍼부으며 자세한 정보를 제시해주길 바라고 있다.
⑤ [E] : '춘향'은 '어사또'의 모습에 놀라면서 자신과 '어사또'의 안위를 걱정하고 있다.

04 (가)의 ㉠에 드러난 언어 유희와 가장 유사한 것은?

① 운봉 영장의 갈비를 가리키며, "갈비 한 대 먹고 지고."
② 그만 정신없다 보니 말이 빠져서 이가 헛나와 버렸네.
③ 아, 이 양반이 허리 꺽어 절반인지, 개다리소반인지, 꾸레미전에 백반인지.
④ 마구간에 들어가 노새원님(노(老)생원님)을 끌어다가 등에 솔질을 솰솰하여
⑤ 개잘량이라는 '양'자에 개나리소반이라는 '반'자 쓰는 양반이 나오신단 말이오.

05 (가)의 ㉡에 사용된 표현법이 모두 사용된 것은?

① 침묵이 금이라면, 사색은 다이아몬드인가.
② 배우고 때로 익히면 또한 기쁘지 아니한가.
③ 네가 알려 준 소식은 내 마음을 찌르는 단검이다.
④ 나는 아직 기다리고 있을 테요 찬란한 슬픔의 봄을.
⑤ 산에는 꽃 피네 꽃이 피네, 갈 봄 여름 없이 꽃이 피네.

06 〈보기〉를 바탕을 (가)를 감상한 것으로 적절하지 않은 것은?

보기

「춘향전」은 임병 양란 이후에 백성들이 겪은 정신적인 충격을 위로하고, 백성들에게 민족적인 자긍심을 심어주기 위하여 강인한 춘향을 통해, 민족정신의 건강성을 보여주고, 정의는 끝내 승리한다는 믿음을 보여주기 위해 행복한 결말을 서사의 미학으로 삼은 작품이다. 또한 우스꽝스러운 상황이나 부정적 대상을 희화화하여 익살을 부리는 해학과 풍자 가운데 교훈을 주고 있다.

– 설성경, 「해설이 있는 우리 고전소설」 –

① '춘향'이 옥에 있는 장면에서 백성들은 양란 이후에 겪은 정신적 충격을 위로받을 수 있겠군.
② '본관 사또'의 수청을 거부하고 '어사또'와 재회하는 '춘향'의 강인한 모습을 통해 민족정신의 건강성을 보여주고 있군.
③ 좌수(座首), 별감(別監)과 이방, 호당 등을 징벌하는 속도감 있는 전개로 우스꽝스러운 상황 속에 풍자를 느낄 수 있군.
④ '본관 사또'가 봉고파직을 당하는 장면은, 불의한 지배계층에 대한 항거이자 정의는 끝내 승리한다는 믿음을 보여주고 있군.
⑤ '본관 사또'가 똥을 싸고 멍석 구멍 생쥐 눈 뜨듯 한다는 표현은 부정적인 대상을 희화화해 웃음을 유발하는 효과가 있군.

07 〈보기〉는 (가)의 근원설화이다. 〈보기〉와 (가)에 대한 설명으로 적절하지 않은 것은?

보기

도미는 백제 한성 부근의 벽촌 평민이었다. 그러나 의리를 알고, 그 아내는 아름답고 행실이 곧아서 사람들에게 칭송을 받았다. 개루왕이 이 이야기를 듣고 도미를 불러 말했다. "무릇 부인의 덕은 정결이 제일이지만 만일 어둡고 사람이 없는 곳에서 좋은 말로 꾀면 마음을 움직이지 않을 사람이 드물 것이다." 도미가 이에 말하기를 "사람의 정은 헤아릴 수가 없습니다. 그러나 신의 아내 같은 사람은 죽더라도 마음을 고치지 않을 것입니다." 하였다. 이를 시험하기 위해 개루왕이 도미를 머물게 하고 왕의 신하 한 사람을 왕으로 속여 도미의 아내에게 보냈다. "도미와 내기를 하여 내가 이겼기 때문에 너를 궁녀로 삼게 되었다. 너의 몸은 내 것이다." 도미의 아내는 자기 대신에 몸종을 시켜 왕을 대신 모시게 하였다. 뒤늦게 속은 사실을 안 개루왕은 화가 나 도미의 두 눈알을 빼고 사람을 시켜 작은 배에 띄워 보냈다. 한편 도미의 아내는 궁을 탈출하여 강가에서 통곡하니 빈 배 한 척이 오기에 타고 천성도에 이르러 남편을 만나 고구려 땅으로 들어가 살게 되었다.

① '도미'는 '어사또'와 달리 사회적 신분이 낮다.
② '도미의 아내'는 '춘향'과 같이 끝까지 정절을 지켰다.
③ 〈보기〉와 (가) 모두 권력자의 횡포에 맞서며 사랑의 결실을 맺는다.
④ '도미의 아내'는 '춘향'과 달리 기지를 발휘하여 정절을 뺏길 위기를 모면한다.
⑤ '어사또'와 같이 '개루왕'도 자신에게 맞서는 인물을 벌하여 불의에 대응한다.

08 (나)를 통해서 알 수 있는 내용으로 적절하지 않은 것은?

① '윤 직원'이 놀란 것은 동경서 온 전보의 내용 때문이다.
② '윤 직원'은 거리마다 있는 순사에 고마움을 느끼고 있다.
③ '세상 망쳐 놀 부랑당 패'는 윤직원이 인식하고 있는 사회주의를 의미한다.
④ '모여 선 온 식구'는 다들 놀랐으며, 숨도 크게 쉬지 못하고 조용히 하고 있다.
⑤ '윤 직원'은 자신이 '종학'에게 돈을 보내지 않아 사회 주의를 하게 되었다고 생각하고 있다.

09 (나)의 ⓒ에 드러난 서술상 특징으로 가장 적절한 것은?

① 작품 속 서술자가 다른 인물을 관찰하여 서술하고 있다.
② 장면마다 서술자를 교체하여 사건을 입체적으로 전달하고 있다.
③ 작품 밖 서술자가 등장인물의 행동에 대해 직접 평가하고 있다.
④ 작품 밖 서술자가 관찰자의 입장에서 사건을 객관적으로 전달하고 있다.
⑤ 작품 밖 서술자가 어떤 인위적인 장치 없이 인물의 정신에서 나오는 대로 서술하고 있다.

[10~12] 다음 글을 읽고 물음에 답하시오.

(가) 육방(六房) 염문 다 한 후에 춘향 집으로 돌아와서 그 밤을 샌 연후에, 이튿날 출근 끝에 가까운 읍의 수령들이 모여든다. 운봉의 장관, 구례, 곡성, 순창, 옥과, 진안, 장수 원님이 차례로 모여든다. 왼편에 행수, 군관 오른쪽에 청령, 사령이 있고 본관 사또는 한가운데 있어 하인 불러 분부하되,

"관청색 불러 다과를 올리라. 육고자 불러 큰 소를 잡고, 예방(禮房) 불러 악공을 대령하고, 승발 불러 천막을 대령하라. 사령 불러 잡인을 금하라."

이렇듯 요란할 제 온갖 깃발이며 삼현육각 풍류 소리 공중에 떠 있고, 붉은 옷 붉은 치마 입은 기생들은 흰 손 비단 치마 높이 들어 춤을 추고, 지화자 둥덩실 하는 소리에 ㉠어사의 마음이 심란하구나.

"여봐라 사령들아. 너의 사또에게 여쭈어라. 먼 데 있는 걸인이 좋은 잔치에 왔으니 술과 안주나 좀 얻어먹자고 여쭈어라."

저 사령의 거동 보소.

"우리 사또님이 걸인을 금하였으니, 어느 양반인지는 모르오만 그런 말은 내지도 마오."

㉡등을 밀쳐 내니 어찌 아니 명관(名官)인가.

운봉 영장이 그 거동을 보고 본관 사또에게 청하는 말이,

"저 걸인의 의관은 남루하나 양반의 후예인 듯하니 말석에 앉히고 술잔이나 먹여 보냄이 어떠하뇨?"

본관 사또 하는 말이,

"운봉 소견대로 하오마는."

㉢'마는' 하는 끝말을 내뱉고는 입맛이 사납겠다. 어사 속으로

"오냐. 도적질은 내가 하마. 오라는 네가 받아라."

운봉 영장이 분부하여,

"저 양반 듭시라고 하여라."

(나) 어사또 들어가 단정히 앉아 좌우를 살펴보니 당 위의 모든 수령 다담상을 앞에 놓고 진양조가 높아 가는데, 어사또의 상을 보니 어찌 아니 통분하랴. 모서리 떨어진 개상판에 닥나무 젓가락, 콩나물, 깍두기, 막걸리 한 사발 놓았구나. 상을 발길로 탁 차 던지며 운봉 영장의 갈비를 가리키며,

"갈비 한대 먹고지고."

"다리도 잡수시오." 하고는 운봉이 하는 말이,

"이러한 잔치에 풍류로만 놀아서는 맛이 적사오니 차운 한 수씩 하여 보면 어떠하오?"

"그 말이 옳다." 하니 ㉣운봉이 운을 낼 제 '높을 고(高)'자, '기름 고(膏)'자 두 자를 내어놓고 차례로 운을 달아 시를 짓는다. 이때 어사또 하는 말이,

"걸인이 어려서 한시(漢詩)깨나 읽었더니 좋은 잔치 당하여서 술과 안주를 포식하고 그냥 가기 민망하니 차운 한 수 하사이다."

(다) 운봉 영장이 반겨 듣고 필연(筆硯)을 내어 주니, 좌중 사람들이 다 짓지도 않았는데 글 두 귀를 지었으되, ㉤백성들의 형편을 생각하고 본관 사또의 정체를 감안하여 지었겄다.

금준미주(金樽美酒)는 천인혈(千人血)이요
옥반가효(玉盤佳肴)는 만성고(萬姓膏)라
촉루낙시(燭淚落時) 민루낙(民淚落)이요
가성고처(歌聲高處) 원성고(怨聲高)라

이 글 뜻은

금동이의 아름다운 술은 일만 백성의 피요
옥소반의 아름다운 안주는 일만 백성의 기름이라.
촛불 눈물 떨어질 때 백성 눈물 떨어지고
노랫소리 높은 곳에 원망 소리 높았더라

이렇듯이 지었으되 본관 사또는 몰라보는데 운봉 영장은 글을 보며 속으로,

'아뿔싸. 일이 났다.'

이때 어사또가 하직하고 간 연후에 각 아전들을 분부하되,

"야야. 일이 났다."

공방 불러 돗자리 단속, 병방 불러 역마(驛馬) 단속, 관청색 불러 다담상 단속, 옥형방 불러 죄인 단속, 집사 불러 형구(刑具) 단속, 형방 불러 장부 단속, 사령 불러 숙직 단속. 한참 이리 요란할 제 사정 모르는 저 본관 사또가,

"여보 운봉은 어디를 다니시오?"

"소피 보고 들어오오."

본관 사또가 술주정이 나서 분부하되,

"춘향을 급히 올리라."

〈중략〉

사대문(四大門)에 방을 붙이고 옥형리 불러 분부하되,

"네 골 옥에 갇힌 죄수를 다 올리라."

호령하니 죄인을 올린다. 다 각각 죄를 물은 후에 죄가 없는 자는 풀어 줄새,

"저 계집은 무엇인고?"

형리 여쭈오되,

"기생 월매의 딸이온데 관청에서 포악한 죄로 옥중에 있삽내다."

"무슨 죄인고?"

형리 아뢰되,

"본관 사또 수청 들라고 불렀더니 수절이 정절이라. 수청 아니 들려 하고 사또에게 악을 쓰며 달려든 춘향이로소이다."

어사또 분부하되,

"너 같은 년이 수절한다고 관장(官長)에게 포악하였으니 살기를 바랄쏘냐. 죽어 마땅하되 내 수청도 거역할까?"

춘향이 기가 막혀,

"내려오는 관장마다 모두 명관(名官)이로구나. 어사또 들으시오. 층암절벽 높은 바위가 바람 분들 무너지며, 청송녹죽 푸른 나무가 눈이 온들 변하리까. 그런 분부 마옵시고 어서 바삐 죽여 주오."

"향단아, 서방님 어디 계신가 보아라. 어젯밤에 옥 문간에 와 계실 제 천만당부 하였더니 어디를 가셨는지 나 죽는 줄 모르는가."

어사또 분부하되,

"얼굴 들어 나를 보라."

하시니 춘향이 고개 들어 위를 살펴보니, 걸인으로 왔던 낭군이 분명히 어사또가 되어 앉았구나. 반 웃음 반 울음에,

"얼씨구나 좋을시고 어사 낭군 좋을시고. 남원 읍내 가을이 들어 떨어지게 되었더니, 객사에 봄이 들어 이화춘풍(李花春風) 날 살린다. 꿈이냐 생시냐? 꿈을 깰까 염려로다."

– 춘향전 –

10 〈보기〉를 참고하여 〈보기〉의 밑줄 친 부분에 해당되지 않는 것을 윗글의 ㉠ - ㉤중에 찾으면?

보기

서술자의 개입이란 서술자가 작품에 개입하여 사건이나 인물에 관한 판단이나 정서를 직접 드러내는 것이다.

① ㉠ 어사의 마음이 심란하구나.
② ㉡ 등을 밀쳐 내니 어찌 아니 명관(名官)인가.
③ ㉢ '마는' 하는 끝말을 내뱉고는 입맛이 사납겠다.
④ ㉣ 운봉이 운을 낼 제 '높을 고(高)' 자, '기름 고(膏)' 자 두자를 내어놓고 차례로 운을 달아 시를 짓는다.
⑤ ㉤ 백성들의 형편을 생각하고 본판 사또의 정체를 감안하여 지었것다.

11 보기의 밑줄 친 '언어유희'를 사용한 시조를 아래에서 찾으면?

보기

언어유희는 다른 의미를 암시하기 위해 말이나 동음이의어를 해학적으로 사용하는 표현방법으로, 말이나 문자를 소재로 하는 유희를 의미한다. 언어유희란 일차적으로 저급한 기지(wit)의 형식으로 낱말놀이의 초기 유형에 든다. 이때 언어유희는 해학을 목적으로 하기 보다는 이중의 의미를 나타내는 명칭을 중심으로 진지하게 사용된다. 낱말의 소리들에 대한 진지한 관심을 토대로 발생한 언어유희는 차츰 해학을 목적으로 하게 된다. 아이러니의 한 변형으로서 언어유희는 단순한 말장난으로 끝나는 것이 아니라 풍부한 기지와 날카로운 어조로 풍자의 형식이 된다.

① 십 년(十年)을 경영(經營)ᄒᆞ야 초려삼간(草廬三間) 지여 내니
　나 ᄒᆞᆫ 간 ᄃᆞᆯ ᄒᆞᆫ 간에 청풍(淸風) ᄒᆞᆫ 간 맛져 두고
　강산(江山)은 들일 ᄃᆡ 업스니 둘러 두고 보리라
② 이화우(梨花雨) 흣ᄲᅮ릴 제 울며 잡고 이별(離別)ᄒᆞᆫ 님
　추풍낙엽(秋風落葉)에 저도 날 ᄉᆡᆼ각ᄂᆞᆫ가
　천리(千里)에 외로운 ᄭᅮᆷ만 오락가락 ᄒᆞ노매
③ 秋江(추강)에 밤이 드니 물결이 ᄎᆞ노매라
　낚시 드리치니 고기 아니 무노매라
　無心(무심)한 ᄃᆞᆯ빗만 싣고 빈 배 저어 오노매라
④ 매암이 맵다 울고 쓰르라미 쓰다 우니
　산채(山菜)를 맵다는가 박주(薄酒)를 쓰다는가
　우리는 초야(草野)에 뭇쳐시니 맵고 쓴 줄 몰라라
⑤ 구룸 비치 조타 ᄒᆞ나 검기ᄅᆞᆯ ᄌᆞ로 ᄒᆞᆫ다
　ᄇᆞ람 소리 ᄆᆞᆰ다 ᄒᆞ나 그칠 적이 하노매라
　조코도 그칠 뉘 업기는 물ᄲᅮᆫ인가 ᄒᆞ노라

12 춘향과 본관 사또의 관계를 중심으로 작품의 주제를 살펴볼 때, 춘향이 불렀음직한 노래로 가장 가까운 것을 찾으면?

① 뫼는 길고 길고 물은 멀고 물고
어버이 그린 뜻은 많고 많고 하고 하고.
어디서 외기러기는 울고 울고 가느니
② 새로 짜낸 무명이 눈결같이 고왔는데
이방 줄 돈이라고 황두가 뺏어가네
누전 세금 독촉이 성화같이 급하구나
삼월 중순 세곡선이 서울로 떠난다고.
③ 수국(水國)의 가을이 드니 고기마다 살쪄 읻다
닫드러라 닫드러라
만경창파의 실컷 용여(容與)하자
지국총 지국총 어사와
인간(人間)을 도라보니 멀수록 더욱 좋다
④ 반중(盤中) 조홍(早紅)감이 고아도 보이ᄂᆞ다
유자(柚子) 아니라도 품엄즉도 ᄒᆞ다마ᄂᆞᆫ
품어 가 반길 이 없어서 글로 설워하나이다
⑤ ᄃᆡᆨ들에 동난지이 사오 져 쟝스야 네 황후 그 무서시라 웨ᄂᆞᆫ다 사쟈
外骨內肉兩目(외골내육양목)이 上天前行後行小(상천전행후행소) 아리 八足大(팔족대)아리 二足靑醬(이족청장)
ᄋᆞ스슥ᄒᆞᄂᆞᆫ 동난지이 사오
장사꾼아 하 거북하게 소리지르지 말고 게젓이라 ᄒᆞ려무나

[13~18] 다음 글을 읽고 물음에 답하시오.

(가) 향단이는 미음상이며 등불을 들고 어사또는 뒤를 따라 옥문에 당도하니 인적이 고요하고 옥졸도 간 곳 없네.
이때 ⓐ춘향이 비몽사몽간에, 서방님이 오셨는데 머리에는 금관이요, 몸에는 홍삼이라. 오로지 사랑만을 생각하며 목을 안고 온갖 회포에 젖어 있던 터라.
"춘향아."
㉠부른들 대답이 있을쏘냐.
어사또 하는 말이,
"크게 한번 불러 보소."
"모르는 말씀이오. 예서 동헌이 마주 있는데 소리가 크게 나면 사또 염문(廉問)할 것이니 잠깐 지체하옵소서."
"뭐가 어때, 염문이 무엇인고? 내가 부를게 가만있소. 춘향아."
부르는 소리에 춘향이, 깜짝 놀라 일어나며,
"허허, 이 목소리 잠결인가 꿈결인가. 그 목소리 괴이하다."
어사도 기가 막혀,
"내가 왔다고 말을 하소."

"왔단 말을 하게 되면 기절해서 간 떨어질 것이니 가만히 계시옵소서." 〈중략〉

한참 이리 반기다가 님의 형상 자세히 보니 어찌 아니 한심하랴.

"여보 서방님, 내 몸 하나 죽는 것은 설운 마음 없소마는 서방님 이 지경이 웬일이오."

㉡"오냐 춘향아, 설워 마라. 인명이 재천(在天)인데 설만들 죽을쏘냐."

춘향이 저의 모친 불러,

〈중략〉

나 죽은 후에라도 나 없다 마시고 날 본 듯이 섬기소서. 서방님, 내 말씀 들으시오. 내일이 본관 사또 생신이라. 술에 취해 주정 나면 나를 올려 칠 것이니 형장 맞은 다리 장독(杖毒)이 났으니 수족인들 놀릴쏜가. 치렁치렁 흐트러진 머리 이렁저렁 걷어 얹고 이리 비틀 저리 비틀 들어가서 곤장 맞고 죽거들랑 삯꾼인 체 달려들어 둘러업고 우리 둘이 처음 만나 놀던 부용당 적막하고 고요한 데 뉘어 놓고 서방님 손수 염습하되 나의 혼백 위로하여 입은 옷 벗기지 말고 양지 끝에 묻었다가 서방님 귀히 되어 벼슬에 오르거든 잠시도 지체 말고 육진장포로 다시 염습하여 조촐한 상여 위에 덩그렇게 실은 후에 북망산천 찾아갈 제 앞 남산 뒤 남산 다 버리고 한양성으로 올려다가 선산발치에 묻어 주고 비문에 새기기를 수절원사춘향지묘라 여덟 자만 새겨 주오.

〈중략〉

육방(六房) 염문 다 한 후에 춘향 집으로 돌아와서 그 밤을 샌 연후에, 이튿날 출근 끝에 가까운 읍의 수령들이 모여든다. 운봉의 장관, 구례, 곡성, 순창, 옥과, 진안, 장수 원님이 차례로 모여든다. 왼편에 행수, 군관 오른쪽에 청령, 사령이 있고 본관 사또는 한가운데 있어 하인 불러 분부하되,

"관청색 불러 다과를 올리라. 육고자 불러 큰 소를 잡고, 예방(禮房) 불러 악공을 대령하고, 승발 불러 천막을 대령하라. 사령 불러 잡인을 금하라."

이렇듯 요란할 제 온갖 깃발이며 삼현육각 풍류 소리 공중에 떠 있고, 붉은 옷 붉은 치마 입은 기생들은 흰 손 비단 치마 높이 들어 춤을 추고, 지화자 둥덩실 하는 소리에 어사의 마음이 심란하구나.

"여봐라 사령들아. 너의 사또에게 여쭈어라. 먼 데 있는 걸인이 좋은 잔치에 왔으니 술과 안주나 좀 얻어먹자고 여쭈어라."

저 사령의 거동 보소.

"우리 사또님이 걸인을 금하였으니, 어느 양반인지는 모르오만 그런 말은 내지도 마오."

㉢등을 밀쳐 내니 어찌 아니 명관(名官)인가.

운봉 영장이 그 거동을 보고 본관 사또에게 청하는 말이,

"저 걸인의 의관은 남루하나 양반의 후예인 듯하니 말석에 앉히고 술잔이나 먹여 보냄이 어떠하뇨?"

본관 사또 하는 말이,

"운봉 소견대로 하오마는."

'마는' 하는 끝말을 내뱉고는 입맛이 사납겠다. 어사 속으로

"오냐. 도적질은 내가 하마. 오라는 네가 받아라."

운봉 영장이 분부하여,

"저 양반 듭시라고 하여라."

〈중략〉

운봉 영장이 반겨 듣고 필연(筆硯)을 내어 주니, 좌중 사람들이 다 짓지도 않았는데 글 두 귀를 지었으되, 백성들의 형편을 생각하고 본관 사또의 정체를 감안하여 지었것다.

금준미주(金樽美酒)는 천인혈(千人血)이요
옥반가효(玉盤佳肴)는 만성고(萬姓膏)라
촉루낙시(燭淚落時) 민루낙(民淚落)이요
가성고처(歌聲高處) 원성고(怨聲高)라

이 글 뜻은

금동이의 아름다운 술은 일만 백성의 피요,
옥소반의 아름다운 안주는 일만 백성의 기름이라.
촛불 눈물 떨어질 때 백성 눈물 떨어지고
노랫소리 높은 곳에 원망소리 높았더라.

이렇듯이 지었으되 본관 사또는 몰라보는데 운봉 영장은 글을 보며 속으로,
'아뿔싸. 일이 났다.'
이때 어사또가 하직하고 간 연후에 각 아전들을 분부하되,
"야야. 일이 났다."
㉣공방 불러 돗자리 단속, 병방 불러 역마(驛馬) 단속, 관청색 불러 다담상 단속, 옥형방 불러 죄인 단속, 집사 불러 형구(刑具) 단속, 형방 불러 장부 단속, 사령 불러 숙직 단속.

〈중략〉

"암행어사 출도야."
외치는 소리에 강산이 무너지고 천지가 뒤집히는 듯 초목금수(草木禽獸)인들 아니 떨랴. 남문에서,
"출도야." / 북문에서,
"출도야." / 동서문 출도 소리 청천(靑天)에 진동하고,
"모든 아전들 들라."
외치는 소리에 육방(六房)이 넋을 잃어,
"공형이오." / 등채로 휘닥딱.
"애고 죽겠다." / "공방, 공방."
공방이 자리 들고 들어오며,
"안 하겠다던 공방을 하라더니 저 불속에 어찌 들랴."
등채로 휘닥딱. / "애고 박 터졌네."
좌수(座首), 별감(別監) 넋을 잃고 이방, 호방 혼을 잃고 나졸들이 분주하네. ㉤모든 수령 도망갈 제 거동 보소. 인궤 잃고 강정 들고, 병부(兵符) 잃고 송편 들고, 탕건 잃고 용수 쓰고, 갓 잃고 소반 쓰고, 칼집 쥐고 오줌 누기. 부서지는 것은 거문고요 깨지는 것은 북과 장고라.
본관 사또가 똥을 싸고 멍석 구멍 새앙쥐 눈 뜨듯하고, 안으로 들어가서,
"어 추워라. 문 들어온다 바람 닫아라. 물 마르다 목 들여라."
관청색은 상을 잃고 문짝을 이고 내달으니, 서리, 역졸 달려들어 후닥딱.
"애고 나 죽네."
이때 어사또 분부하되,
"이 골은 대감이 좌정하시던 골이라. 잡소리를 금하고 객사(客舍)로 옮겨라."
자리에 앉은 후에,
"본관 사또는 봉고파직하라."
분부하니,
"본관 사또는 봉고파직이오."

(나) 윤 직원 영감은 아들의 이렇듯 부르지도 않은 걸음을, 더욱이나 안방에까지 들어온 것을 이상타고 꼬집는 소립니다.

"……멋허러 오냐? 돈 달라러 오지?"
"동경서 전보가 왔는데요……."
지체를 바꾸어 윤 주사를 점잖고 너그러운 아버지로, 윤 직원 영감을 속 사납고 경망스런 어린 아들로 둘러놓았으면 꼬옥 맞겠습니다.
"동경서? 전보?"
"종학이 놈이 경시청에 붙잽혔다구요!"
"으엉?"
외치는 소리도 컸거니와, 엉덩이를 꿍 찧는 바람에, 하마 방구들이 내려앉을 뻔했습니다. 모여 선 온 식구가 제가끔 정도에 따라 제각기 놀란 것은 물론이구요. 〈중략〉
아무도 숨도 크게 쉬지 못하고, 고개를 떨어뜨리고 섰기 아니면 앉았을 뿐, 윤 직원 영감이 잠깐 말을 그치자 방 안은 물을 친 듯이 조용합니다.
"……오죽이나 좋은 세상이여? 오죽이나……."
윤 직원 영감은 팔을 부르걷은 주먹으로 방바닥을 땅 치면서 성난 황소가 영각을 하듯 고함을 지릅니다.
"화적패가 있너냐아? 부랑당 같은 수령(守令)들이 있더냐?…… 재산이 있대야 도적놈의 것이요, 목숨은 파리 목숨 같던 말세(末世)넌 다 지내가고오……. 자 부아라, 거리거리 순사요, 골골마다 공명헌 정사(政事), 오죽이나 좋은 세상이여……. 남은 수십만 명 동병(動兵)을 히여서, 우리 조선 놈 보호히여 주니, 오죽이나 고마운 세상이여? 으응?…… 제 것 지니고 앉어서 편안허게 살 태평 세상, 이걸 태평천하라구 허는 것이여, 태평천하!"

---

13 (가)에 대한 설명으로 적절하지 <u>않은</u> 것은?

① 근원 설화로부터 판소리계 소설을 거쳐 신소설로도 발전했다.
② 판소리에서 나온 것이므로 운문체와 산문체가 결합되어 있다.
③ 서술자가 사건이나 인물의 언행에 대해 의견을 밝히거나 평가하는 부분이 나타난다.
④ 원래 글로 창작된 것을 공연할 수 있도록 만든 것이어서 사건이 현재형으로 진행된다.
⑤ 일상어 위주의 서민들 언어, 고사 및 한문 투의 양반층의 언어를 동시에 사용하여 폭넓은 독자층의 요구에 부합한다.

14 ⓐ에서 '춘향'의 시점에 가장 가까운 말로 적절한 것은?

① 오매불망(寤寐不忘)
② 가렴주구(苛斂誅求)
③ 호접지몽(胡蝶之夢)
④ 망양보뢰(亡羊補牢)
⑤ 근묵자흑(近墨者黑)

15 ㉠~㉤에 대한 설명으로 적절하지 않은 것은?

① ㉠ : 서술자가 개입하는 부분으로 판소리 사설의 요소이다.
② ㉡ : 춘향이 죽지 않을 것을 암시하며 관습적인 표현을 썼다.
③ ㉢ : 본관 사또가 명관이 아님을 드러내는 반어적 표현이다.
④ ㉣ : 확장적 문체를 통한 장면의 극대화가 나타나는 부분이다.
⑤ ㉤ : 수령들이 도망하는 모습을 열거, 대구, 설의법을 사용하여 나타냈다.

16 윗글의 내용에 대한 이해로 적절하지 않은 것은?

① 운봉은 관대한 인물이며, 이몽룡과 춘향이는 만나는 계기를 제공한다.
② 이몽룡의 한시를 통해 백성들의 피폐한 삶, 부조리한 현실의 모순을 고발한다.
③ 변학도는 부패한 지방 수령으로 어리석음을 드러내 조소의 대상이 되는 인물이다.
④ 백성의 곤궁한 살림에는 관심이 없는 지배층의 화려한 잔치에 대한 어사또의 반감이 편집자적 논평으로 드러난다.
⑤ 춘향의 유언에서는 춘향이는 이몽룡의 가족의 일원으로 이씨 문중의 정식 며느리로 인정받고 싶은 소망이 나타나 있다.

17 〈보기〉는 윗글의 주제에 대해 토의한 내용이다. 적절한 것끼리 바르게 묶은 것은?

보기

ㄱ. 춘향이의 몽룡을 향한 굳은 지조와 절개를 나타내고자 하는 것이 표면적 주제야.
ㄴ. 표면적 주제는 봉건 이념의 허구성 폭로 등 평민층의 의식과 관련되어 있어.
ㄷ. 이면적 주제는 권선징악, 인과응보 등의 유교적 이념과 관련되어 있어.
ㄹ. 춘향과 변사또의 관계를 중심으로 봤을 때 불합리한 지배계층에 대한 비판의식을 드러내려는 작가의 의도를 엿볼 수 있어.

① ㄱ, ㄴ ② ㄱ, ㄹ ③ ㄴ, ㄷ ④ ㄴ, ㄹ ⑤ ㄷ, ㄹ

18 (가), (나)에 대한 설명으로 가장 적절한 것은?

① (가)는 (나)와 달리, 서술자가 개입하는 부분이 드러나 있다.
② (나)는 (가)와 달리, 희화화 방식으로 대상을 비하하여 독자에게 웃음을 유발하고 있다.
③ (가)에서 나타나는 풍자의 전통은 오늘날에는 계승되지 않고 있다.
④ (나)에서 일제강점기를 태평천하로 믿는 윤직원을 통해 당시의 현실을 풍자하고 있다.
⑤ (가)는 (나)와 달리, 전지적 작가 시점으로 서술하고 있다.

[19~25] 다음 글을 읽고 물음에 답하시오.

(가) "관청색 불러 다과를 올리라. 육고자 불러 큰 소를 잡고, 예방(禮房) 불러 악공을 대령하고, 승발 불러 천막을 대령하라. 사령 불러 잡인을 금하라."

이렇듯 요란할 제 온갖 깃발이며 ⓐ삼현육각 풍류 소리 공중에 떠 있고, 붉은 옷 붉은 치마 입은 기생들은 흰 손 비단 치마 높이 들어 춤을 추고, ㉠지화자 둥덩실 하는 소리에 어사의 마음이 심란하구나.

"여봐라 사령들아. 너의 사또에게 여쭈어라. 먼 데 있는 걸인이 좋은 잔치에 왔으니 술과 안주나 좀 얻어먹자고 여쭈어라."

저 사령 거동 보소.

"우리 사또님이 걸인을 금하였으니, 어느 양반인지는 모르오만 그런 말은 내지도 마오."

㉡등을 밀쳐 내니 어찌 아니 명관(名官)인가.

운봉 영장이 그 거동을 보고 본관 사또에게 청하는 말이,

"저 걸인의 의관은 남루하나 양반의 후예인 듯하니 말석에 앉히고 술잔이나 먹여 보냄이 어떠하뇨?"

본관 사또 하는 말이,

"운봉 소견대로 하오마는."

'마는' 하는 끝말을 내뱉고는 입맛이 사납겠다. 어사 속으로

"오냐. 도적질은 내가 하마. 오라는 네가 받아라."

운봉 영장이 분부하여,

"저 양반 듭시라고 하여라."

(나) 어사또 들어가 단정히 앉아 좌우를 살펴보니, 당 위의 모든 수령 다담상을 앞에 놓고 진양조가 높아 가는데, 어사또의 상을 보니 어찌 아니 통분하랴. 모서리 떨어진 개상판에 닥나무 젓가락, 콩나물, 깍두기, 막걸리 한 사발 놓았구나. 상을 발길로 탁 차 던지며 운봉 영장의 갈비를 가리키며,

"갈비 한대 먹고지고."

"다리도 잡수시오." 하고는 운봉이 하는 말이,

"이러한 잔치에 풍류로만 놀아서는 맛이 적사오니 ⓑ차운 한 수씩 하여 보면 어떠하오?"

"그 말이 옳다."

하니 운봉이 운을 낼 제 '높을 고(高)'자, '기름 고(膏)'자 두 자를 내어놓고 차례로 운을 달아 시를 짓는다. 이때 어사또 하는 말이

"걸인이 어려서 한시(漢詩)깨나 읽었더니 ㉢좋은 잔치 당하여서 술과 안주를 포식하고 그냥 가기 민망하니 차운 한 수 하사이다."

운봉 영장이 반겨 듣고 필연(筆硯)을 내어 주니, 좌중 사람들이 다 짓지도 않았는데 글 두 귀를 지었으되, 백성들의 형편을 생각하고 본관 사또의 정체를 감안하여 지었것다.

(다)

금준미주(金樽美酒)는 천인혈(千人血)이요
옥반가효(玉盤佳肴)는 만성고(萬姓膏)라
촉루낙시(燭淚落時) 민루낙(民淚落)이요
가성고처(歌聲高處) 원성고(怨聲高)라

이 글 뜻은

금동이의 아름다운 술은 일만 백성의 피요,
옥소반의 아름다운 안주는 일만 백성의 기름이라.
촛불 눈물 떨어질 때 백성 눈물 떨어지고
노랫소리 높은 곳에 원망소리 높았더라.

이렇듯이 지었으되 본관 사또는 몰라보는데 운봉 영장은 글을 보며 속으로,
'아뿔싸. 일이 났다.'
이때 어사또가 하직하고 간 연후에 각 아전들을 분부하되,
"야야. 일이 났다."
공방 불러 돗자리 단속, 병방 불러 역마(驛馬) 단속, 관청색 불러 다과상 단속, 옥형방 불러 죄인 단속, 집사 불러 형구(刑具) 단속, 형방 불러 장부 단속, 사령 불러 숙직 단속. 한참 이리 요란할 제 사정 모르는 저 본관 사또가,
"여보 운봉은 어디를 다니시오?"
"소피 보고 들어오오."
본관 사또가 술주정이 나서 분부하되,
"춘향을 급히 올리라."

〈중략〉

(라) 사대문(四大門)에 방을 붙이고 옥형리 불러 분부하되,
"네 골 옥에 갇힌 죄수를 다 올리라."
호령하니 죄인을 올린다. 다 각각 죄를 물은 후에 죄가 없는 자는 풀어 줄새,
"저 계집은 무엇인고?"
형리 여쭈오되,
"기생 월매의 딸이온데 관청에서 포악한 죄로 옥중에 있삽내다."
"무슨 죄인고?"
형리 아뢰되,
"본관 사또 수청 들라고 불렀더니 수절이 정절이라. 수청 아니 들려 하고 사또에게 악을 쓰며 달려든 춘향이로소이다."
어사또 분부하되,
"너 같은 년이 수절한다고 관장(官長)에게 포악하였으니 살기를 바랄쏘냐. 죽어 마땅하되 내 수청도 거역할까?"
춘향이 기가 막혀,
"㉣내려오는 관장마다 모두 명관(名官)이로구나. 어사또 들으시오. ㉤층암절벽 높은 바위가 바람 분들 무너지며, 청송 녹죽 푸른 나무가 눈이 온들 변하리까. 그런 분부 마옵시고 어서 바삐 죽여 주오."
"향단아, 서방님 어디 계신가 보아라. 어젯밤에 옥 문간에 와 계실 제 천만당부 하였더니 어디를 가셨는지 나 죽는 줄 모르는가."
어사또 분부하되,
"얼굴 들어 나를 보라."
하시니 춘향이 고개 들어 위를 살펴보니, 걸인으로 왔던 낭군이 분명히 어사또가 되어 앉았구나. 반웃음 반 울음에,
"얼씨구나 좋을시고 어사 낭군 좋을시고. 남원 읍내 가을이 들어 떨어지게 되었더니, 객사에 봄이 들어 ⓒ이화춘풍(李花春風) 날 살린다. 꿈이냐 생시냐? 꿈을 깰까 염려로다."
한참 이리 즐길 적에 춘향 어미 들어와서 가없이 즐겨하는 말을 어찌 다 ⓓ설화(說話)하랴.
춘향의 높은 절개 광채 있게 되었으니 어찌 아니 좋을쏜가.

- 「열녀춘향수절가」, 완판 84장본 -

(마) 윤 직원 영감은 아들의 이렇듯 부르지도 않은 걸음을, 더욱이나 안방에까지 들어온 것을 이상타고 꼬집는 소립니다.
"……멋허러 오냐? 돈 달라러 오지?"
"동경서 전보가 왔는데요……."
Ⓐ지체를 바꾸어 윤 주사를 점잖고 너그러운 아버지로, 윤 직원 영감을 속 사납고 경망스런 어린 아들로 둘러놓았으면 꼬옥 맞겠습니다.
"동경서? 전보?"

"종학이 놈이 경시청에 붙잡혔다구요!"

"으엉?"

외치는 소리도 컸거니와, 엉덩이를 꿍 찧는 바람에, 하마 방구들이 내려앉을 뻔했습니다. 모여 선 온 식구가 제가끔 정도에 따라 제각기 놀란 것은 물론이구요.

〈중략〉

윤 직원 영감은 이마로 얼굴로 땀이 방울방울 배어 오릅니다.

"……그런 쳐 죽일 놈이, 깎어 죽여두 아깝잖을 놈이! 그놈이 경찰서장 허라닝개루, 생판 사회주의 허다가 뎁다 경찰서에 잽혀? 으응?…… ⓔ오사육시를 헐 놈이, 그놈이 그게 어디 당헌 것이라구 지가 사회주의를 히여? 부자 놈의 자식이 무엇이 대껴서 부랑당 패에 들어?……."

아무도 숨도 크게 쉬지 못하고, 고개를 떨어뜨리고 섰기 아니면 앉았을 뿐, 윤 직원 영감이 잠깐 말을 그치자 방 안은 물을 친 듯이 조용합니다.

– 채만식, 「태평천하」에서 –

---

19 (가)~(라)에 대한 설명으로 적절한 것을 모두 고른 것은?

보기

(ㄱ) 판소리 사설을 바탕으로 새롭게 서사화한 작품이다.
(ㄴ) 18세기 초반에 형성되어 구비 전승되어 민속연희의 한 형태로 널리 전파되었다.
(ㄷ) 여러 사람의 공동작으로 보이며 이본(異本)에 따라 인물의 설정이나 이야기 전개 등이 어느 정도 차이를 보인다.
(ㄹ) 대중적으로 널리 인기를 누리면서 상업적으로 유통되었다.

① (ㄱ) ② (ㄱ), (ㄴ) ③ (ㄱ), (ㄴ), (ㄷ) ④ (ㄱ), (ㄷ), (ㄹ) ⑤ (ㄱ), (ㄴ), (ㄷ), (ㄹ)

20 (가)~(라)의 표현상의 특징으로 적절하지 않은 것은?

① 대상을 희화화함으로써 읽는 이로 하여금 해학미를 느끼게 하고 있다.
② 판소리의 영향으로 운문체와 산문체가 섞여 나타나고 있다.
③ 평민의 언어가 주로 사용되어 사실적으로 표현되었다.
④ 확장적 문체의 사용으로 장면의 극대화가 나타난다.
⑤ 작품 밖 인물의 판단이 많이 드러난다.

21 다음 ⓐ~ⓔ 의 낱말 뜻 풀이로 적절하지 않은 것은?

① ⓐ : 잔치에 쓰이는 갖가지 고기와 삼색 나물들.
② ⓑ : 남이 지은 시의 운자(韻字)를 따서 시를 지음.
③ ⓒ : 봄바람을 이르는 말이면서 이몽룡을 가리킴.
④ ⓓ : 어떤 일에 대하여 자세하게 말함.
⑤ ⓔ : 오사하여 육시까지 당한다는, 몹시 저주하는 말.

22 ㉠~㉤의 표현상의 특징과 효과로 가장 적절한 것은?

① ㉠ : 과장의 방법으로 극중 상황을 부각시킨다.
② ㉡ : 언어유희를 통해 극적 긴장감을 이완시킨다.
③ ㉢ : 관용적 표현으로 앞으로 전개될 상황을 암시한다.
④ ㉣ : 상투적인 표현을 통해 해학성을 높인다.
⑤ ㉤ : 비유적 표현으로 인물의 의지를 보여준다.

23 ㉠~㉤ 중 Ⓐ의 표현상의 특징이 드러난 것을 모두 고른 것은?

① ㉠
② ㉠, ㉡
③ ㉠, ㉡, ㉢
④ ㉠, ㉡, ㉢, ㉣
⑤ ㉠, ㉡, ㉢, ㉣, ㉤

24 (가)~(마)에서 서술자가 사건을 서술하는 시점으로 적절한 것은?

① 서술자는 객관적 입장에서 인물들의 행동을 제시하고 있다.
② 사건을 비롯하여 인물의 내면 심리까지 폭넓게 다루고 있다.
③ 주인공의 내면을 숨김으로써 긴장과 경이감을 자아내고 있다.
④ 작중 인물이 다른 등장인물의 언행에 대해서 서술하고 있다.
⑤ 인물의 내면은 숨기고, 외부 세계에 대해 폭넓게 표현하고 있다.

25 (가)~(라)를 통해 알 수 있는 내용으로 가장 알맞은 것은?

① 운봉은 걸인의 비범함을 차운을 통해 확인하려 하고 있다.
② 어사또는 운봉의 체면을 보아 마지못해 운봉의 의견에 따른다.
③ 어사또는 운봉에게 앞으로 벌어질 일에 대한 암시를 주고자 한다.
④ 차운에 참여하겠다는 어사또의 말에서 자신의 재주를 자랑하려는 의도를 엿볼 수 있다.
⑤ 운봉은 어사또의 시가 의미하는 바를 이해하고 이에 대비하고 있다.

[26~30] 다음 글을 읽고 물음에 답하시오.

(가) "여봐라, 이에 춘향아."

하고 부르는 소리에 춘향이 깜짝 놀라서, "무슨 소리를 그 따위로 질러 사람의 정신을 놀라게 하느냐."

"이 애야, 말 말아라, 일이 났다."

"일이라니, 무슨 일?"

"사또 자제 도련님이 광한루에 오셨다가 너 노는 모양 보고 불러오란 명을 내렸다."

춘향이 화를 내어, "네가 미친 자식이다. 도련님이 어찌 나를 알아서 부른단 말이냐? 이 자식, 네가 내 말을 종지리새 열씨 까듯하였나 보다."

"아니다. 내가 네 말을 할 리가 없으되, 네가 그르지 내가 그르냐? 네가 그른 내력을 들어 보아라. 계집아이 행실로 추천을 할 생각이면 네 집 후원 담장 안에 줄을 매고 남이 알까 모를까 은근히 매고 추천하는 게 도리에 당연함이라. 광한루 멀지 않고 또한 이곳을 논지할진대 녹음방초승화시*라. ⓐ<u>방초는 푸르렀고 앞내 버들은 초록장 두르고 뒷내 버들은 유록장* 둘러 한 가지 늘어지고 또 한 가지 펑퍼져 광풍을 못 이겨 흔들흔들 춤을 추는데 광한루 구경처에 그네 매고 네가 뛸 제 외씨 같은 두 발길로 백운 사이에 노닐 적에 홍상자락이 펄펄, 백방사 속곳 가래 동남풍에 펄렁펄렁, 박속 같은 네 살결이 백운 사이에 희뜩희뜩, 도련님이 보시고 부르실 제 내가 무슨 말을 한단 말인가. 잔말 말고 건너가자."</u>

춘향이 대답하되,

"네 말이 당연하나 오늘이 단옷날이라 비단 나뿐이랴. 다른 집 처자들도 예 와 함께 그네를 뛰었으되, 그럴 뿐 아니라 설혹 내 말을 할지라도 내가 지금 시사*가 아니거늘, 여염 사람을 호래척거*로 부를 리도 없고, 부른대도 갈 리도 없다. 당초에 네가 말을 잘못 들은 바라."

***녹음방초승화시(綠陰芳草勝花時)** : 우거진 나무 그늘과 풀이 향기로울 때가 꽃 피는 시절보다 좋음.
***유록장** : 유록색의 휘장. 유록색은 푸른빛과 누른빛의 중간임.
***시사** : 이속이나 또는 기생이 그 매인 마을에서 맡은 일을 치르는 일.
***호래척거(呼來斥去)** : 사람을 오라 불러놓고 쫓아버림.

(나) "단장하던 체경*이 깨져 보이고 창전(窓前)에 앵도꽃이 떨어져 보이고 문 위에 허수아비 달려 뵈고 태산이 무너지고 바닷물이 말라 보이니 나 죽을 꿈 아니오."

봉사 이윽히 생각하다가 양구(良久)에 왈

"ⓑ<u>그 꿈 장히 좋다.</u> 화락(花落)하니 능성실(能成實)이요, 경파(鏡破)하니 기무성(豈無聲)가. 능히 열매가 열려야 꽃이 떨어지고 거울이 깨어질 때 소리가 없을손가. 문상(門上)에 현우인(懸偶人)하니 만인이 개앙시(皆仰視)라. 문 위에 허수아비 달렸으면 사람마다 우러러볼 것이요. 해갈(海渴)하니 용안견(龍顏見)이요 산붕(山崩)하니 지택평(地澤平)이라. 바다가 마르면 용의 얼굴을 능히 볼 것이요 산이 무너지면 평지가 될 것이라. 좋다. 쌍가마 탈 꿈이로세. 걱정 마소. 멀지 않네."

한참 이리 수작할 제 뜻밖에 까마귀가 옥 담에 와 앉더니 까옥까옥 울거늘 춘향이 손을 들어 후여 날리며

"방정맞은 까마귀야. 나를 잡아가려거든 조르지나 말려무나."

봉사가 이 말을 듣더니

"가만 있소. 그 까마귀가 가옥가옥 그렇게 울지."

"예. 그래요."

"좋다. 좋다. 가 자(字)는 아름다울 가 자(嘉字)요, 옥 자(字)는 집 옥 자(屋字)라. 아름답고 즐겁고 좋은 일이 불원간 돌아와서 평생에 맺힌 한을 풀 것이니 조금도 걱정 마소. 지금은 복채 천 냥을 준대도 아니 받아 갈 것이니 두고 보고 영귀(榮貴)하게 되는 때에* 괄시나 부디 마소. 나 돌아가네."

"예. 평안히 가옵시고 후일 상봉하옵시다."

***체경** : 거울
***불원간** : 머지않아
***양구(良久)** : 시간이 좀 오랜 흐른 후에
***영귀(榮貴)하게 되는 때에** : 귀한 사람이 된 후에

(다) "날랑은 염려말고 정신을 차리어라. 왔다."
"오다니 누가 와요?"
"그저 왔다."
"갑갑하여 나 죽겠소! 일러 주오. 꿈 가운데 님을 만나 온갖 회포 나누었더니 혹시 서방님께서 기별 왔소? 언제 오신단 소식 왔소? 벼슬 띠고 내려온단 공문 왔소? 답답하여라!"
"너의 서방인지 남방인지, 걸인 하나가 내려왔다."

〈중략〉

춘향이 저의 모친 불러,
"ⓒ한양성 서방님을 칠년대한 가문 날에 큰비 오기를 기다린들 나와 같이 맥 빠질쏜가. 심은 나무가 꺾어지고 공든 탑이 무너졌네. 가련하다 이내 신세 하릴없이 되었구나. 어머님 나 죽은 후에라도 원이나 없게 하여 주옵소서. 나 입던 비단 장옷 봉황 장롱 안에 들었으니 그 옷 내어 팔아다가 한산 모시 바꾸어서 물색 곱게 도포 짓고 흰색 비단 긴 치마를 되는대로 팔아다가 관, 망건, 신발 사 드리고 좋은 병과 비녀, 밀화장도, 옥지환이 함 속에 들었으니 그것도 팔아다가 한삼(汗衫), 고의 흉하지 않게 하여 주오. 금명간 죽을 년이 세간 두어 무엇 할까."

〈중략〉

ⓓ저 사령의 거동 보소.
"우리 사또님이 걸인을 금하였으니, 어느 양반인지는 모르오만 그런 말은 내지도 마오."
등을 밀쳐 내니 어찌 아니 명관(名官)인가.
운봉 영장이 그 거동을 보고 본관 사또에게 청하는 말이,
"저 걸인의 의관은 남루하나 양반의 후예인 듯하니 말석에 앉히고 술잔이나 먹여 보냄이 어떠하뇨?"

〈중략〉

모서리 떨어진 개상판에 닥나무 젓가락, 콩나물, 깍두기, 막걸리 한 사발 놓았구나. 상을 발길로 탁 차 던지며 운봉 영장의 갈비를 가리키며,
"갈비 한 대 먹고지고."
"다리도 잡수시오." 하고는 운봉이 하는 말이,
"이러한 잔치에 풍류로만 놀아서는 맛이 적사오니 차운 한 수씩 하여 보면 어떠하오?"
"그 말이 옳다." 하니 운봉이 운을 낼 제 '높을 고(高)' 자, '기름 고(膏)' 자 두 자를 내어놓고 차례로 운을 달아 시를 짓는다. 이때 어사또 하는 말이,
"걸인이 어려서 한시(漢詩)깨나 읽었더니 좋은 잔치 당하여서 술과 안주를 포식하고 그냥 가기 민망하니 차운 한 수 하사이다."
운봉 영장이 반겨 듣고 필연(筆硯)을 내어 주니, 좌중 사람들이 다 짓지도 않았는데 순식간에 글 두 귀를 지었으되, 백성들의 형편을 생각하고 본관 사또의 정체를 감안하여 지었것다.

금준미주(金樽美酒)는 천인혈(千人血)이요
옥반가효(玉盤佳肴)는 만성고(萬姓膏)라
촉루낙시(燭淚落時) 민루낙(民淚落)이요
가성고처(歌聲高處) 원성고(怨聲高)라

이 글 뜻은,

금동이의 아름다운 술은 일만 백성의 피요,
옥소반의 아름다운 안주는 일만 백성의 기름이라.
촛불 눈물 떨어질 때 백성 눈물 떨어지고
노랫소리 높은 곳에 원망소리 높았더라.

〈중략〉

이때에 어사또 부하들과 내통한다. 서리를 보고 눈길을 보내니 서리, 중방 거동 보소. 역을 불러 단속할 제 이리 가며 수군, 저리 가며 수군수군. 서리, 역졸 거동 보소. 외올망건 공단 모자 새 패랭이 눌러쓰고, 석 자 감발 새 짚신에 한삼 고의 산뜻하게 차려입고, 육모 방망이 사슴 가죽끈을 손목에 걸어 쥐고, 여기서 번쩍 저기서 번쩍, 남원읍이 우글우글. 청파 역졸 거동 보소. 달 같은 마패를 햇빛같이 번쩍 들어,

"암행어사 출도야."

외치는 소리에 강산이 무너지고 천지가 뒤집히는 듯 초목금수(草木禽獸)인들 아니 떨랴. 남문에서,

"출도야."

북문에서,

"출도야."

동서문 출도 소리 청천(青天)에 진동하고,

〈중략〉

좌수(座首), 별감(別監) 넋을 잃고 이방, 호방 혼을 잃고 나졸들이 분주하네. 모든 수령 도망갈 제 거동 보소. 인궤 잃고 강정 들고, 병부(兵符) 잃고 송편 들고, 탕건 잃고 용수 쓰고, 갓 잃고 소반 쓰고. 칼집 쥐고 오줌 누기. 부서지는 것은 거문고요 깨지는 것은 북과 장고라.

본관 사또가 똥을 싸고 멍석 구멍 생쥐 눈 뜨듯 하고, 안으로 들어가서,

㉮"어 추워라. 문 들어온다 바람 닫아라. 물 마르다 목 들여라."

〈중략〉

춘향이 기가 막혀,

"내려오는 관장마다 모두 명관(名官)이로구나. 어사또 들으시오. ⓔ층암절벽 높은 바위가 바람 분들 무너지며, 청송녹죽 푸른 나무가 눈이 온들 변하리까. 그런 분부 마옵시고 어서 바삐 죽여 주오."

하며,

"향단아, 서방님 어디 계신가 보아라. 어젯밤에 옥 문간에 와 계실 제 천만당부 하였더니 어디를 가셨는지 나 죽는 줄 모르는가."

26 윗글에 대한 설명으로 가장 적절하지 않은 것은?

① 동일한 구조의 문장을 중첩하여 리듬감을 살리는 장면이 있다.

② 열거의 방식으로 인물이나 상황을 과장되게 표현하는 장면이 있다.

③ 간결한 문체를 사용하여 사건 전개의 긴박감을 높이고 있는 장면이 있다.

④ 과거의 사건을 요약적으로 제시하여 서사를 빠르게 전개하고 있는 장면이 있다.

⑤ 인물 간의 대화를 통해 주인공이 처한 상황과 내면을 드러내고 있는 장면이 있다.

27 윗글의 내용과 일치하지 않는 것은?

① (가)에서 방자는 춘향의 잘못을 탓하고 있다.
② (가)에서 춘향이는 자신을 불러오라고 한 도련님을 탓하고 있다.
③ (나)에서 춘향은 현재 자신의 상황을 절망적으로 여기고 있다.
④ (나)에서 봉사는 춘향의 꿈을 희망적으로 해석해 주고 있다.
⑤ (다)에서 '춘향 모친'은 비꼬는 말로 '어사또'에 대한 불편한 심기를 나타내고 있다.

28 윗글과 〈보기〉의 설명을 연결한 것으로 가장 적절하지 않은 것은?

보기

'춘향전'은 대표적인 판소리계 소설이다. 판소리계 소설에는 대체로 다음과 같은 특징이 나타나 있다.
㉠ 장면을 실감 나게 전달하기 위한 음성상징어가 사용됨.
㉡ 서술자가 작품 속 인물과 사건에 대한 판단이나 자신의 생각을 직접 드러낸 편집자적 논평이 나타남.
㉢ 산문체와 3(4) · 4조의 운문체의 결합으로 문장이 서술됨.
㉣ 판소리 창자가 사설을 이끌어 갈 때의 흔적으로 보이는 말투가 드러남.
㉤ 상투적인 비유(상징) 표현이나 관용어구가 많이 쓰임.

① ㉠ - ⓐ ② ㉡ - ⓑ ③ ㉢ - ⓒ ④ ㉣ - ⓓ ⑤ ㉤ - ⓔ

29 웃음을 유발하는 방식이 (다)의 ㉮와 가장 유사한 것은?

① 엉엉 울다가 하하 웃는 그 사람, 정말 웃기는 사람이군.
② 어이구, 그만 정신 없다 보니 말이 빠져서 이가 헛나와 버렸네.
③ 올라간 이 도령인지 삼 도령인지, 그 놈의 자식은 일거후 무소식 하니.
④ 아, 이 양반이 허리 꺾어 절반인지, 개다리소반인지, 꾸레미전에 백반인지.
⑤ 도둑이 도망가다 세 갈래 길을 만났다. 어느 길로 도망갈까? 왼쪽 길, 왜냐 하면 도둑은 바른 길로 가지 않으므로.

30 윗글과 〈보기〉의 공통점으로 가장 적절하지 않은 것은?

보기

윤 직원 영감은 아들의 이렇듯 부르지도 않은 걸음을, 더욱이나 안방에까지 들어온 것을, 이상타고 꼬집는 소립니다.

"……멋허러 오냐? 돈 달라러 오지?"

"동경서 전보가 왔는데요……."

지체를 바꾸어 윤 주사를 점잖고 너그러운 아버지로, 윤 직원 영감을 속 사납고 경망스런 어린 아들로 둘러놓았으면 꼬옥 맞겠습니다.

"동경서? 전보?"

"종학이 놈이 경시청에 붙잽혔다구요!"

"으엉?"

외치는 소리도 컸거니와, 엉덩이를 꿍 찧는 바람에, 하마 방구들이 내려앉을 뻔했습니다. 모여 선 온 식구가 제가끔 정도에 따라 제각기 놀란 것은 물론이구요.

〈중략〉

윤 직원 영감은 이마로 얼굴로 땀이 방울방울 배어 오릅니다.

"……그런 쳐 죽일 놈이, 깎어 죽여두 아깝잖을 놈이! 그놈이 경찰서장 허라닝개루, 생판 사회주의 허다가 뎁다 경찰서에 잽혀? 으응?…… 오사육시를 헐 놈이, 그놈이 그게 어디 당헌 것이라구 지가 사회주의를 히여? 부자 놈의 자식이 무엇이 대껴서 부랑당 패에 들어?……."

아무도 숨도 크게 쉬지 못하고, 고개를 떨어뜨리고 섰기 아니면 앉았을 뿐, 윤 직원 영감이 잠깐 말을 그치자 방 안은 물을 친 듯이 조용합니다.

"……오죽이나 좋은 세상이여? 오죽이나……."

윤 직원 영감은 팔을 부르걷은 주먹으로 방바닥을 땅 치면서 성난 황소가 영각을 하듯 고함을 지릅니다.

"화적패가 있너냐아? 부랑당 같은 수령(守令)들이 있더냐?…… 재산이 있대야 도적놈의 것이요, 목숨은 파리 목숨 같던 말세(末世)넌 다 지내가고오……. 자 부아라, 거리거리 순사요, 골골마다 공명헌 정사(政事), 오죽이나 좋은 세상이여……. 남은 수십만 명 동병(動兵)을 히여서, 우리 조선 놈 보호히여 주니, 오죽이나 고마운 세상이여? 으응?…… 제 것 지니고 앉어서 편안허게 살 태평 세상, 이걸 태평천하라구 허는 것이여, 태평천하!…… 그런디 이런 태평천하에 태어난 부자 놈의 자식이, 더군다나 왜 지가 떵떵거리구 편안허게 살 것이지, 어찌서 지가 세상 망쳐 놀 부랑당 패에 참섭을 헌담 말이여, 으응?"

– 채만식, 「태평천하」에서

① 풍자적인 대상이 드러남.
② 서술자의 개입이 드러남.
③ 반어와 희화화의 방식이 사용됨.
④ 비유, 과장 등의 기법이 사용됨.
⑤ 순차적인 사건 진행으로 갈등이 해소됨.

[31~32] 다음 글을 읽고 물음에 답하시오.

(가) 이때에 어사또 부하들과 내통한다. 서리를 보고 눈길을 보내니 서리, 중방 거동 보소. 역을 불러 단속할 제 이리 가며 수군, 저리 가며 수군수군. 서리, 역졸 거동 보소. 외올망건 공단 모자 새 패랭이 눌러쓰고, 석 자 감발 새 짚신에 한삼 고의 산뜻하게 차려입고, 육모 방망이 사슴 가죽 끈을 손목에 걸어 쥐고, 여기서 번쩍 저기서 번쩍, 남원읍이 우글우글. 청파 역졸 거동 보소. 달 같은 마패를 햇빛같이 번쩍 들어,
"암행어사 출도야."

(나) 외치는 소리에 강산이 무너지고 천지가 뒤집히는 듯 초목금수(草木禽獸)인들 아니 떨랴. 남문에서,
"출도야."
북문에서, / "출도야."
동서문 출도 소리 청천(靑天)에 진동하고,
"모든 아전들 들라."
외치는 소리에 육방(六房)이 넋을 잃어,
"공형이오."
등채로 휘닥딱. / "애고 죽겠다."
"공방, 공방." / 공방이 자리 들고 들어오며,
"안 하겠다던 공방을 하라더니 저 불속에 어찌 들랴."
등채로 휘닥딱. / "애고 박 터졌네."
좌수(座首), 별감(別監) 넋을 잃고 이방, 호방 혼을 잃고 나졸들이 분주하네.

(다) 모든 수령 도망갈 제 거동 보소. 인궤 잃고 강정 들고, 병부(兵符) 잃고 송편 들고, 탕건 잃고 용수 쓰고, 갓 잃고 소반 쓰고, 칼집 쥐고 오줌 누기. 부서지는 것은 거문고요 깨지는 것은 북과 장고라.
본관 사또가 똥을 싸고 멍석 구멍 생쥐 눈 뜨듯 하고, 안으로 들어가서,
"어 추워라. ㉠문 들어온다 바람 닫아라. 물 마르다 목 들여라."
관청색은 상을 잃고 문짝을 이고 내달으니, 서리, 역졸 달려들어 후닥딱. / "애고 나 죽네."

(라) 이때 어사또 분부하되,
"이 골은 대감이 좌정하시던 골이라. 잡소리를 금하고 객사(客舍)로 옮겨라."
자리에 앉은 후에,
"본관 사또는 봉고파직하라."
분부하니,
"본관 사또는 봉고파직이오."

(마) 사대문(四大門)에 방을 붙이고 옥 형리 불러 분부하되,
"네 골 옥에 갇힌 죄수를 다 올리라."
호령하니 죄인을 올린다. 다 각각 죄를 물은 후에 죄가 없는 자는 풀어 줄새,
"저 계집은 무엇인고?"
형리 여쭈오되, / "기생 월매의 딸이온데 관청에서 포악한 죄로 옥중에 있삽내다."
"무슨 죄인고?"
형리 아뢰되, / "본관 사또 수청 들라고 불렀더니 수절이 정절이라. 수청 아니 들려 하고 사또에게 악을 쓰며 달려든 춘향이로소이다."

31 윗글의 특징에 대한 설명으로 적절하지 않은 것은?

① 생생한 현장 분위기가 독자에게 통쾌함을 준다.
② 양반들의 형태가 풍자적이고 희화화되어 묘사되어 있다.
③ 작품 속 갈등이 해결 기미를 보이는 상황 전환이 일어나고 있다.
④ 서술자는 감정은 배제하고 객관적 입장에서 인물들의 행동을 제시하고 있다.
⑤ 극적 분위기를 고조시키기 위해 장면을 극대화하여 사용하고 있다.

32 <보기>를 참고하여, 윗글을 판소리로 공연하기 위해 토의한 내용으로 적절하지 않은 것은?

보기

*중모리: 조금 느린 장단으로, 서술적인 대목이나 서정적인 대목에서 쓰임.
*중중모리: 중모리 장단보다 조금 빠른 장단으로, 흥겨운 대목이나 때로는 몸부림치며 통곡하는 대목에서 사용됨.
*자진모리: 빠른 장단으로, 어느 것을 길게 나열하거나 극적인 긴박한 대목에 사용됨.
*휘모리: 4박의 가장 빠른 장단으로, 매우 분주한 대목에서 사용됨.
*창: 판소리에서 노래로 부르는 부분.
*아니리: 말로 하는 부분으로, 시간의 흐름이나 장면의 전환 등 주로 이야기를 진행시킴.
*발림: 판소리에서, 소리의 극적인 전개를 돕기 위하여 몸짓이나 손짓으로 하는 동작.

① (가)의 첫 부분에서는 아니리를 사용하여 장면을 전환시킨 후 창으로 하면 좋겠어.
② 창을 할 때에는 인물에 적합한 목소리를 내야겠어.
③ 마패나 칼집 등을 준비했다가 소품으로 써야겠어.
④ (나) 와 (다) 장면에서는 주로 자진모리나 휘모리 정도의 빠른 장단이 필요하겠군.
⑤ 부채를 들고 육모 방망이처럼 휘둘러 때리는 발림 동작도 필요하겠어.

[33~36] 다음 글을 읽고 물음에 답하시오.

[앞부분 줄거리] 조선 시대, 전라도 남원 땅의 기생 월매와 성 참판과의 사이에서 태어난 춘향은 어려서부터 용모와 재주가 뛰어났다. 춘향이 열여섯이 되던 해, 남원 부사로 부임한 아버지를 따라 한양에서 내려온 이몽룡은 단옷날 그네를 타러 나온 춘향을 보고 한눈에 반하여 백년가약을 맺는다. 하지만 이몽룡은 동부승지로 임명된 부친을 따라 한양으로 떠나고, 홀로 남은 춘향은 새로 부임한 변학도의 수청을 거부하다 고초를 겪고 옥에 갇히고 만다. 한편 과거에 급제한 몽룡은 암행어사가 되어 신분을 숨긴 채 춘향을 만나러 남원으로 내려온다.

(가) 춘향이 저의 모친 음성을 듣고 깜짝 놀라서,

"어머니 어찌 오셨소. 몹쓸 딸자식을 생각하여 천방지축으로 다니다가 낙상하기 쉽소. 다음부터는 오실라 마옵소서."

"날랑은 염려 말고 정신을 차리어라. 왔다."

"오다니 누가 와요?"

"그저 왔다."

"갑갑하여 나 죽겠소! 일러 주오! 꿈 가운데 님을 만나 온갖 회포 나누었더니 혹시 서방님께서 기별 왔소? 언제 오신단 소식 왔소? 벼슬 띠고 내려온단 공문 왔소? 답답하여라!"

"너의 서방인지 남방인지 걸인 하나가 내려왔다."

"허허, 이게 웬 말인가. 서방님이 오시다니 꿈결에 보던 님을 생시에 본다는 말인가."

문틈으로 손을 잡고 말 못하고 기겁하며,

"애고, 이게 누구시오. 아마도 꿈이로다. 그토록 그린 님을 이리 쉽게 만날쏜가. 이제 죽어도 한이 없네. 어찌 그리 무정한가. 박명하다 나의 모녀. 서방님 이별 후에 자나 누우나 님 그리워 오래도록 한이더니, 내 신세 이리되어 매에 감겨 죽게 되는 날 살리러 와 계시오."

한참 이리 반기다가 님의 형상 자세히 보니 어찌 아니 한심하랴.

"여보 서방님, 내 몸 하나 죽는 것은 설운 마음 없소마는 서방님 이 지경이 웬일이오."

"오냐 춘향아, 설워 마라. 인명이 재천(在天)인데 설만들 죽을쏘냐."

(나) 애고애고 설워 울 때,

어사또,

"울지 마라. 하늘이 무너져도 솟아날 구멍이 있느니라. 네가 나를 어찌 알고 이렇듯 설워하느냐."

작별하고 춘향 집에 돌아왔지.

춘향은 어둠침침 한밤중에 서방님을 번개같이 얼른 보고 옥방에 홀로 앉아 탄식하는 말이,

"밝은 하늘은 사람을 낼 제 대체로 공평하건만 나의 신세는 무슨 죄로 이팔청춘에 님 보내고 모진 목숨 살아 이 형운 이 형장 무슨 일인고. 옥중고생 서너 달에 밤낮없이 님 오시기만 바라더니 이제는 님의 얼굴 보았으나 희망 없이 되었구나. 죽어 황천에 돌아간들 옥황님께 무슨 말을 자랑하리."

애고애고 설워 울 제, 맥이 빠져 반생반사(半生半死)하는구나.

(다) 운봉의 장관, 구례, 곡성, 순창, 옥과, 진안, 장수 원님이 차례로 모여든다. 왼편에 행수, 군관 오른쪽에 청령, 사령이 있고 본관 사또는 한가운데 있어 하인 불러 분부하되,

"관청색 불러 다과를 올리라. 육고자 불러 큰 소를 잡고, 예방(禮房) 불러 악공을 대령하고, 승발 불러 천막을 대령하라. 사령 불러 잡인을 금하라."

이렇듯 요란할 제 온갖 깃발이며 삼현육각 풍류 소리 공중에 떠 있고, 붉은 옷 붉은 치마 입은 기생들은 흰 손 비단 치마 높이 들어 춤을 추고, 지화자 둥덩실 하는 소리에 어사의 마음이 심란하구나.

"여봐라 사령들아. 너의 사또에게 여쭈어라. 먼 데 있는 걸인이 좋은 잔치에 왔으니 술과 안주나 좀 얻어먹자고 여쭈어라."

저 사령 거동 보소.

"우리 사또님이 걸인을 금하였으니, 어느 양반인지는 모르오만 그런 말은 내지도 마오."

㉠등을 밀쳐 내니 어찌 아니 명관(名官)인가.
운봉 영장이 그 거동을 보고 본관 사또에게 청하는 말이,
“저 걸인의 의관은 남루하나 양반의 후예인 듯하니 말석에 앉히고 술잔이나 먹여 보냄이 어떠하뇨?”
본관 사또 하는 말이,
“운봉 소견대로 하오마는.”
‘마는’ 하는 끝말을 내뱉고는 입맛이 사납겠다. 어사 속으로
“오냐. 도적질은 내가 하마. 오라는 네가 받아라.”
운봉 영장이 분부하여,
“저 양반 듭시라고 하여라.”
어사또 들어가 단정히 앉아 좌우를 살펴보니 당 위의 모든 수령 다담상을 앞에 놓고 진양조가 높아 가는데, ㉡어사또의 상을 보니 어찌 아니 통분하랴. 모서리 떨어진 개상판에 닥나무 젓가락, 콩나물, 깍두기, 막걸리 한 사발 놓았구나. 상을 발길로 탁 차 던지며 운봉 영장의 갈비를 가리키며,
“갈비 한대 먹고지고.”
“다리도 잡수시오.” 하고는 운봉이 하는 말이,
“이러한 잔치에 풍류로만 놀아서는 맛이 적사오니 차운 한 수씩 하여 보면 어떠하오?”
“그 말이 옳다.” 하니 운봉이 운을 낼 제 ‘높을 고(高)’자, ‘기름 고(膏)’자 두 자를 내어놓고 차례로 운을 달아 시를 짓는다. 이때 어사또 하는 말이
“걸인이 어려서 한시(漢詩)깨나 읽었더니 좋은 잔치 당하여서 술과 안주를 포식하고 그냥 가기 민망하니 차운 한 수 하사이다.”
운봉 영장이 반겨 듣고 필연(筆硯)을 내어 주니, 좌중 사람들이 다 짓지도 않았는데 글 두 귀를 지었으되, 백성들의 형편을 생각하고 본관 사또의 정체를 감안하여 지었것다.

금준미주(金樽美酒)는 천인혈(千人血)이요
옥반가효(玉盤佳肴)는 만성고(萬姓膏)라
촉루낙시(燭淚落時) 민루낙(民淚落)이요
가성고처(歌聲高處) 원성고(怨聲高)라

이 글 뜻은

금동이의 아름다운 술은 일만 백성의 피요,
옥소반의 아름다운 안주는 일만 백성의 기름이라.
촛불 눈물 떨어질 때 백성 눈물 떨어지고
노랫소리 높은 곳에 원망소리 높았더라.

(라) 본관 사또가 술주정이 나서 분부하되,
“춘향을 급히 올리라.”
㉢이때에 어사또 부하들과 내통한다. 서리를 보고 눈길을 보내니 서리, 중방 거동 보소. 역을 불러 단속할 제 이리 가며 수군, 저리 가며 수군수군. 서리, 역졸 거동 보소. 외올망건 공단 모자 새 패랭이 눌러쓰고, 석 자 감발 새 짚신에 한삼 고의 산뜻하게 차려입고, 육모 방망이 사슴 가죽끈을 손목에 걸어 쥐고, 여기서 번쩍 저기서 번쩍, 남원읍이 우글우글. 청파 역졸 거동 보소. 달 같은 마패를 햇빛같이 번쩍 들어,
"암행어사 출도야."
㉣외치는 소리에 강산이 무너지고 천지가 뒤집히는 듯 초목금수(草木禽獸)인들 아니 떨랴. 남문에서,
“출도야.”

북문에서,
"출도야."
동서문 출도 소리 청천(靑天)에 진동하고, 〈중략〉
좌수(座首), 별감(別監) 넋을 잃고 이방, 호방 혼을 잃고 나졸들이 분주하네. 모든 수령 도망갈 제 거동 보소. 인궤 잃고 강정 들고, 병부(兵符) 잃고 송편 들고, 탕건 잃고 용수 쓰고, 갓 잃고 소반 쓰고. 칼집 쥐고 오줌 누기. 부서지는 것은 거문고요 깨지는 것은 북과 장고라.
본관 사또가 똥을 싸고 멍석 구멍 새앙 쥐 눈 뜨듯 하고, 안으로 들어가서,
"어 추워라. 문 들어온다 바람 닫아라. 물 마르다 목 들여라."
관청색은 상을 잃고 문짝을 이고 내달으니, 서리, 역졸 달려들어 후닥딱.
"애고 나 죽네."
이때 어사또 분부하되,
"이 골은 대감이 좌정하시던 골이라. 잡소리를 금하고 객사(客舍)로 옮겨라."
자리에 앉은 후에,
"본관 사또는 봉고파직하라."
분부하니,
"본관 사또는 봉고파직이오."

(마) 사대문(四大門)에 방을 붙이고 옥형리 불러 분부하되,
"네 골 옥에 갇힌 죄수를 다 올리라."
호령하니 죄인을 올린다. 다 각각 죄를 물은 후에 죄가 없는 자는 풀어 줄새,
"저 계집은 무엇인고?"
형리 여쭈오되,
"기생 월매의 딸이온데 관청에서 포악한 죄로 옥중에 있삽내다."
"무슨 죄인고?"
형리 아뢰되,
"본관 사또 수청 들라고 불렀더니 수절이 정절이라. 수청 아니 들려 하고 사또에게 악을 쓰며 달려든 춘향이로소이다."
어사또 분부하되,
"너 같은 년이 수절한다고 관장(官長)에게 포악하였으니 살기를 바랄쏘냐. 죽어 마땅하되 내 수청도 거역할까?"
춘향이 기가 막혀,
"내려오는 관장마다 모두 명관(名官)이로구나. 어사또 들으시오. 층암절벽 높은 바위가 바람 분들 무너지며, 청송녹죽 푸른 나무가 눈이 온들 변하리까. 그런 분부 마옵시고 어서 바삐 죽여 주오."
하며,
"향단아, 서방님 어디 계신가 보아라. 어젯밤에 옥 문간에 와 계실 제 천만당부 하였더니 어디를 가셨는지 나 죽는 줄 모르는가."
어사또 분부하되,
"얼굴 들어 나를 보라."
하시니 춘향이 고개 들어 위를 살펴보니, 걸인으로 왔던 낭군이 분명히 어사또가 되어 앉았구나. 반웃음 반 울음에,
"얼씨구나 좋을시고 어사 낭군 좋을시고. 남원 읍내 가을이 들어 떨어지게 되었더니, 객사에 봄이 들어 이화춘풍(李花春風) 날 살린다. 꿈이냐 생시냐? 꿈을 깰까 염려로다."
ⓜ춘향의 높은 절개 광채 있게 되었으니 어찌 아니 좋을쏜가.

– 작자 미상, 「춘향전」 –

33 윗글에 대한 설명으로 적절하지 않은 것은?

① 전기적(傳奇的) 요소를 활용하여 인물의 활약을 강조하고 있다.
② 부정적 인물의 언행을 해학과 풍자의 방식으로 비판하고 있다.
③ 열거와 대구를 통해 인물이 처한 상황을 효과적으로 나타내고 있다.
④ 음성상징어나 비유적 표현을 통해 인물의 행동을 생동감 있게 표현하고 있다.
⑤ 판소리 사설 문체로, 서술자가 독자에게 직접 이야기하는 듯한 느낌을 주고 있다.

34 (가)~(마)에 나타난 인물에 대한 이해로 적절하지 않은 것은?

① (가) : 춘향은 이몽룡의 행색을 보고 난 뒤에 자신의 과거를 후회하고 있다.
② (나) : 이몽룡은 속담을 인용하여 춘향이 죽지 않으리라는 것을 암시하고 있다.
③ (다) : 변학도는 걸인을 들이자는 운봉 영장의 제안을 마지못해 수용하고 있다.
④ (라) : 변학도는 어사가 출도하자 당황하여 제대로 말도 하지 못하고 있다.
⑤ (마) : 이몽룡은 춘향이의 마음을 떠보기 위해 일부러 시험하고 있다.

35 윗글에 반영된 사회상으로 적절하지 않은 것은?

① 목숨보다 절개를 더 소중히 여기는 여성이 있었음을 알 수 있군.
② 죄도 없이 무고하게 감옥에 갇혀 고생하는 사람들이 있었음을 알 수 있군.
③ 나이보다는 신분의 고하에 따라 상대방에게 사용하는 말이 달랐음을 알 수 있군.
④ 신분제 사회였기 때문에 양반이면 어디를 가든 존경을 받고 후한 대접을 받았음을 알 수 있군.
⑤ 지방 탐관오리들의 횡포가 매우 심해서 백성들이 힘들게 살았음을 알 수 있군.

36 ㉠~㉤ 중 〈보기〉의 밑줄 친 부분에 해당하지 않은 것은?

보기

편집자적 논평이란 흔히 고전 소설에서 서술자가 개입하여 등장인물이나 전개되는 사건에 대해 자신의 견해를 직접 드러내는 것을 말한다.

① ㉠　② ㉡　③ ㉢　④ ㉣　⑤ ㉤

서술형 심화문제

[01~05] 다음 글을 읽고 물음에 답하시오.

(가) 춘향이 저의 모친 음성을 듣고 깜짝 놀라서,

"어머니 어찌 오셨소. 몹쓸 딸자식을 생각하여 천방지축으로 다니다가 낙상하기 쉽소. 다음부터는 오실라 마옵소서."

"날랑은 염려 말고 정신을 차리어라. 왔다."

"오다니 누가 와요?"

"그저 왔다."

"갑갑하여 나 죽겠소! 일러 주오! 꿈 가운데 님을 만나 온갖 회포 나누었더니 혹시 서방님께서 기별 왔소? 언제 오신단 소식 왔소? 벼슬 띠고 내려온단 공문 왔소? 답답하여라!"

"너의 서방인지 남방인지 걸인 하나가 내려왔다."

"허허, 이게 웬 말인가. 서방님이 오시다니 꿈결에 보던 님을 생시에 본다는 말인가."

문틈으로 손을 잡고 말 못하고 기겁하며,

"애고, 이게 누구시오. 아마도 꿈이로다. 그토록 그린 님을 이리 쉽게 만날쏜가. 이제 죽어도 한이 없네. 어찌 그리 무정한가. 박명하다 나의 모녀, 서방님 이별 후에 자나 누우나 님 그리워 오래도록 한이더니, 내 신세 이리되어 매에 감겨 죽게 되는 날 살리러 와 계시오."

한참 이리 반기다가 님의 형상 자세히 보니 어찌 아니 한심하랴.

"여보 서방님, 내 몸 하나 죽는 것은 설운 마음 없소마는 서방님 이 지경이 웬일이오."

"오냐 춘향아, 설워 마라. 인명이 재천(在天)인데 설만들 죽을쏘냐."

애고애고 설워 울 때,

어사또,

"울지 마라. 하늘이 무너져도 솟아날 구멍이 있느니라. 네가 나를 어찌 알고 이렇듯 설워하느냐."

작별하고 춘향 집에 돌아왔지.

춘향은 어둠침침 한밤중에 서방님을 번개같이 얼른 보고 옥방에 홀로 앉아 탄식하는 말이,

"밝은 하늘은 사람을 낼 제 대체로 공평하간만 나의 신세는 무슨 죄로 이팔청춘에 님 보내고 모진 목숨 살아 이 형운 이 형장 무슨 일인고. 옥중고생 서너 달에 밤낮없이 님 오시기만 바라더니 이제는 님의 얼굴 보았으나 희망 없이 되었구나. 죽어 황천에 돌아간들 옥황님께 무슨 말을 자랑하리."

애고애고 설워 울 제, 맥이 빠져 반생반사(半生半死)하는구나.

(나) 이튿날 출근 끝에 가까운 읍의 수령들이 모여든다. 운봉의 장관, 구례, 곡성, 순창, 옥과, 진안, 장수 원님이 차례로 모여든다. 왼편에 행수, 군관 오른쪽에 청령, 사령이 있고 본관 사또는 한가운데 있어 하인 불러 분부하되,

"관청색 불러 다과를 올리라. 육고자 불러 큰 소를 잡고, 예방(禮房) 불러 악공을 대령하고, 승발 불러 천막을 대령하라. 사령 불러 잡인을 금하라."

이렇듯 요란할 제 온갖 깃발이며 삼현육각 풍류 소리 공중에 떠 있고, 붉은 옷 붉은 치마 입은 기생들은 흰 손 비단 치마 높이 들어 춤을 추고, 지화자 둥덩실 하는 소리에 어사의 마음이 심란하구나.

"여봐라 사령들아. 너의 사또에게 여쭈어라. 먼 데 있는 걸인이 좋은 잔치에 왔으니 술과 안주나 좀 얻어먹자고 여쭈어라."

저 사령의 거동 보소.

"우리 사또님이 걸인을 금하였으니, 어느 양반인지는 모르오만 그런 말은 내지도 마오."

등을 밀쳐 내니 어찌 아니 명관(名官)인가.

운봉 영장이 그 거동을 보고 본관 사또에게 청하는 말이,

"저 걸인의 의관은 남루하나 양반의 후예인 듯하니 말석에 앉히고 술잔이나 먹여 보냄이 어떠하뇨?"

본관 사또 하는 말이,

"운봉 소견대로 하오마는."
'마는' 하는 끝말을 내뱉고는 입맛이 사납겠다. 어사 속으로
"오냐. 도적질은 내가 하마. 오라는 네가 받아라."
운봉 영장이 분부하여,
"저 양반 듭시라고 하여라."
어사또 들어가 단정히 앉아 좌우를 살펴보니 당 위의 모든 수령 다담상을 앞에 놓고 진양조가 높아 가는데, 어사또의 상을 보니 어찌 아니 통분하랴. 모서리 떨어진 개상판에 닥나무 젓가락, 콩나물, 깍두기, 막걸리 한 사발 놓았구나. 상을 발길로 탁 차 던지며 운봉 영장의 갈비를 가리키며,
"갈비 한대 먹고지고."
"다리도 잡수시오." 하고는 운봉이 하는 말이,
"이러한 잔치에 풍류로만 놀아서는 맛이 적사오니 차운 한 수씩 하여 보면 어떠하오?"
"그 말이 옳다." 하니 운봉이 운을 낼 제 '높을 고(高)'자, '기름 고(膏)'자 두 자를 내어놓고 차례로 운을 달아 시를 짓는다. 이때 어사또 하는 말이,
"걸인이 어려서 한시(漢詩)깨나 읽었더니 좋은 잔치 당하여서 술과 안주를 포식하고 그냥 가기 민망하니 차운 한 수 하사이다."
운봉 영장이 반겨 듣고 필연(筆硯)을 내어 주니, 좌중 사람들이 다 짓지도 않았는데 글 두 귀를 지었으되, 백성들의 형편을 생각하고 본관 사또의 정체를 감안하여 지었것다.

금준미주(金樽美酒)는 천인혈(千人血)이요
옥반가효(玉盤佳肴)는 만성고(萬姓膏)라
촉루낙시(燭淚落時) 민루낙(民淚落)이요
가성고처(歌聲高處) 원성고(怨聲高)라

(다) 사대문(四大門)에 방을 붙이고 옥형리 불러 분부하되,
"네 골 옥에 갇힌 죄수를 다 올리라."
호령하니 죄인을 올린다. 다 각각 죄를 물은 후에 죄가 없는 자는 풀어 줄새,
"저 계집은 무엇인고?"
형리 여쭈오되,
"기생 월매의 딸이온데 관청에서 포악한 죄로 옥중에 있삽내다."
"무슨 죄인고?"
형리 아뢰되,
"본관 사또 수청 들라고 불렀더니 수절이 정절이라. 수청 아니 들려 하고 사또에게 악을 쓰며 달려든 춘향이로소이다."
어사또 분부하되,
"너 같은 년이 수절한다고 관장(官長)에게 포악하였으니 살기를 바랄쏘냐. 죽어 마땅하되 내 수청도 거역할까?"
춘향이 기가 막혀,
"ⓐ<u>내려오는 관장마다 모두 명관(名官)이로구나.</u> 어사또 들으시오. 층암절벽 높은 바위가 바람 분들 무너지며, 청송녹죽 푸른 나무가 눈이 온들 변하리까. 그런 분부 마옵시고 어서 바삐 죽여 주오."
하며,
"향단아, 서방님 어디 계신가 보아라. 어젯밤에 옥 문간에 와 계실 제 천만당부 하였더니 어디를 가셨는지 나 죽는 줄 모르는가."
어사또 분부하되,

"얼굴 들어 나를 보라."

하시니 춘향이 고개 들어 위를 살펴보니, 걸인으로 왔던 낭군이 분명히 어사또가 되어 앉았구나. 반웃음 반 울음에,

"얼씨구나 좋을시고 어사 낭군 좋을시고. 남원 읍내 가을이 들어 떨어지게 되었더니, 객사에 봄이 들어 이화춘풍(李花春風) 날 살린다. 꿈이냐 생시냐? 꿈을 깰까 염려로다."

춘향의 높은 절개 광채 있게 되었으니 어찌 아니 좋을쏜가.

– 작자 미상, 「춘향전」 –

01 「춘향전」의 주제를 등장인물 간의 관계에 따라, 〈보기〉의 ㉮와 ㉯에 해당하는 내용을 각각 하나씩 서술하시오.

보기

㉮ '이몽룡'과 '춘향'의 관계를 중심으로 서술하시오.
㉯ '춘향'과 '변 사또'의 관계를 중심으로 서술하시오.

02 〈보기〉는 (나)에 삽입된 한시를 해석한 것이다. ( )에 들어갈 원관념에 해당하는 것을 순서대로 쓰시오.

보기

금동이의 아름다운 술은 일만 백성의 (ⓐ)요,
옥소반의 아름다운 안주는 일만 백성의 (ⓑ)이라.
촛불 눈물 떨어질 때 백성 눈물 떨어지고
노랫소리 높은 곳에 (ⓒ) 높았더라.

ⓐ와 ⓑ를 통해 백성들이 겪는 고통과 시련을 드러냄.

03 〈보기〉의 (　)에 해당하는 것을 적으시오.

> 보기
>
> 언어유희는 말이나 문자를 소재로 해학성을 목적으로 표현하는 방식이다.
> 예를 들면 "어 추워라. 문 들어온다 바람 닫아라. 물 마르다 목 들여라." (ⓐ)를,
> "갈비 한 대 먹고 지고."는 (ⓑ)를 통한 언어유희 표현에 해당한다.

04 '춘향전'의 문학적 전통의 계보표를 참고하여 신소설 작품의 제목을 (　)에 쓰시오.

근원 설화		판소리 사실		판소리계 소설		신소설		현대시
열녀설화, 신원 설화 등 다양	→	춘향가	→	춘향전	→	(　　　　)	→	춘향유문, 추천사

05 다음은 윗글 춘향전에서 이몽룡이 차운을 이용하여 지은 글의 일부이다. 윗글을 바탕으로 괄호 안의 한자(漢子)를 쓰고, 밑줄 친 문장의 의미를 50자 내외로 서술하시오.

> <u>歌聲高處怨聲</u> (　　　)
>
> 문장의 의미 : (　　　　　　　　　　　　　　　　　　)

06 〈보기〉는 춘향이가 옥에서 죽기 전에 마음을 서정주의 입장에서 재해석한 작품이다. 〈보기〉의 시에서 춘향이가 말하고자 하는 바(주제)를 쓰시오. 단 춘향이를 지칭하는 소재 두 가지와 이몽룡을 지칭하는 소재 한 가지를 포함하여 글의 주제를 100자 내외로 서술하시오.

보기

춘향유문
서정주 –
안녕히계세요
도련님.

지난 오월 단옷날, 처음 만나던 날
우리 둘이서, 그늘 밑에 서 있던
그 무성하고 푸르던 나무같이
늘 안녕히 안녕히 계세요.

저승이 어딘지는 똑똑히 모르지만
춘향의 사랑보단 오히려 더 먼
딴 나라는 아마 아닐 것입니다.

천 길 땅 밑을 검은 물로 흐르거나
도솔천의 하늘을 구름으로 날더라도
그건 결국 도련님 곁 아니어요?

더구나 그 구름이 소나기 되어 퍼부울 때
춘향은 틀림없이 거기 있을 거여요.

07 [보기]중 필요한 것 네 가지를 골라서 춘향전의 전승과 정을 옛 것부터 순서에 맞게 장르명 ( )안의 작품명까지 서술하시오.

보기

① 판소리(춘향가)
② 설화(방의 이야기)
③ 설화(암행어사이야기, 열녀이야기)
④ 신소설(옥중화)
⑤ 고전소설(춘향전)
⑥ 신소설(연의자)
⑦ 판소리(수궁가)

08 〈보기〉와 관련된 표현을 (가)에서 찾아 쓰시오.

보기

'언어유희'란 말이나 글자를 소재로 하는 놀이를 말한다. 문학 작품에서는 주로 발음의 유사성을 이용하거나 동음이의어를 활용하는 말장난, 또는 유사한 음운을 반복하거나 어순을 비정상적으로 배열하는 경우 등을 찾아볼 수 있다.

09 문맥으로 보아 (다)의 ⓐ에 사용된 표현기법을 한 단어로 쓰시오.

절정

- 이육사 -

일제의 탄압과 시련
매운 계절(季節)의 채찍에 갈겨
화자를 극한 상황으로 몰아가는 존재

마침내 북방(北方)으로 휩쓸려 오다.
극한 상황(수평적 한계) 쫓겨 올 수밖에 없는 상황

하늘도 그만 지쳐 끝난 고원(高原)
북방(수평적 한계)에 대비 - 극한 상황(수직적)

서릿발 칼날진 그 위에 서다 ➡ 절박한 상황에서의 대결 정신
고원에서도 가장 높은 곳 - 가장 극한 상황

어데다 무릎을 꿇어야 하나?
절박한 상황

한 발 재겨 디딜 곳조차 없다.
벼랑 끝과 같은 가장 극한 상황으로, 물러서려고 해도 도무지 물러설 여지가 없는 한계 상황

이러매 눈 감아 생각해 볼밖에
정신적 초극의 태도

겨울은 강철로 된 무지갠가 보다. ➡ 이질적 이미지의 결합(역설적), 관조를 통한 극한 상황의 초극 의지
역설을 통한 초극 의지

⊙ 어휘풀이

- **재겨 디딜** 제겨 디딜. 발끝이나 발뒤꿈치만으로 땅을 디딜.

⊙ 핵심정리

갈래	자유시, 서정시
제재	현실의 극한 상황
성격	의지적, 지사적, 역설적
주제	극한적 상황을 초극하려는 의지
특징	• '강철'과 '무지개'의 대립적 이미지를 역설적 표현으로 드러내어 주제를 효과적으로 형상화함. • '기 - 승 - 전 - 결'의 한시 구성 방식과 유사한 형식을 취함. • 현재형 시제의 사용으로 긴박감을 더함. • 남성적 어조로 강인한 의지를 표출함.

객관식 기본문제

[01~03] 다음 글을 읽고 물음에 답하시오.

(가) 매운 계절(季節)의 채찍에 갈겨
마침내 북방(北方)으로 휩쓸려 오다.

하늘도 그만 지쳐 끝난 고원(高原)
서릿발 칼날진 그 위에 서다.

어디다 무릎을 꿇어야 하나?
한발 재겨 디딜 곳조차 없다.

이러매 눈 감아 생각해 볼밖에
겨울은 강철로 된 무지갠가 보다.

–「절정」, 이육사 –

(나) 이 몸이 주거 가셔 무어시 될고 ᄒᆞ니
봉래산 제일봉에 낙락장송(落落長松) 되야 이셔
백설(白雪)이 만건곤(滿乾坤)할 제 독야청청(獨也青青)ᄒᆞ리라.

– 성삼문 –

01 (가)의 특징으로 적절하지 않은 것은?

① 비장하고 격정적인 어조를 취하고 있다.
② 절제된 언어가 긴장감을 느끼게 한다.
③ 역설적 인식을 통해 주제를 제시하고 있다.
④ 절망적 상황에서의 대결 정신이 드러나 있다.
⑤ 현재형 시제의 사용으로 긴박감을 느끼게 한다.

02 (가)에 대한 감상으로 적절하지 않은 것은?

① 작가의 저항 정신이 표현된 시인 것 같아.
② 자아 성찰을 통해 비극적 현실을 극복하려 하고 있어.
③ 현실극복 의지가 깨달음의 경지로 나타나 있어.
④ 일제 강점기의 상황이 상징적으로 압축되어 있어.
⑤ 화자가 처한 극한 상황을 점층적 구조로 제시하고 있어.

03 (가)와 (나)에서 공통적으로 드러나 있는 것으로 적절하지 않은 것은?

① 강인한 의지
② 상황에 대한 인식
③ 상징적 어휘를 통한 표현
④ 부정적인 현실 속에서의 삶의 태도
⑤ 화자 자신의 한계에 대한 인식과 수용

[04~05] 다음 글을 읽고 물음에 답하시오.

(가) 매운 계절(季節)의 채찍에 갈겨
마침내 북방(北方)으로 휩쓸려 오다.

하늘도 그만 지쳐 끝난 고원(高原)
서릿발 칼날진 그 위에 서다.

어데다 무릎을 꿇어야 하나?
한 발 재겨 디딜 곳조차 없다.

이러매 눈 감아 생각해 볼 밖에
겨울은 강철로 된 무지갠가 보다.

– 이육사, 「절정」 –

(나) 이 몸이 주거 가셔 무어시 될고 ᄒᆞ니
봉래산(蓬萊山) 제일봉(第一峰)에 낙락장송(落落長松) 되야 이셔
백설(白雪)이 만건곤(滿乾坤) ᄒᆞᆯ 제 독야청청(獨也靑靑) ᄒᆞ리라

– 성삼문, 「이 몸이 주거 가셔~」 –

04 (가)와 (나)의 공통점으로 가장 적절한 것은?

① 부정적인 상황에서 자신의 의지를 드러내고 있다.
② 상황을 가정하여 자문자답의 형식을 취하고 있다.
③ 역설적인 표현을 활용하여 주제를 드러내고 있다.
④ 동일한 종결 어미를 반복하여 주제를 강화하고 있다.
⑤ 대립적 이미지를 사용하여 주제를 효과적으로 드러내고 있다.

05 (가)와 〈보기〉를 비교한 것으로 적절한 것은?

보기

내 죽으면 한 개 바위가 되리라
아예 애련(哀憐)에 물들지 않고
비와 바람에 깎이는 대로
억년(億年) 비정(非情)의 함묵(緘默)에
안으로 안으로만 채찍질하여
드디어 생명도 망각하고
흐르는 구름
머언 원뢰(遠雷)
꿈꾸어도 노래하지 않고
두 쪽으로 깨뜨려져도
소리하지 않는 바위가 되리라

– 유치환, 「바위」 –

① (가)의 '채찍'과 〈보기〉의 '비와 바람'은 화자가 겪은 외부적 시련을 의미한다고 볼 수 있다.
② (가)의 '이러매'와 〈보기〉의 '드디어'라는 시어를 통해 시상의 전환을 유도한다고 볼 수 있다.
③ (가)의 '강철'과 〈보기〉의 '바위가 되리라'를 통해 강인한 화자의 어조를 확인할 수 있다.
④ (가)의 '무지개'와 〈보기〉의 '원뢰(遠雷)'는 화자가 극복하고자 하는 대상으로 볼 수 있다.
⑤ (가)의 '서릿발 칼날진 그 위'와 〈보기〉의 '내 죽으면'을 통해 화자는 극단적인 상황을 가정하고 있다.

[06~10] 다음 글을 읽고 물음에 답하시오.

매운 계절(季節)의 채찍에 갈겨
마침내 북방(北方)으로 휩쓸려 오다.

하늘도 그만 지쳐 끝난 고원(高原)
서릿발 칼날진 그 위에 서다.

어데다 무릎을 꿇어야 하나?
한 발 재겨 디딜 곳조차 없다.

이러매 눈 감아 생각해 볼 밖에
겨울은 강철로 된 무지갠가 보다.

– 이육사, 「절정」 –

06 윗글에 대한 설명으로 적절하지 않은 것은?

① 시적 화자가 처한 현실에 대한 대응방식이 드러나 있다.
② '기 - 승 - 전 - 결'이라는 한시의 구성 방식을 계승하고 있다.
③ 화자가 처한 어려운 상황이 점층적으로 표현되어 있다.
④ 화자는 현실의 한계 상황을 내면의 정신력을 통해 극복하려고 한다.
⑤ 과거형 종결어미 사용으로 두려움은 이미 지나갔다는 용기를 강조하고 있다.

07 윗글과 〈보기〉에 대한 설명으로 옳지 않은 것은?

보기

(가) 삭풍은 나무 끝에 불고 명월은 눈 속에 찬데
*만리변성에 *일장검 짚고 서서
긴 휘파람 큰 소리에 거칠 것이 없어라.

– 김종서 –

(나) 한산섬 달 밝은 수루에 혼자 앉아
큰 칼 옆에 차고 깊은 시름에 잠겨 있을 때에
어디선가 들려오는 구슬픈 피리 소리가 남의 애를 끊는구나.

– 이순신 –

***만리변성(萬里邊城)** : 멀리 떨어져 있는 국경의 성
***일장검(一長劍)** : 한 자루의 큰(긴) 칼

① 윗글과 (가), (나) 모두 지사(志士)적 성격을 띠고 있다.
② (가)는 어려운 주변 상황에 연연하지 않는 기개를 보여준다.
③ 윗글과 (나)의 화자가 처한 어려움은 시대상황과 관련된 것으로 보인다.
④ 윗글과 (나)는 적대적 존재를 현실에서 물리치겠다는 투쟁심을 드러내고 있다.
⑤ 윗글과 (가)는 남성적 어조를 사용하여 화자의 태도를 드러내고 있다.

08 윗글의 각 부분에 대한 설명으로 올바른 것은?

① 1연은 현실의 한계를 수직적 공간이동을 통해 드러낸다.
② 2연은 수평적인 이동을 통해 화자의 고난을 표현한다.
③ '서릿발 칼날진 그 위'는 '고원' 중에서도 높은 곳이다.
④ 3연은 어려운 상황 속에서도 해답을 찾아냈음을 말한다.
⑤ 4연에서의 화자는 현실인식을 포기하고 환상으로 도피한다.

09 〈보기〉의 설명 중 적절한 것을 모두 고른 것은?

보기

㉮ 문학은 현실의 반영이라는 관점으로 해석할 때, 이 시는 일제 강점기의 냉혹한 현실을 상징적으로 표현한 것이다.
㉯ 이 시는 부드러운 만연체의 문장과 화려한 수식어들을 통해 화자의 낭만적 인식을 드러낸다.
㉰ 일제의 맞서다 투옥됐던 작가의 삶을 고려할 때, 이 시는 저항적 신념을 표현한 것으로 해석된다.
㉱ 이 시를 감상하는 독자는 작가의 생애가 아니라 자기 삶의 어려움을 떠올리면서 화자의 생각에 공감할 수도 있다.
㉲ 이 시는 시조의 애민(愛民) 정신과 우아미(優雅美)를 계승하고 있음이 표면적으로 드러난다.

① ㉮, ㉰, ㉱ ② ㉮, ㉱ ③ ㉮, ㉯, ㉲ ④ ㉮, ㉰ ⑤ ㉮, ㉰, ㉲

10 윗글의 마지막 행에 관한 설명으로 적절하지 않은 것은?

① '겨울'은 차가운 이미지를 주는 부정적 시어다.
② '강철'은 단단한 의지를 표현하는 긍정적 시어다.
③ '무지개'는 황홀한 이미지로 희망을 표현한다.
④ 긍정적 시어와 부정적 시어가 결합된 역설적 표현이다.
⑤ 비극적 현실을 초월하려는 의지의 표현으로 볼 수 있다.

[11~12] 다음 글을 읽고 물음에 답하시오.

매운 계절(季節)의 채찍에 갈겨
마침내 북방(北方)으로 휩쓸려 오다.

하늘도 그만 지쳐 끝난 고원(高原)
서릿발 칼날진 그 위에 서다.

어디다 무릎을 꿇어야 하나
한발 재겨 디딜 곳조차 없다.

이러매 눈 감아 생각해볼밖에
ⓐ겨울은 강철로 된 무지갠가 보다.

– 이육사, 「절정」 –

11 윗글에 대한 설명으로 가장 적절한 것은?

① 지향하는 삶에 대한 의지가 드러나 있다.
② 대상과 일체가 되려는 소망이 담겨 있다.
③ 자연으로부터 올바른 삶의 교훈을 이끌어 내고 있다.
④ 현재형 시제의 사용으로 친숙하고 편안한 느낌을 준다.
⑤ 현실에 굴복하는 나약한 지식인의 고뇌를 표현하고 있다.

12 다음 중 윗글의 ⓐ에 사용된 수사법이 표현되어 있는 것은?

① 나 보기가 역겨워/가실 때에는
죽어도 아니 눈물 흘리오리다.

– 진달래꽃(김소월) –

② 강(江)나루 건너서/밀밭 길을
구름에 달 가듯이/가는 나그네
길은 외줄기/남도(南道) 삼백리(三百里)

– 나그네(박목월) –

③ 농약으로 질식한 풀벌레의 울음 같은
심야 방송이 잠든 뒤의 전파 소리 같은
듣기 힘든 소리에 귀 기울이지 말아다오.

– 상행(김광규) –

④ 바람과 햇볕이 달라붙어 물기를 빨아들이는 동안
바다의 무늬는 뼈다귀처럼 남아
멸치의 등과 지느러미 위에서 딱딱하게 굳어갔던 것이다.

– 멸치(김기택) –

⑤ 모란이 지고 말면 그뿐, 내 한 해는 다 가고 말아
삼백 예순 날 하냥 섭섭해 우옵내다/모란이 피기까지는
나는 아직 기다리고 있을 테요/찬란한 슬픔의 봄을

– 모란이 피기까지는(김영랑) –

객관식 심화문제

[01~05] 다음 글을 읽고 물음에 답하시오.

(가) 매운 계절(季節)의 채찍에 갈겨
마침내 북방(北方)으로 휩쓸려 오다.

하늘도 그만 지쳐 끝난 고원(高原)
서릿발 칼날진 그 위에 서다.

어데다 무릎을 꿇어야 하나?
한 발 재겨 디딜 곳조차 없다.

이러매 눈 감아 생각해 볼 밖에
겨울은 강철로 된 무지갠가 보다.

– 이육사, 「절정」 –

(나) 이 몸이 주거 가셔 무어시 될고 ᄒᆞ니
봉래산(蓬萊山) 제일봉에 낙락장송(落落長松) 되야 이셔
백설(白雪)이 만건곤(滿乾坤) ᄒᆞᆯ 제 독야청청(獨也靑靑) ᄒᆞ리라

– 성삼문 –

*낙락장송 : 가지가 길게 축축 늘어진 키가 큰 소나무.
*만건곤 : 하늘과 땅에 가득함.
*독야청청 : 남들이 모두 절개를 꺾는 상황에서도 홀로 절개를 굳세게 지키고 있음을 비유적으로 이르는 말.

01 (가)에 대한 설명으로 가장 적절한 것은?

① 현재 시제를 사용하여 긴박감을 더하고 있다.
② 의태어를 사용하여 시의 분위기를 형성하고 있다.
③ 명령형 어미를 활용하여 화자의 소망을 표출하고 있다.
④ 화자의 시선 이동에 따라 시상이 점층적으로 강조되고 있다.
⑤ 반어적 표현을 통해 화자의 심정을 효과적으로 드러내고 있다.

02 (가)를 시상 전개 흐름에 따라 이해한 내용으로 적절하지 않은 것은?

① 1연의 ‘매운 계절’은 화자를 극한 상황으로 몰아가는 존재로 시상을 일으키는 계기가 된다.
② 2연은 1연의 수직적 한계 상황에 대한 인식을 이어 받아 수평적 한계 상황으로 발전시키고 있다.
③ 2연의 ‘서릿발 칼날진 그 위’는 가장 극한 상황까지 밀려왔음을 드러낸다.
④ 3연에서는 1, 2연의 극한 상황에 대한 화자의 심리적 인식이 드러나 있다.
⑤ 4연에서는 ‘눈 감고 생각해’보며 극한 상황을 초극하려는 의지를 드러내며 시상을 마무리 짓고 있다.

03 (가)를 〈보기〉의 ⓐ~ⓓ에 맞게 작품 감상한 학생으로 가장 적절한 것은?

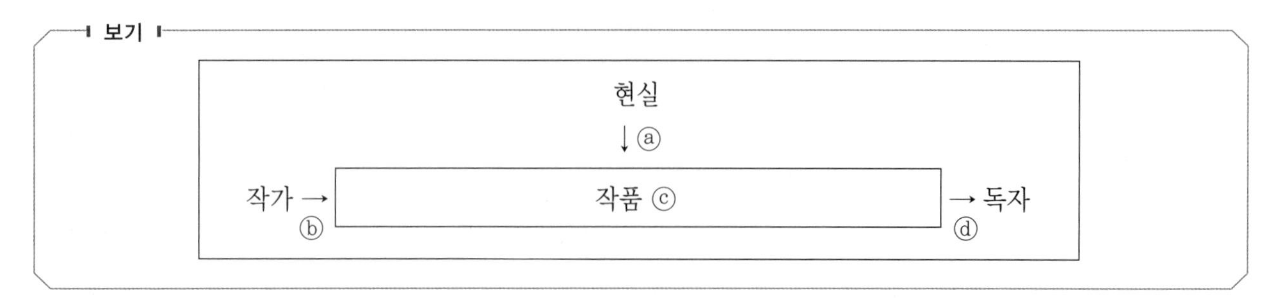

① ⓐ : 차갑고 단단한 이미지의 '강철'은 환상적이고 아름다운 '무지개'와 대조되고 있어.
② ⓑ : '한 발 재겨 디딜 곳조차 없다'는 구절에서 최근 성적 하락으로 벼랑 끝으로 내몰리는 듯한 기분이 드는 내 처지와 같다고 생각됐어.
③ ⓒ : 1, 2연에서는 시적화자가 처한 상황을 비유적으로 나타내고 있어.
④ ⓒ : '겨울'은 차고 추운 이미지로 일제 말기의 가혹한 현실 상황을 의미한다고 볼 수 있어.
⑤ ⓓ : '강철로 된 무지개'에는 민족의 비극에 대한 독립운동가로서 이육사의 저항 의지가 드러나 있어.

04 (가)의 시적화자의 태도와 가장 유사한 것은?

① 나는 문간에 서서 기다리리
새벽새가 울며 지새는 그늘로
세상은 희게, 또는 고요하게
번쩍이며 오는 아침부터
지나가는 길손을 눈여겨보며,
그대인가고, 그대인가고.

– 김소월, 「나의 집」 중에서 –

② 남을 사랑하는 사람이 되고 싶었는데
남보다 나를 더 사랑하는 사람이
되고 말았다.

가난한 식사 앞에서
기도를 하고
밤이면 고요히
일기를 쓰는 사람이 되고 싶었는데
구겨진 속옷을 내보이듯
매양 허물만 내보이는 사람이 되고 말았다.

– 문정희 「비망록」 중에서 –

③ 아! 내 세상에 태어났음을 원망 않고 보낸
어느 하루가 있었던가, '허무한디!', 허나
앞뒤로 덤비는 이리 승냥이 바야흐로 내 마음을 노리매
내 산 채 짐승의 밥이 되어 찢기우고 할퀴우라 내맡긴 신세임을
나는 독을 차고 선선히 가리라.
막음 날 내 외로운 혼(魂) 건지기 위하여.

– 김영랑, 「독을 차고」중에서 –

④ 내가 어휘허위 길 가다가
만져보면 죽은 아버지가 버팀목으로 만져지고
사라진 이웃들도 만져집니다

언젠가 누군가의 버팀목이 되기 위하여
나는 싹틔우고 꽃피우며
살아가는지도 모릅니다.

– 복효근, 「버팀목에 대하여」 중에서 –

⑤ 이제 밝아올 아침의 자유로운 새소리를 듣기 위하여
따스한 햇살과 바람과 라일락 꽃향기를 맡기 위하여
진정으로 너를 사랑한다는 한마디
새벽 편지를 쓰기 위하여
새벽에 깨어나
반짝이는 별을 보고 있으면
이 세상 깊은 어디에 마르지 않는
희망의 샘 하나 출렁이고 있을 것만 같다

– 곽재구, 「새벽편지」 중에서 –

05 〈보기〉에서 (가)와 (나)에 대한 설명으로 적절한 것을 모두 고르면?

보기

㉠ (가)의 '겨울'은 (나)의 '백설'과 유사한 의미를 지닌다.
㉡ (나)는 상황을 가정한 자문자답의 형식을 취하고 있다.
㉢ (가)와 (나) 모두 의지적이며 지사적인 태도가 드러난다.
㉣ (가)와 (나) 모두 전통적인 4음보의 율격을 지니고 있다.

① ㉠, ㉣　② ㉡, ㉢　③ ㉢, ㉣　④ ㉠, ㉡, ㉢　⑤ ㉠, ㉡, ㉢, ㉣

[06~08] 다음 글을 읽고 물음에 답하시오.

(가) 매운 계절(季節)의 채찍에 갈겨
마침내 북방(北方)으로 휩쓸려 오다.

하늘도 그만 지쳐 끝난 고원(高原)
서릿발 칼날진 그 위에 서다.

어데다 무릎을 꿇어야 하나?
한 발 재겨 디딜 곳조차 없다.

이러매 눈 감아 생각해 볼 밖에
겨울은 강철로 된 무지갠가 보다.

– 이육사, 「절정」 –

(나) **[앞부분 줄거리]** 일제 강점기에 징용으로 끌려가 한쪽 팔을 잃은 아버지 만도는 6.25 전쟁에 참전한 아들이 돌아온다는 소식을 듣고 신바람이 나서 마중을 나간다. 하지만 한쪽 다리를 잃고 나타난 진수의 모습에 충격을 받고 비통해한다.

"진수야!"
"예."
"㉠니, 우짜다가 그래 됐노?"
"전쟁하다가 이래 안 됐십니꾜, 수류탄 쪼가리에 맞았심더."
"수류탄 쪼가리에?"
"예."
"음……."
"얼른 낫지 않고 막 썩어 들어가기 땜에 군의관이 짤라 버립디더, 병원에서."
"……."
"아부지!"
"와?"
"이래 가지고 나 우째 살까 싶습니더."
"㉡우째 살긴 뭘 우째 살아? 목숨만 붙어 있으면 다 사능 기다. 그런 소리 하지 마라."
"……."
"㉢나 봐라. 팔뚝이 하나 없어도 잘만 안 사나? 남 봄에 좀 덜 좋아서 그렇지, 살기사 왜 못 살아?"
"차라리 아부지같이 팔이 하나 없는 편이 낫겠어예. 다리가 없어 노니 첫째 걸어 댕기기에 불편해서 똑 죽겠심더."
"야야, 안 그렇다. 걸어 댕기기만 하면 뭐 하노? 손을 지대로 놀려야 일이 뜻대로 되지."
"그럴까예?"
"그렇다니. ㉣그러니까 집에 앉아서 할 일은 니가 하고, 나댕기메 할 일은 내가 하고, 그라면 안 되겠나, 그제?"
"예."
진수는 가벼운 한숨을 내쉬며 아버지를 돌아보았다. 만도는 돌아보는 아들의 얼굴을 향해서 지그시 웃어 주었다.
술을 마시고 나면 이내 오줌이 마려워진다. 만도는 길가에 아무렇게나 쭈그리고 앉아서 고기 묶음을 입에 물려고 한다. 그것을 본 진수는,
"아부지, 그 고등어 이리 주이소."
한다. 팔이 하나밖에 없는 몸으로 물건을 손에 든 채 소변을 볼 수는 없는 것이다. 아버지가 볼일을 마칠 때까지 진수는

저만큼 떨어져 서서 지팡이를 한쪽 손에 모아 쥐고, 다른 손으로는 고등어를 들고 있었다. 볼일을 다 본 만도는 얼른 가서 아들의 손에서 고등어를 다시 받아 든다.

개천 둑에 이르렀다. 외나무다리가 놓여 있는 그 시냇물이다. 진수는 슬그머니 걱정이 되었다. 물은 그렇게 깊은 것 같지 않지만, 밑바닥이 모래흙이어서 지팡이를 짚고 건너가기가 만만할 것 같지 않기 때문이다. 외나무다리는 도저히 건너갈 재주가 없고…….

진수는 하는 수 없이 둑에 퍼질고 앉아서 바짓가랑이를 걷어 올리기 시작했다.

만도는 잠시 멀뚱히 서서 아들의 하는 양을 내려다보고 있다가,

"진수야, 그만두고. 자아, 업자." 하는 것이었다.

"업고 건느면 일이 다 되는 거 아니가. 자아, 이거 받아라."

고등어 묶음을 진수 앞으로 민다.

진수는 퍽 난처해하면서 못 이기는 듯이 그것을 받아 들었다. 만도는 등허리를 아들 앞에 갖다 대고 하나밖에 없는 팔을 뒤로 버쩍 내밀며,

"자아 어서!"

진수는 지팡이와 고등어를 각각 한 손에 쥐고, 아버지의 등허리로 가서 슬그머니 업혔다. 만도는 팔뚝을 뒤로 돌리면서 아들의 하나뿐인 다리를 꼭 안았다. 그리고,

"팔로 내 목을 감아야 될 기다." 했다. 진수는 무척 황송한 듯 한쪽 눈을 찍 감으면서, 고등어와 지팡이를 든 두 팔로 아버지의 목줄기를 부둥켜안았다. 만도는 아랫배에 힘을 주며 끙! 하고 일어났다. 아랫도리가 약간 후들거렸으나 걸어갈 만은 했다. 외나무다리 위로 조심조심 발을 내디디며 만도는 속으로 이제 새파랗게 젊은 놈이 벌써 이게 무슨 꼴이고. 세상을 잘못 만나서 진수 니 신세도 참 똥이다 똥.

이런 소리를 주워섬겼고, 아버지의 등에 업힌 진수는 곧장 미안스러운 얼굴을 하며, ㉤<u>나꺼정 이렇게 되다니 아부지도 참 복도 더럽게 없지. 차라리 내가 죽어 버렸더라면 나았을 낀데…….</u> 하고 속으로 중얼거렸다.

만도는 아직 술기가 약간 있었으나, 용케 몸을 가누며 아들을 업고 외나무다리를 조심조심 건너가는 것이었다.

눈앞에 우뚝 솟은 용머리재가 이 광경을 가만히 내려다보고 있었다.

– 하근찬, 「수난이대」 –

06 **〈보기〉를 참고하여 (가)와 (나)를 비교 감상한 내용으로 적절한 것을 <u>모두</u> 고르시오.**

> **보기**
>
> 문학은 써먹을 수 없다. 그럼에도 불구하고 문학을 한다면 도대체 문학은 무엇을 할 수 있는가? (중략) 문학은 배고픈 거지를 구하지 못한다. 그러나 문학은 배고픈 거지가 있다는 것을 사람들이 인식할 수 있도록 만들고 그래서 인간을 억누르는 것들의 정체를 뚜렷하게 보여 준다. 그것은 인간의 자기기만을 날카롭게 고발한다.
>
> – 김현, 「한국 문학의 위상」 –

① (나)와 달리 (가)는 눈을 감고 현실에서 도피함으로써 이를 극복하는 모습을 보여주고 있어.
② (가)와 달리 (나)는 시대 현실을 암울한 것으로 인식하고 있어.
③ (가)와 달리 (나)는 시대 현실을 구체적이고 사실적으로 그리고 있어.
④ (가)와 (나)는 공통적으로 현실을 극복하고자 하는 의지를 보여주고 있어.
⑤ (가)와 (나)는 공통적으로 독자들에게 협력을 통해 수난의 역사를 극복하는 방안을 제시하고 있어.

07 (가)에 대한 설명으로 적절하지 않은 것은?

① 설의적 표현을 통해 시상을 전환하고 있다.
② 현재형 시제를 사용해 긴박감을 더하고 있다.
③ 역설적 표현을 통해 주제를 형상화하고 있다.
④ '기-승-전-결'의 한시 구성 방식을 취하고 있다.
⑤ 상징적 시어를 통해 화자의 상황을 표현하고 있다.

08 (나)에 대한 설명으로 적절하지 않은 것은?

① ㉠ : 만도는 진수에게 걱정스러운 어조로 이야기 하고 있다.
② ㉡ : 만도의 의지적인 성격이 잘 드러나는 부분이다.
③ ㉢ : 만도는 장애에 대해 낙천적으로 인식하고 있다.
④ ㉣ : 만도의 현실 대응 방법을 통해 작가가 주제의식을 표출하고 있다.
⑤ ㉤ : 다리를 잃은 상황에 대한 진수의 좌절감을 보여주고 있다.

[09~13] 다음 글을 읽고 물음에 답하시오.

(가) 매운 계절(季節)의 채찍에 갈겨
마침내 북방(北方)으로 휩쓸려 오다.

하늘도 그만 지쳐 끝난 고원(高原)
서릿발 칼날진 그 위에 서다.

어데다 무릎을 꿇어야 하나?
한 발 재겨 디딜 곳조차 없다.

이러매 눈 감아 생각해 볼 밖에
ⓐ겨울은 강철로 된 무지갠가 보다.

– 정철, 「절정」 –

(나) 이 몸이 주거 가셔 무어시 될고 ᄒᆞ니
봉래산(蓬萊山) 제일봉(第一峰)에 낙락장송(落落長松) 되야 이셔
백설(白雪)이 만건곤(滿乾坤) ᄒᆞᆯ 제 독야청청(獨也青青) ᄒᆞ리라

– 성삼문 –

(다) "진수야!"
"예."
"니 우짜다가 그래 댔노?"
"전쟁하다가 이래 안 됐심니꼬. 수류탄 쪼가리에 맞았심더." / "수류탄 쪼가리에?"
"예." / "음……."
"얼른 낫지 않고 막 썩어 들어가기 땜에 군의관이 짤라 버립디더. 병원에서예."
"……." / "아부지!" / "와?"
"이래 가지고 우째 살까 싶습니더."
"우째 살긴 뭘 우째 살아? 목숨만 붙어 있으면 다 사는 기다. 그런 소리 하지 마라." / "……."
"나 봐라. 팔뚝이 하나 없어도 잘만 안 사나 ? 남 봄에 좀 덜 좋아서 그렇지 살기 사 왜 못 살아."
"차라리 아부지같이 팔이 하나 없는 편이 낫겠어예. 다리가 없어노니 첫째 걸어 댕기기에 불편해서 똑 죽겠심더."
"야야, 안 그렇다. 걸어댕기기만 하면 뭐 하노? 손을 지대로 놀려야 일이 뜻대로 되지."
"그럴까예?"
"그렇다니. 그러니까 집에 앉아서 할 일은 니가 하고, 나댕기메 할 일은 내가 하고, 그라면 안 되겠나, 그제?"
"예." 〈중략〉

개천 둑에 이르렀다. 외나무다리가 놓여 있는 그 시냇물이다. 진수는 슬그머니 걱정이 되었다. 물은 그렇게 깊은 것 같지 않지만, 밑바닥이 모래흙이어서 지팡이를 짚고 건너가기가 만만할 것 같지 않기 때문이다. 외나무다리는 도저히 건너갈 재주가 없고……. 진수는 하는 수 없이 둑에 퍼질고 앉아서 바짓가랑이를 걷어 올리기 시작했다.

만도는 잠시 멀뚱히 서서 아들의 하는 양을 내려다보고 있다가,
"진수야, 그만두고. 자아, 업자." 하는 것이었다.
"업고 건느면 일이 다 되는 거 아니가? 자아, 이거 받아라."
고등어 묶음을 진수 앞으로 민다.
"……."

진수는 퍽 난처해하면서, 못 이기는 듯이 그것을 받아 들었다. 만도는 등허리를 아들 앞에 갖다 대고, 하나밖에 없는 팔을 뒤로 버쩍 내밀며,
"자아, 어서!"

진수는 지팡이와 고등어를 각각 한 손에 쥐고, 아버지의 등허리로 가서 슬그머니 업혔다. 만도는 팔뚝을 뒤로 돌리면서 아들의 하나뿐인 다리를 꼭 안았다. 그리고,

"팔로 내 목을 감아야 될 끼다." 했다. 진수는 무척 황송한 듯 한쪽 눈을 찍 감으면서, 고등어와 지팡이를 든 두 팔로 아버지의 굵은 목줄기를 부둥켜안았다. 만도는 아랫배에 힘을 주며 끙! 하고 일어났다. 아랫도리가 약간 후들거렸으나 걸어갈 만은 했다.

– 하근찬, 「수난이대」 –

09 (가)~(다)에 대한 설명으로 적절하지 않은 것은?

① (가)와 (나) 모두 시대 상황에 대응하는 모습이 드러나 있다.
② (가)는 (나)와 달리, 한시의 기승전결 구조와 유사한 구조를 취하고 있다.
③ (나)는 (가)와 달리, 4음보의 율격을 가지고 있다.
④ (가)와 (다)는 모두 방언을 사용하여 사실감을 부여하고 있다.
⑤ (다)는 (나)와 달리, 현대사의 굴곡으로 인한 개인의 상처와 상실을 사실적으로 묘사하고 있다.

10 (가)를 감상한 내용으로 적절하지 않은 것은?

① 1연 : 일제의 탄압 때문에 수평적 극한 상황까지 오게 된 화자의 처지를 제시하고 있다.
② 2연 : 수직적 극한 상황에서 생존의 극한 상황인 절정에 이르고 있다.
③ 3연 : 극한 상황에 대한 화자의 심리를 드러내며 대결 정신을 보여주고 있다.
④ 4연 : 이질적 이미지를 지닌 시어를 결합시켜서 표현하고 있다.
⑤ 4연 : 극한 상황에서 참된 삶을 추구하고 희망을 회복하는 화자의 현실 인식을 의지적 어조로 보여주고 있다.

11 ⓐ에 나타난 표현 기법이 사용된 것을 있는 대로 고른 것은?

보기

ㄱ. 공명(功名)도 잊었노라 부귀(富貴)도 잊었노라/세상번우(煩憂)한 일 다 주어 잊었노라/내 몸을 내마져 잊으니 남이 아니 잊으랴
ㄴ. 아아, 님은 갔지마는 나는 님을 보내지 아니하였습니다.
ㄷ. 먼 훗날 당신이 찾으시면/그 때에 내 말이 "잊었노라."
ㄹ. 밤에 홀로 유리를 닦는 것은 외로운 황홀한 심사이어니
ㅁ. 언제나 바다는 멀리서 진펄에 몸을 뒤척이겠지요.

① ㄱ, ㄴ ② ㄴ, ㄷ ③ ㄴ, ㄹ ④ ㄱ, ㄷ, ㅁ ⑤ ㄷ, ㄹ, ㅁ

12 (나)와 〈보기〉를 감상한 것으로 적절하지 않은 것은?

보기

어사또 분부하되,
"너 같은 년이 수절한다고 관장(官長)에게 포악하였으니 살기를 바랄쏘냐. 죽어 마땅하되 내 수청도 거역할까?"
춘향이 기가 막혀,
"내려오는 관장마다 모두 명관(名官)이로구나. 어사또 들으시오. 층암절벽 높은 바위가 바람 분들 무너지며, 청송녹죽 푸른 나무가 눈이 온들 변하리까. 그런 분부 마옵시고 어서 바삐 죽여 주오."
-「춘향전」-

① (나)와 〈보기〉는 모두 조선시대에 창작된 작품이다.
② (나)는 〈보기〉와 달리, 충신연주지사적인 성격을 지니고 있다.
③ (나)의 '백설'과 〈보기〉의 '눈'은 유사한 의미의 시어이다.
④ (나)의 '낙락장송'과 〈보기〉의 '청송녹죽'은 대상에 대한 일편단심의 마음을 상징한다.
⑤ (나)는 〈보기〉와 달리, 대나무를 사용하여 굳은 의지, 지조와 절개의 마음을 표현한다.

13 〈보기〉를 참고하여 (다)를 감상한 것으로 적절한 것을 2개 고르면?

보기

문학은 거울처럼 시대 현실을 반영하는 존재인 동시에, 우리로 하여금 그를 통해 현실을 바라보게 해주는 유리창이 되기도 한다. 또한, 문학은 암울한 시대 현실을 사실적이고도 진실에 가깝게 그리면서, 수난의 역사를 극복하는 방안을 모색하고 이를 통해 희망의 미래를 염원하며 기원한다.

① 만도와 달리, 진수에게는 장애에 대한 낙천적 인식이 드러난다.
② '수류탄 쪼가리'를 통해서 시대적 배경을 짐작해 볼 수 있다.
③ 작가는 만도의 말을 통해서 수난의 역사를 극복하는 방안을 제시하고 있다.
④ '고등어'는 부자가 앞으로 헤쳐 나가야 할 고난과 시련을 상징하는 소재이다.
⑤ 만도가 진수를 업고 외나무다리를 건너가는 모습을 통해 현재 일제의 탄압을 극복하고자 하는 의지가 드러난다.

[14] 다음 글을 읽고 물음에 답하시오.

(가) 매운 계절(季節)의 채찍에 갈겨
마침내 북방(北方)으로 휩쓸려 오다.

하늘도 그만 지쳐 끝난 고원(高原)
서릿발 칼날진 그 위에 서다.

어데다 무릎을 꿇어야 하나?
한 발 재겨 디딜 곳조차 없다.

이러매 눈 감아 생각해 볼 밖에
겨울은 강철로 된 무지갠가 보다.

– 이육사, 「절정」 –

(나) 이 몸이 주거 가셔 무어시 될고 ᄒᆞ니
봉래산(蓬萊山) 제일봉(第一峰)에 낙락장송(落落長松) 되야 이셔
백설(白雪)이 만건곤(滿乾坤) ᄒᆞᆯ 제 독야청청(獨也青青) ᄒᆞ리라

– 성삼문, 「이 몸이 주거 가셔~」 –

14 (가)와 (나)의 공통점으로 가장 적절한 것은?

① 부정적인 상황에서 자신의 의지를 드러내고 있다.
② 상황을 가정하여 자문자답의 형식을 취하고 있다.
③ 역설적인 표현을 활용하여 주제를 드러내고 있다.
④ 동일한 종결 어미를 반복하여 주제를 강화하고 있다.
⑤ 대립적 이미지를 사용하여 주제를 효과적으로 드러내고 있다.

[15~18] 다음 글을 읽고 물음에 답하시오.

매운 계절(季節)의 ㉠채찍에 갈겨
마침내 ㉡북방(北方)으로 휩쓸려 오다.

하늘도 그만 지쳐 끝난 ㉢고원(高原)
㉣서릿발 칼날진 그 위에 서다.

어데다 무릎을 꿇어야 하나?
한 발 재겨 디딜 곳조차 없다.

이러매 눈 감아 생각해 볼 밖에
겨울은 강철로 된 ㉤무지갠가 보다.

– 이육사, 「절정」 –

15 윗글에 대한 설명으로 적절하지 않은 것은?

① 기–승–전–결의 한시적 구조를 보이고 있다.
② 상징적 시어를 통해 극한 상황을 묘사하고 있다.
③ 현재형 시제를 사용하여 긴장감을 전달하고 있다.
④ 설의적 표현을 사용하여 화자의 정서를 강조하고 있다.
⑤ 색채 대비를 활용하여 시, 공간의 이동을 부각하고 있다.

16 '겨울은 강철로 된 무지갠가 보다.'에 쓰인 표현방법과 같은 표현법을 사용한 것을 모두 고른 것은?

보기

(가) 아아 님은 갔지만은 나는 님을 보내지 아니하였습니다.
(나) 밤에 홀로 유리를 닦는 것은 외로운 황홀한 심사이어니
(다) 고요히 다물은 고양이의 입술에 포근한 봄의 졸음이 떠돌아라.
(라) 모란이 피기까지는 나는 아직 기다리고 있을 테요, 찬란한 슬픔의 봄을
(마) 가난하다고 해서 왜 모르겠는가, 가난하기 때문에 이것들을 이 모든 것들을 버려야 한다는 것을.
(바) 내 그대를 생각함은 항상 그대가 앉아있는 배경에서 해가 지고 바람이 부는 일처럼 사소한 일일 것이나.

① (가), (나) ② (다), (라) ③ (마), (라) ④ (가), (나), (라) ⑤ (가), (나), (바)

17 〈보기〉를 바탕으로 위 시의 ㉠~㉤을 감상한 내용으로 적절하지 않은 것은?

보기

1930년대에 일본의 식민지 지배정책은 군국주의의 확대 과정을 거치면서 탄압과 감시의 정도가 더욱 강해졌고, 그 과정에서 적지 않은 시인, 작가, 지식인들이 친일행각을 벌였지만 양심을 지키며 시대적 상황에 저항하면서 시를 통해 자기 의지를 구현하고자 했던 이육사, 윤동주 등의 시를 일본 식민지 시대를 대표하는 저항시라고 한다.

① ㉠은 식민지 시대의 시련을 의미한다.
② ㉡은 어쩔 수 없이 정착하게 된 민족의 터전을 의미한다.
③ ㉡과 ㉢은 대비적인 구조로 화자가 지향하는 바를 나타낸다.
④ ㉣은 당시 참혹했던 시대에서 극한에 놓인 절정의 상황을 의미한다.
⑤ ㉤은 일제 강점기의 탄압 속에서 작가가 계속해서 바라던 희망을 투영한다.

18 〈보기〉와 윗글을 바탕으로 글을 작성하려고 할 때, 글의 주제로 가장 적절한 것은?

보기

영화가 시작하기 전에 우리는
일제히 일어나 애국가를 경청한다.
삼천리 화려 강산의
을숙도에서 일정한 군을 이루며
갈대숲을 이륙하는 흰 새떼들이
자기들끼리 끼룩거리면서
자기들끼리 낄낄대면서
일렬 이열 삼렬 횡대로 자기들의 세상을
이 세상에서 떼어 메고
이 세상 밖 어디론가 날아간다
우리도 우리들끼리
낄낄대면서
깔쭉대면서
우리의 대열을 이루며
한 세상 떼어 메고
이 세상 밖 어디론가 날아갔으면
하는데 대한 사람 대한으로
길이 보전하세로
각각 자기 자리에 앉는다.
주저 앉는다.

– 황지우, 「새들도 세상을 뜨는구나」 –

① 절대적 진리의 존재
② 대조적 공간과 시간의 효과
③ 방언을 이용한 주제의식 강화
④ 부정적 현실과 그에 대한 태도
⑤ 풍자를 이용한 우리 민족의 해학성

[19~21] 다음 글을 읽고 물음에 답하시오.

매운 계절(季節)의 채찍에 갈겨
마침내 북방(北方)으로 휩쓸려 오다.

하늘도 그만 지쳐 끝난 고원(高原)
서릿발 칼날진 그 위에 서다.

어데다 무릎을 꿇어야 하나?
한 발 재겨 디딜 곳조차 없다.

이러매 눈 감아 생각해 볼 밖에
겨울은 강철로 된 무지갠가 보다.

– 이육사, 「절정」 –

19 윗글에 대한 설명으로 가장 적절한 것은?

① '채찍'과 '고원', '서릿발 칼날진 그 위'는 함축적 의미가 동일하다.
② 평서형 종결어미 '-다'를 사용하여 과거를 회상하는 마음을 표현하였다.
③ 2연에서는 수식어 '그만'을 사용해 내몰린 상황에서 느끼는 화자의 심정이 강조된다.
④ 4연의 '생각'은 부정적인 현실을 극복하고자 하는 화자의 태도를 드러낸다.
⑤ 4연의 '강철로 된 무지갠가 보다'는 실제 사실과 모순된 표현을 사용해 화자가 처한 현실을 표현하였다.

20 〈보기〉의 ㉮의 관점에서 윗글을 감상한 내용으로 가장 적절한 것은?

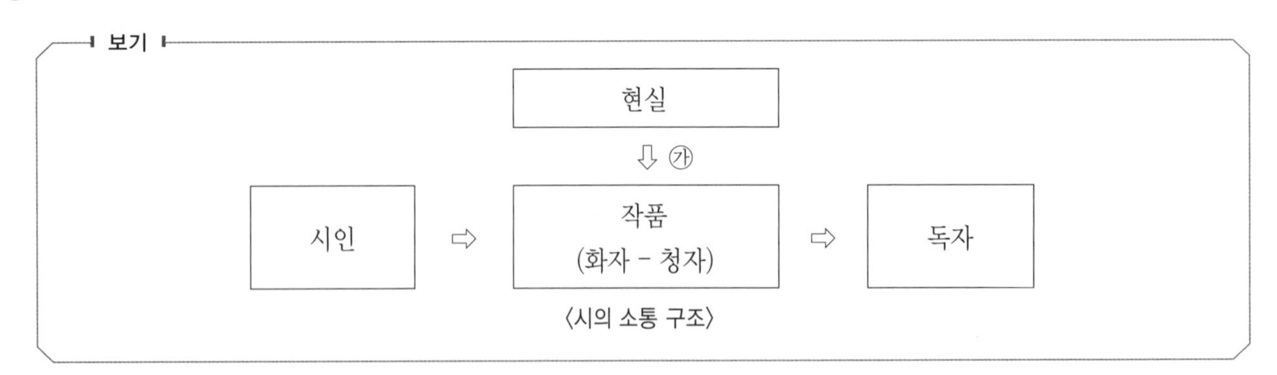

① 윗글의 화자는 막다른 상황에 내몰린 사람의 내면을 표현하고 있어.
② 시인은 각 연을 2행으로 구성해 통일성을 갖추고, 안정감을 느끼게 해 주었어.
③ 독자는 겨울의 이미지를 개인의 경험과 연관 지음으로써 시인과 소통할 수 있지.
④ 윗글은 일제 강점기에 창작된 작품으로 혹독한 시대 현실을 계절과 연관지어 표현했어.
⑤ 독자가 작품을 어떻게 받아들이는가는 마치 작품을 새로 창작하는 것만큼 중요한 일이지.

21 윗글의 화자와 현실을 대하는 태도가 가장 유사한 작품은?

① 국화야, 너는 어이 삼월 동풍(三月東風) 다 지내고
낙목한천(落木寒天)에 네 홀로 피었나니
아마도 오상고절(傲霜孤節)은 너 뿐인가 하노라.

– 이정보의 시조 –

② 노래 삼긴 사룸 시름도 하도할샤.
닐러, 다 못 닐러 불러나 푸돗던가.
진실로 풀릴 거시면은 나도 불러 보리라.

– 신흠의 시조–

③ 공명(功名)을 즐겨 마라 영욕(榮辱)이 반(半)이로다.
부귀(富貴)를 탐(貪)치 마라 위기(危機)를 볿느니라.
우르는 일신(一身)이 한가(閑暇)커니 두려온 일 업세라.

– 김상현의 시조 –

④ 동기로 세 몸 되야 한 몸같이 지내다가
두 아운 어디 가서 돌아올 줄 모르는고.
날마다 석양 문외에 한숨 겨워 하노라.

– 박인로의 시조–

⑤ 청산(青山)도 절로절로 녹수(綠水)도 절로절로
산(山) 절로 수(水) 절로 산수간(山水間)에 나도 절로절로
그중(中)에 절로 즈란 몸이 늙기도 절로절로

– 송시열의 시조 –

[22~25] 다음 글을 읽고 물음에 답하시오.

(가) 매운 계절(季節)의 채찍에 갈겨
마침내 북방(北方)으로 휩쓸려 오다.

하늘도 그만 지쳐 끝난 고원(高原)
서릿발 칼날진(가) 매운 계절(季節)의 채찍에 갈겨
마침내 북방(北方)으로 휩쓸려 오다.

하늘도 그만 지쳐 끝난 고원(高原)
서릿발 칼날진 그 위에 서다.

어데다 무릎을 꿇어야 하나
한 발 재겨 디딜 곳조차 없다.

이러매 눈 감아 생각해 볼밖에
㉠겨울은 강철로 된 무지갠가 보다.

– 이육사, 「절정」 –

(나) 이 몸이 주거 가셔 무어시 될고 ᄒᆞ니
ⓐ봉래산(蓬萊山) ⓑ제일봉(第一峰)에 ⓒ낙락장송(落落長松) 되야이셔
ⓓ백설(白雪)이 ⓔ만건곤(滿乾坤)ᄒᆞᆯ 제 독야청청(獨也靑靑) ᄒᆞ리라.

– 성삼문 –

(다) 먼 후일 당신이 찾으시면
그 때에 내 말이 "잊었노라."

당신이 속으로 나무라면
"무척 그리다가 잊었노라."

그래도 당신이 나무라면
"믿기지 않아서 잊었노라."

오늘도 어제도 아니 잊고
먼 후일 그때에 "내 말이 잊었노라."

– 김소월, 「먼 후일」 –

---

22 〈보기〉의 밑줄 친 시어와 유사한 상징적 의미를 지닌 시어로 가장 적절한 것은?

보기

눈 마자 휘어진 대를 뉘라셔 굽다탄고.
구블 절(節)이면 눈 속에 프를소냐.
아마도 *세한고절(歲寒高節)은 너뿐인가 하노라.

– 원천석 –

* **세한고절(歲寒高節)** : 추운 겨울에서 굴하지 않고 절개를 지킴

① ⓐ ② ⓑ ③ ⓒ ④ ⓓ ⑤ ⓔ

23 다음을 참고하여 (가)를 감상한 내용으로 적절하지 않은 것은?

[백과사전]
- **이육사** : 시인, 1904년 경상북도 안동 출생 항일 독립 투쟁으로 20여 차례의 투옥 끝에 베이징 감옥에서 옥사함.
- **작품경향** : 저항 의식, 실향의식과 비애, 초인 의지와 조국 광복에 대한 열망 등을 주제로 삼음. 상징적이면서도 서정이 풍부한 시풍으로 일제 강점기 민족의 비극과 저항 의지를 노래함. 정제된 형식기미와 전통의 계승, 안정된 운율감을 보임.

① '어데다 무릎을 꿇어야 하나'는 답답한 현실에 대한 비애와 굴욕감을 드러낸 것이군.
② 한시에 드러나는 기승전결의 구조를 보이고 있어 형식적으로 전통을 계승하고 있군.
③ '매운 계절의 채찍'과 '겨울'은 시인이 처한 일제 강점기의 가혹한 현실을 의미하겠군.
④ 현재형 종결어미를 반복하여 운율감을 조성하고 간결한 종결 표현을 통해 화자의 감정을 절제하고 있군.
⑤ '북방-고원-서릿발 칼날진 그 위'를 통해 냉혹한 시대에 화자가 처한 극한 상황을 점층적으로 보여주고 있군.

24 다음 중 ㉠과 가장 유사한 표현 기법이 사용된 것은?

① 나 보기가 역겨워 / 가실 때에는 / 죽어도 아니 눈물 흘리오리다.
- 김소월, 「진달래꽃」 -

② 유리에 차고 슬픈 것이 어린거린다. / 열없이 붙어 서서 입김을 흐리우니 / 길들은 양 언 날개를 파다거린다.
- 정지용, 「유리창 Ⅰ」 -

③ 기침을 하자 / 젊은 시인이여 기침을 하자 / 눈 위에 대고 기침을 하자 / 눈더러 보라고 마음 놓고 마음 놓고 / 기침을 하자
- 김수영, 「눈」 -

④ 종소리도 들려 오지 않는데 / 휘파람이나 불며 서성거리다가 / 괴로웠던 사나이 행복한 그리스도에게서처럼 / 십자가가 허락된다면
- 윤동주, 「십자가」 -

⑤ 나는 이 겨울을 누워 지냈다. / 사랑하는 사람을 잃어버려 / 염주처럼 윤나게 굴리던 / 독백도 끝이 나고 / 바람도 불지 않아 / 이 겨울 누워서 편히 지냈다.
- 황동규, 「즐거운 편지」 -

25 (다)에 대한 설명으로 적절하지 않은 것은?

① 3음보의 민요적 율격이 두드러진다.
② 이별의 정한이라는 전통적 정서를 형상화하고 있다.
③ 각 연을 2행씩 구성하여 형식적 통일감을 보이고 있다.
④ 반복을 통해 이별을 수용하는 화자의 태도를 강조하고 있다.
⑤ 미래의 상황을 가정하여 화자의 심정을 효과적으로 드러내고 있다.

서술형 심화문제

[01~02] 다음 글을 읽고 물음에 답하시오.

매운 계절(季節)의 채찍에 갈겨
마침내 북방(北方)으로 휩쓸려 오다.

하늘도 그만 지쳐 끝난 고원(高原)
서릿발 칼날진 그 위에 서다.

어데다 무릎을 꿇어야 하나?
한 발 재겨 디딜 곳조차 없다.

이러매 눈 감아 생각해 볼 밖에
겨울은 강철로 된 무지갠가 보다.

– 이육사, 「절정」 –

01 윗글에 나타난 (1)형식적 측면의 한국 문학의 전통과 (2)윗글의 주제를 각각 하나의 문장으로 서술하시오.

02 윗글 화자와 비슷한 삶의 자세를 가진 시조 〈보기〉에서 화자의 변치 않는 모습(의지와 지조)을 드러내는 상징물(A)을 찾아 쓰고, 화자의 삶의 자세를 방해하는 세력을 상징하는 시어(B)를 찾아 쓰시오.

보기

이 몸이 죽어 가서 무어시 될꼬 ᄒᆞ니
봉래산 제일봉에 낙락장송 되야 이셔
백설이 만건곤(滿乾坤)ᄒᆞᆯ 제 독야청청(獨也青青) ᄒᆞ리라

– 성삼문 –

단원 종합평가

[01~03] 다음 글을 읽고, 물음에 답하시오.

가시리 ㉠가시리잇고 ㉡나는
ᄇᆞ리고 가시리잇고 나는
위 증즐가 대평셩ᄃᆡ(大平盛代)

날러는 엇디 살라ᄒᆞ고
ᄇᆞ리고 가시리잇고 나는
위 증즐가 대평셩ᄃᆡ(大平盛代)

잡ᄉᆞ와 두어리마ᄂᆞᆫ
㉢선ᄒᆞ면 ㉣아니 올셰라
위 증즐가 대평셩ᄃᆡ(大平盛代)

㉤셜온 님 보내ᄋᆞᆸ노니 나는
가시는 ᄃᆞᆺ 도셔 오쇼셔 나는
위 증즐가 대평셩ᄃᆡ(大平盛代)

-「가시리」-

01 위 작품에 대해 이해한 내용으로 적절하지 않은 것은?

① ㉠과 같이 의문형 표현을 반복함으로써 이별을 확인하고 상대에게 애원하는 듯한 화자의 모습을 떠올릴 수 있다.
② ㉡는 뚜렷한 의미가 없는 표현으로 음악적 효과를 위해 사용된 것이라 추측할 수 있다.
③ ㉢의 주체는 '님'으로, 화자의 잘못으로 인하여 이별의 상황이 빚어졌음을 알게 해 준다.
④ ㉣에서는 떠난 임이 다시 돌아오지 않을까 걱정하고 두려워하는 화자의 심리가 드러난다.
⑤ ㉤의 주체를 화자로 볼 때, 화자는 서러운 마음으로 임과의 이별을 택한 것임을 알 수 있다.

02 위 작품을 〈보기〉와 같이 개작했을 때, 고려했을 사항으로 적절하지 않은 것은?

보기

가니
가니 떠나는 거니
버리고 가는 거니
내 맘 속엔 슬픔만 남아
영원히 함께하자 약속해놓고
버리고 떠나는 거니
내 맘 속엔 슬픔만 남아
붙잡고도 싶었지만 나도
그게 다 무슨 소용있겠니
내 맘 속엔 슬픔만 남아
이젠 널 보낼게
부디 나를 잊지는 말아줘
내 맘 속엔 슬픔만 남아

① 원작에 비해 이별하는 남녀가 대등한 지위로 보이도록 언어를 바꿔 표현하고 싶어.
② 떠나는 상대를 향한 당부와 재회에 대한 기대감을 더욱 두드러지도록 표현해야겠어.
③ 이별을 대하는 화자의 태도가 원작에 비해 더욱 수용적이고 체념적으로 보이도록 하고 싶어.
④ 끊어 읽는 마디는 최대한 유지할 수 있도록 하되 글자 수는 좀 더 자유롭게 표현해 보려고 해.
⑤ 음악성을 높일 수 있는 후렴구의 사용은 유지하면서 작품 전체 의미와 상응하는 내용으로 통일성을 부여했으면 해.

03 위의 작품과 〈보기〉의 공통점을 설명할 때, 가장 적절하지 않은 것은?

보기

아리랑 아리랑 아라리요
아리랑 고개로 넘어간다.
나를 버리고 가시는 임은
십 리도 못 가서 발병 난다.

– 「아리랑」 가사 –

① 3음보의 율격
② ‘AABA’의 구성
③ 유사한 어휘의 반복
④ 전통적 이별의 정한
⑤ 작자 미상의 민요적 성격

[04~07] 다음 글을 읽고 물음에 답하시오.

뎨 가ᄂᆞᆫ 뎌 ㉠각시 본 듯도 ᄒᆞᆫ뎌이고
텬샹(天上) ㉡ᄇᆡᆨ옥경(白玉京)을 엇디ᄒᆞ야 니별(離別)ᄒᆞ고
ᄒᆡ 다 뎌 져믄 날의 눌을 보라 가시ᄂᆞᆫ고
어와 네여이고 이내 ᄉᆞ셜 드러 보오
내 얼굴 이 거동이 님 괴얌즉 ᄒᆞᆫ가마ᄂᆞᆫ
엇딘디 날 보시고 네로다 녀기실ᄉᆡ
나도 님을 미더 군ᄠᅳ디 전혀 업서
이ᄅᆡ야 교ᄐᆡ야 어ᄌᆞ러이 ᄒᆞ돗썬디
반기시ᄂᆞᆫ ᄂᆞᆺ비치 녜와 엇디 다ᄅᆞ신고
누어 ᄉᆡᆼ각ᄒᆞ고 니러 안자 혜여ᄒᆞ니
내 몸의 지은 죄 뫼ᄀᆞ티 ᄡᅡ혀시니
㉢하ᄂᆞᆯ히라 원망ᄒᆞ며 사ᄅᆞᆷ이라 허믈ᄒᆞ랴
셜워 플텨 혜니 조믈(造物)의 타시로다
글란 ᄉᆡᆼ각마오 ᄆᆡ친 일이 이셔이다
님을 뫼셔 이셔 님의 일을 내 알거니
믈 ᄀᆞᄐᆞᆫ 얼굴이 편ᄒᆞ실 적 몃 날일고
츈한 고열(春寒苦熱)은 엇디ᄒᆞ야 디내시며
츄일 동텬(秋日冬天)은 뉘라셔 뫼셧ᄂᆞᆫ고
쥭조반(粥早飯) 죠셕(朝夕) 뫼 녜와 ᄀᆞᆺ티 셰시ᄂᆞᆫ가
기나긴 밤의 ᄌᆞᆷ은 엇디 자시ᄂᆞᆫ고
님다히 쇼식(消息)을 아므려나 아쟈 ᄒᆞ니
오ᄂᆞᆯ도 거의로다 ᄂᆡ일이나 사ᄅᆞᆷ 올가
내 ᄆᆞ음 둘 ᄃᆡ 업다 어ᄃᆡ로 가쟛 말고
잡거니 밀거니 놉픈 뫼ᄒᆡ 올라가니
구롬은ᄏᆞ니와 안개ᄂᆞᆫ 므ᄉᆞ 일고
산쳔(山川)이 어둡거니 ㉣일월(日月)을 엇디 보며
지쳑(咫尺)을 모ᄅᆞ거든 쳔 리(千里)ᄅᆞᆯ ᄇᆞ라보랴
ᄎᆞᆯ하리 믈ᄀᆞ의 가 ᄇᆡ 길히나 보랴 ᄒᆞ니
ᄇᆞ람이야 믈결이야 어둥졍 된뎌이고
㉤샤공은 어ᄃᆡ 가고 빈 ᄇᆡ만 걸렷ᄂᆞᆫ고
강텬(江天)의 혼자 셔셔 디ᄂᆞᆫ ᄒᆡᄅᆞᆯ 구버보니
님다히 쇼식(消息)이 더옥 아득ᄒᆞᆫ뎌이고
모쳠(茅簷) ᄎᆞᆫ 자리의 밤듕만 도라오니
반벽쳥등(半壁靑燈)은 눌 위ᄒᆞ야 ᄇᆞᆰ갓ᄂᆞᆫ고
오ᄅᆞ며 ᄂᆞ리며 헤ᄯᅳ며 바자니니
져근덧 녁진(力盡)ᄒᆞ야 픗ᄌᆞᆷ을 잠간 드니
졍셩(精誠)이 지극ᄒᆞ야 ᄭᅮᆷ의 님을 보니
옥(玉) ᄀᆞᄐᆞᆫ 얼굴이 반(半)이 나마 늘거셰라
ᄆᆞ음의 머근 말ᄉᆞᆷ 슬ᄏᆞ장 ᄉᆞᆲ쟈 ᄒᆞ니
눈믈이 바라 나니 말ᄉᆞᆷ인ᄃᆞᆯ 어이 ᄒᆞ며

경(情)을 못다 ᄒᆞ야 목이조차 몌여 ᄒᆞ니
오뎐된 계셩(鷄聲)의 ᄌᆞᆷ은 엇디 ᄭᆡ돗던고
어와 허ᄉᆞ(虛事)로다 이 님이 어ᄃᆡ 간고
결의 니러 안자 창(窓)을 열고 ᄇᆞ라보니
어엿븐 그림재 날 조찰 ᄲᅮᆫ이로다
[A]<u>출하리 싀여디여 낙월(落月)이나 되야이셔</u>
님 겨신 창(窓) 안ᄒᆡ 번드시 비최리라
각시님 ᄃᆞᆯ이야ᄏᆞ니와 구ᄌᆞᆫ비나 되쇼셔

– 정철, 「속미인곡」 –

04 화자의 정서에 비추어 볼 때, 다음 중 가장 <u>이질적인</u> 성격의 시어는?

① 빈 ᄇᆡ
② 모쳠(茅簷) ᄎᆞᆫ 자리
③ 반벽청등(反壁靑燈)
④ 오뎐된 계셩(鷄聲)
⑤ 어엿븐 그림재

05 위 작품을 충신연주지사로 해석할 때, ㉠~㉤에 대한 설명으로 적절하지 <u>않은</u> 것은?

① ㉠은 임과 이별한 여인으로, 관직에서 물러난 작가 자신을 여성 화자로 표현하고 있다.
② ㉡은 하늘의 궁궐로서 실제로는 임금님이 계시는 한양의 궁궐을 뜻한다.
③ ㉢에서 이별을 자신의 잘못으로 받아들이는 것은 신하로서 임금을 탓하지 않는 태도의 표현으로 볼 수 있다.
④ ㉣은 하늘에 떠 있는 광명한 존재로서, 완전한 존재인 임금을 상징하는 자연물이다.
⑤ ㉤이 배를 지키지 않고 떠났다는 내용으로 볼 때, 자신을 지켜주지 않고 배신한 동료 신하를 의미한다.

06 위의 작품과 〈보기〉의 공통점을 설명한 것으로 가장 적절한 것은?

보기

철령(鐵嶺) 노픈 봉(峯)에 쉬여 넘ᄂᆞᆫ 져 구룸아
고신원루(孤臣寃淚)ᄅᆞᆯ 비 사마 ᄯᅴ여다가
님 계신 구중심처(九重深處)에 ᄲᅮ려 본들 엇ᄃᆞ리.

[현대어 풀이]
철령 높은 고개 봉우리를 쉬었다가 넘어가는 저 구름아
외로운 신하의 원통한 눈물을 비로 만들어 띄워다가
임이 계시는 깊은 궁궐에 뿌려본들 어떠하겠는가

– 이항복의 시조 –

① 임금에게 버림받은 후 결백을 호소하는 내용의 유배가사이다.
② 설의법과 대구법을 통해 화자가 처한 현실과 정서를 강조하고 있다.
③ 특정한 글자수 구성으로 율격을 완성시키며 작품을 마무리하고 있다.
④ 일정한 음보율과 우리말 표현을 통해 평민 계층에서 향유되었음을 알 수 있다.
⑤ 대조적 이미지의 시어를 활용하여, 임에 대한 간절한 사랑과 충성심을 드러내고 있다.

07 〈보기〉는 윗글의 작가 정철이 지은 「사미인곡」의 결사 부분이다. 윗글의 [A]와 〈보기〉의 [B]를 이해한 것으로 가장 적절한 것은?

보기

ᄒᆞᄅᆞ도 열두 ᄣᅢ ᄒᆞᆫ ᄃᆞᆯ도 셜흔 날
져근덧 ᄉᆡᆼ각 마라 이 시ᄅᆞᆷ 닛쟈 ᄒᆞ니
ᄆᆞ음의 ᄆᆡ쳐 이셔 骨골髓슈의 ᄢᅦ텨시니
扁편鵲쟉이 열히 오나 이 병을 엇디ᄒᆞ리
어와. 내 병이야 이 님의 타시로다
[B]<u>출하리 싀어디여 범나븨 되오리라</u>
곳나모 가지마다 간 ᄃᆡ 죡죡 안니다가
향 므든 ᄂᆞᆯ애로 님의 오ᄉᆡ 올므리라

[현대어 풀이]
하루에도 열 두 때, 한 달도 서른 날
조금이라도 생각 말자 이 시름 잊고자 하나
마음에 맺혀 있어 뼛속을 사무치니
편작과 같은 명의가 열이나 온다 해도 이 병을 어찌하리
아아, 내 병이야 임의 탓이로다
차라리 죽어서 호랑나비 되리라
꽃가지 가지마다 가는 곳마다 앉아 있다가
향기 묻은 날개로 임의 옷에 옮으리라

① [A]보다 [B]는 임에 대한 사랑과 그리움을 적극적으로 표출하고 있다.
② [A]와 달리 [B]는 임에게 가까이 다가가 복수하고 싶어하는 한의 정서를 표현하고 있다.
③ [A]와 [B] 모두 자아의 분신을 설정하여 억울함을 풀고자 하는 화자의 정서를 강조하고 있다.
④ [A]와 달리 [B]는 불교적 윤회사상에 비추어 전생의 인연을 이어가려는 의지를 보여주고 있다.
⑤ [A]는 [B]와 달리 죽어서라도 임에 대한 사랑을 전하고픈 여인의 심정을 절실하게 그려내고 있다.

[08~12] 다음 글을 읽고 물음에 답하시오.

(가) 한참 이리 반기다가 님의 형상 자세히 보니 어찌 아니 한심하랴.

"여보 서방님, 내 몸 하나 죽는 것은 설운 마음 없소마는 서방님 이 지경이 웬일이오."

"오냐 춘향아, 설워 마라. 인명이 재천(在天)인데 설만들 죽을쏘냐."

춘향이 저의 모친 불러,

"한양성 서방님을 칠년대한(七年大旱) 가문 날에 큰비 오기를 기다린들 나와 같이 맥 빠질쏜가. 심은 나무가 꺾어지고 공든 탑이 무너졌네. 가련하다 이내 신세 하릴없이 되었구나. 어머님 나 죽은 후에라도 원이나 없게 하여 주옵소서. 나 입던 비단 장옷 봉장 안에 들었으니 그 옷 내어 팔아다가 한산 모시 바꾸어서 물색 곱게 도포 짓고 흰색 비단 긴 치마를 되는대로 팔아다가 관, 망건, 신발 사 드리고 좋은 병과 비녀, 밀화장도, 옥지환이 함 속에 들었으니 그것도 팔아다가 한삼(汗衫), 고의 흉하지 않게 하여 주오. 금명간 죽을 년이 세간 두어 무엇 할까. 용장롱, 봉장롱, 빼닫이를 되는 대로 팔아다가 좋은 진지 대접하오. 나 죽은 후에라도 나 없다 마시고 날 본 듯이 섬기소서. 서방님, 내 말씀 들으시오! 내일이 본관 사또 생신이라. 술에 취해 주정 나면 나를 올려 칠 것이니 형문 맞은 다리 ㉠장독(杖毒)이 났으니 수족인들 놀릴쏜가. 치렁치렁 흐트러진 머리 이럭저럭 걷어 얹고 이리 비틀 저리 비틀 들어가서 곤장 맞고 죽거들랑 삯꾼인 체 달려들어 둘러업고 우리 둘이 처음 만나 놀던 부용당의 적막하고 고요한데 뉘어 놓고 서방님 손수 염습하되 나의 혼백 위로하여 입은 옷 벗기지 말고 양지 끝에 묻었다가 서방님 귀히 되어 벼슬에 오르거든 잠시도 지체 말고 육진장포로 다시 염습하여 조촐한 상여 위에 덩그렇게 실은 후에 ㉡북망산천 찾아갈 제 앞 남산 뒤 남산 다 버리고 한양성으로 올려다가 선산발치에 묻어 주고 비문에 새기기를 수절원사춘향지묘라 여덟 자만 새겨 주오. 망부석이 아니 될까. 서산에 지는 해는 내일 다시 오련마는 불쌍한 춘향이는 한 번 가면 언제 다시 올까. 맺힌 한이나 풀어 주오. 애고 애고 내 신세야. 불쌍한 나의 모친 나를 잃고 가산을 탕진하면 별 수 없이 걸인이 되어 이집 저집 걸식하다가 언덕 밑에 조속조속 졸면서 기운 다해 죽게 되면 지리산 갈가마귀 두 날개를 쩍 벌리고 두둥실 날아들어 까욱까욱 두 눈을 다 파먹은들 어느 자식 있어 '후여' 하고 날려 주리."

애고 애고 설워 울 때, 어사또,

"울지 마라! 하늘이 무너져도 솟아날 구멍이 있느니라. 네가 나를 어찌 알고 이렇듯이 서러워하냐?"

작별하고 춘향 집에 돌아왔지.

춘향은 어둠침침 한밤중에 서방님을 번개같이 얼른 보고 옥방에 홀로 앉아 탄식하는 말이,

"밝은 하늘은 사람을 낼 제 대체로 공평하간만 나의 신세는 무슨 죄로 이팔청춘에 님 보내고 모진 목숨 살아 이 형운 이 형장 무슨 일인고. 옥중고생 서너 달에 밤낮없이 님 오시기만 바라더니 이제는 님의 얼굴 보았으나 희망 없이 되었구나. 죽어 황천에 돌아간들 옥황님께 무슨 말을 자랑하리."

애고애고 설워 울 제, 맥이 빠져 반생반사(半生半死)하는구나.

〈중략〉

육방(六房) 염문 다 한 후에 춘향 집으로 돌아와서 그 밤을 샌 연후에, 이튿날 출근 끝에 가까운 읍의 수령들이 모여든다. 운봉의 장관, 구례, 곡성, 순창, 옥과, 진안, 장수 원님이 차례로 모여든다. 왼편에 행수, 군관 오른쪽에 청령, 사령이 있고 본관 사또는 한가운데 있어 하인 불러 분부하되,

"관청색 불러 다과를 올리라. 육고자 불러 큰 소를 잡고, 예방(禮房) 불러 악공을 대령하고, 승발 불러 천막을 대령하라. 사령 불러 잡인을 금하라."

이렇듯 요란할 제 온갖 깃발이며 삼현육각 풍류 소리 공중에 떠 있고, 붉은 옷 붉은 치마 입은 기생들은 흰 손 비단 치마 높이 들어 춤을 추고, 지화자 둥덩실 하는 소리에 어사의 마음이 심란하구나.

"여봐라 사령들아. 너의 사또에게 여쭈어라. 먼 데 있는 걸인이 좋은 잔치에 왔으니 술과 안주나 좀 얻어먹자고 여쭈어라."

저 사령의 거동 보소.

"우리 사또님이 걸인을 금하였으니, 어느 양반인지는 모르오만 그런 말은 내지도 마오."

등을 밀쳐 내니 어찌 아니 명관(名官)인가.
운봉 영장이 그 거동을 보고 본관 사또에게 청하는 말이,
"저 걸인의 의관은 남루하나 양반의 후예인 듯하니 말석에 앉히고 술잔이나 먹여 보냄이 어떠하뇨?"
본관 사또 하는 말이,
"운봉 소견대로 하오마는."
'마는' 하는 끝말을 내뱉고는 입맛이 사납겠다. 어사 속으로
"오냐. 도적질은 내가 하마. 오라는 네가 받아라."
운봉 영장이 분부하여,
"저 양반 듭시라고 하여라."
어사또 들어가 단정히 앉아 좌우를 살펴보니 당 위의 모든 수령 다담상을 앞에 놓고 진양조가 높아 가는데, 어사또의 상을 보니 어찌 아니 통분하랴. 모서리 떨어진 개상판에 닥나무 젓가락, 콩나물, 깍두기, 막걸리 한 사발 놓았구나. 상을 발길로 탁 차 던지며 운봉 영장의 갈비를 가리키며,
"갈비 한대 먹고지고."
"다리도 잡수시오." 하고는 운봉이 하는 말이,
"이러한 잔치에 풍류로만 놀아서는 맛이 적사오니 차운 한 수씩 하여 보면 어떠하오?"
"그 말이 옳다." 하니 운봉이 운을 낼 제 '높을 고(高)'자, '기름 고(膏)'자 두 자를 내어놓고 차례로 운을 달아 시를 짓는다. 이때 어사또 하는 말이,
㉮"걸인이 어려서 한시(漢詩)깨나 읽었더니 좋은 잔치 당하여서 술과 안주를 포식하고 그냥 가기 민망하니 차운 한 수 하사이다."
운봉 영장이 반겨 듣고 필연(筆硯)을 내어 주니, 좌중 사람들이 다 짓지도 않았는데 글 두 귀를 지었으되, 백성들의 형편을 생각하고 본관 사또의 정체를 감안하여 지었것다.

㉯금준미주(金樽美酒)는 천인혈(千人血)이요
옥반가효(玉盤佳肴)는 만성고(萬姓膏)라
촉루낙시(燭淚落時) 민루낙(民淚落)이요
가성고처(歌聲高處) 원성고(怨聲高)라

이 글 뜻은

금동이의 아름다운 술은 일만 백성의 피요,
옥소반의 아름다운 안주는 일만 백성의 기름이라.
촛불 눈물 떨어질 때 백성 눈물 떨어지고
노랫소리 높은 곳에 원망소리 높았더라.

이렇듯이 지었으되 본관 사또는 몰라보는데 운봉 영장은 글을 보며 속으로,
'아뿔싸. 일이 났다.'
이때 어사또가 하직하고 간 연후에 각 아전들을 분부하되,
"야야. 일이 났다."
공방 불러 돗자리 단속, 병방 불러 역마(驛馬) 단속, 관청색 불러 다담상 단속, 옥형방 불러 죄인 단속, 집사 불러 형구(刑具) 단속, 형방 불러 장부 단속, 사령 불러 숙직 단속. 한참 이리 요란할 제 사정 모르는 저 본관 사또가,
"여보 운봉은 어디를 다니시오?"
"소피 보고 들어오오."

본관 사또가 술주정이 나서 분부하되,

"춘향을 급히 올리라."

이때에 어사또 부하들과 내통한다. 서리를 보고 눈길을 보내니 서리, 중방 거동 보소. 역을 불러 단속할 제 이리 가며 수군, 저리 가며 수군수군. 서리, 역졸 거동 보소. 외올망건 공단 모자 새 패랭이 눌러쓰고, 석 자 감발 새 짚신에 한삼 고의 산뜻하게 차려입고, 육모 방망이 사슴 가죽끈을 손목에 걸어 쥐고, 여기서 번쩍 저기서 번쩍, 남원읍이 우글우글. 청파 역졸 거동 보소. 달 같은 마패를 햇빛같이 번쩍 들어,

"암행어사 출도야."

외치는 소리에 강산이 무너지고 천지가 뒤집히는 듯 초목금수(草木禽獸)인들 아니 떨랴.

남문에서, / "출도야."

북문에서, / "출도야."

동서문 출도 소리 청천(青天)에 진동하고,

"모든 아전들 들라." / 외치는 소리에 육방(六房)이 넋을 잃어,

"공형이오." / 등채로 휘닥딱.

"애고 죽겠다." / "공방, 공방."

공방이 자리 들고 들어오며,

"안 하겠다던 공방을 하라더니 저 불속에 어찌 들랴."

등채로 휘닥딱.

"애고 박 터졌네."

좌수(座首), 별감(別監) 넋을 잃고 이방, 호방 혼을 잃고 나졸들이 분주하네. 모든 수령 도망갈 제 거동 보소. ㉢인궤 잃고 강정 들고, 병부(兵符) 잃고 송편 들고, 탕건 잃고 용수 쓰고, 갓 잃고 소반 쓰고. 칼집 쥐고 오줌 누기. 부서지는 것은 거문고요 깨지는 것은 북과 장고라.

본관 사또가 똥을 싸고 멍석 구멍 새앙쥐 눈 뜨듯하고, 안으로 들어가서,

"어 추워라. 문 들어온다 바람 닫아라. 물 마르다 목 들여라."

관청색은 상을 잃고 문짝을 이고 내달으니, 서리, 역졸 달려들어 후닥딱.

"애고 나 죽네."

– 「열녀춘향수절가」 완판 84장본 –

(나) 윤 직원 영감은 아들의 이렇듯 부르지도 않은 걸음을, 더욱이나 안방에까지 들어온 것을 이상타고 꼬집는 소립니다.

"……멋허러 오냐? 돈 달라러 오지?"

"동경서 전보가 왔는데요……."

지체를 바꾸어 윤 주사를 점잖고 너그러운 아버지로, 윤 직원 영감을 속 사납고 경망스런 어린 아들로 둘러놓았으면 꼬옥 맞겠습니다.

"동경서? 전보?"

"종학이 놈이 경시청에 붙잡혔다구요?"

"으엉?"

외치는 소리도 컸거니와 엉덩이를 꿍 찧는 바람에, 하마 방구들이 내려앉을 뻔했습니다. 모여 선 온 식구가 제가끔 정도에 따라 제각기 놀란 것은 물론이구요.

〈중략〉

윤 직원 영감은 이마로 얼굴로 땀이 방울방울 배어 오릅니다.

"……그런 쳐 죽일 놈이, 깎어 죽여두 아깝잖을 놈이! 그놈이 경찰서장 허라닝개루, 생판 사회주의 허다가 뎁다 경찰서에 잽혀? 으응?…… ㉣오사육시를 헐 놈이, 그놈이 그게 어디 당헌 것이라구 지가 사회주의를 히여? 부자 놈의 자식이

무엇이 대껴서 부랑당 패에 들어?……."

아무도 숨도 크게 쉬지 못하고, 고개를 떨어뜨리고 섰기 아니면 앉았을 뿐, 윤 직원 영감이 잠깐 말을 그치자 방 안은 물을 친 듯이 조용합니다.

"……오죽이나 좋은 세상이여? 오죽이나……."

윤 직원 영감은 팔을 부르걷은 주먹으로 방바닥을 땅 치면서 성난 황소가 영각을 하듯 고함을 지릅니다.

"화적패가 있너냐아? 부랑당 같은 수령(守令)들이 있더냐?…… 재산이 있대야 도적놈의 것이요, 목숨은 파리 목숨 같던 말세(末世)넌 다 지내가고오……. 자 부아라, 거리거리 순사요, 골골마다 공명헌 정사(政事), 오죽이나 좋은 세상이여……. 남은 수십만 명 동병(動兵)을 히여서, 우리 조선 놈 보호히여 주니, 오죽이나 고마운 세상이여? 으응?…… 제 것 지니고 앉어서 편안허게 살 태평 세상, 이걸 태평천하라구 허는 것이여, 태평천하!…… 그런디 이런 태평천하에 태어난 부잣놈의 자식이, 더군다나 왜 지가 떵떵거리구 편안허게 살 것이지, 어찌서 지가 세상 망쳐 놀 부랑당 패에 ㉤참섭을 헌담 말이여, 으응?"

– 채만식, 「태평천하」에서 –

08 (가)와 (나)에 대한 설명으로 적절하지 않은 것은?

① (가)는 고사(故事)나 한문 투 표현, 평민의 언어가 동시에 사용되어 향유 계층의 폭이 넓었다.
② (나)는 언어유희를 통한 해학적 표현이 사용되고 있다.
③ (가)와 (나) 모두 비유, 과장, 열거 등의 기법을 통해 독자의 흥미를 유발하고 있다.
④ (가)와 (나) 모두 판소리 창자(唱者)와 같은 효과를 내는 서술자의 개입이 드러나고 있다.
⑤ (가)와 (나) 모두 희화화의 방식으로 대상을 비하하여 독자에게 웃음을 유발하고 있다.

09 (가)를 통해 알 수 있는 내용으로 〈보기〉에서 올바른 것으로만 고른 것은?

보기

ㄱ. 춘향이는 자신이 죽으면 이몽룡이 시신을 거두어 주기를 원하고 있다.
ㄴ. 춘향이는 곧 죽을 운명에 대해 이몽룡을 원망하고 있다.
ㄷ. 운봉 영장은 한시의 내용을 듣고도 어사또가 암행어사인지 눈치 채지 못했다.
ㄹ. 어사또는 수령들이 지은 시를 먼저 듣고 난 후에 글 두 귀를 지었다.
ㅁ. 운봉 영장은 어사또가 시를 잘 짓는 것을 알고 작시를 제안했다.

① ㄱ ② ㄱ, ㄴ ③ ㄱ, ㄷ ④ ㄷ, ㄹ, ㅁ ⑤ ㄱ, ㄷ, ㅁ

10 ㉮와 가장 유사한 표현 방법이 사용된 것은?

① 우리들의 사랑을 위하여서는
이별이, 이별이 있어야 하네.

– 서정주, 「견우의 노래」에서 –

② 눈을 바라보며
밤새도록 고인 가슴의 가래라도
마음껏 뱉자.

– 김수영, 「눈」에서 –

③ 나는 누워서 편히 지냈다.
사랑하는 사람을 잃어버린
이 겨울.

– 문정희, 「겨울 일기」에서 –

④ 존재의 흔들리는 가지 끝에서
너는 이름도 없이 피었다 진다.

– 김춘수, 「꽃을 위한 서시」에서 –

⑤ 님이여, 당신은 백 번이나 단련한 금(金)결입니다.
뽕나무 뿌리가 산호(珊瑚)가 되도록 천국(天國)의 사랑을 받읍소서.

– 한용운, 「찬송」에서 –

11 ㉯의 한시의 내용과 가장 가까운 한자성어를 두 개 고르면?

① 견강부회(牽强附會)
② 가렴주구(苛斂誅求)
③ 도탄지고(塗炭之苦)
④ 견마지심(犬馬之心)
⑤ 순망치한(脣亡齒寒)

12 ㉠~㉤의 뜻풀이로 적절하지 않은 것은?

① ㉠ – 장형으로 매를 심하게 맞아 생긴 상처의 독
② ㉡ – 무덤이 많은 곳이나 사람이 죽어서 묻히는 곳
③ ㉢ – 조선 시대에 군대를 동원하는 표지로 쓰던 동글납작한 나무패
④ ㉣ – 오사하여 육시까지 당한다는, 몹시 저주하는 말
⑤ ㉤ – 어떤 일에 끼어들어 간섭함

[13~14] 다음 글을 읽고 물음에 답하시오.

(가)

[A] ┌ 매운 계절(季節)의 채찍에 갈겨
└ 마침내 북방(北方)으로 휩쓸려 오다.

[B] ┌ 하늘도 그만 지쳐 끝난 고원(高原)
└ 서릿발 칼날진 그 위에 서다.

[C] ┌ 어데다 무릎을 꿇어야 하나?
└ 한 발 재겨 디딜 곳조차 없다.

[D] ┌ 이러매 눈 감아 생각해 볼 밖에
└ 겨울은 강철로 된 무지갠가 보다.

– 이육사, 「절정」 –

(나)

이 몸이 주거 가셔 무어시 될고 ᄒᆞ니
봉래산(蓬萊山) 제일봉(第一峰)에 낙락장송(落落長松) 되야 이셔
백설(白雪)이 만건곤(滿乾坤)ᄒᆞᆯ 제 독야청청(獨也靑靑)ᄒᆞ리라.

– 성삼문* –

*수양대군의 왕위 찬탈에 맞서 단종의 복위를 도모한 사육신 중 한 명

13 다음 중 (가)에 대한 감상으로 옳지 않은 것은?

① [A]에서는 작품의 계절적 배경이 감각적 이미지로 형상화되어 나타나 있군.
② [A]에서 [B]로 이어지는 공간의 이동은 점층적으로 고조되는 화자의 극한 상황과 대응되고 있어.
③ [C]에서 화자가 보여준 '무릎을 꿇'는 행위에서 현실 도피적 태도를 읽어낼 수 있어.
④ [A]와 [B]에서는 화자의 외적 상황이 제시되고, [C]에서는 상황에 대한 화자의 인식이 드러나는군.
⑤ [D]에서 자신의 상황을 관조하던 화자는 역설적 인식을 통해 시상을 마무리 하고 있어.

14 (가)와 (나)를 분석한 것으로 옳은 것은?

① (가)와 달리 (나)의 화자는 지사적(志士的) 성격을 지니고 있다.
② (가)의 화자는 (나)와 달리 '자문자답'을 통하여 자신의 강렬한 의지를 보여준다.
③ (가)는 '칼날'을, (나)는 '낙락장송'을 통해 화자의 현실 대응 방식을 형상화한다.
④ (가)는 상충되는 이미지의 대립으로, (나)는 강렬한 색채의 대비로 주제의식을 부각시킨다.
⑤ (가)의 '고원'과 (나)의 '봉래산 제일봉'에 나타나는 수직적 이미지는 화자의 강한 의지를 보여준다.

10

다매체 시대, 가꾸는 국어

문법 요소와 언어 예절

1 높임 표현

말하는 사람이 어떤 대상을 그 높고 낮은 정도에 따라 언어로 구별하여 나타낸 것을 높임 표현이라 한다. **높이거나 낮추는 대상에 따라** 높임 표현은 주체 높임, 객체 높임, 상대 높임으로 나뉜다.

높임 표현의 개념

높임 표현은 대상을 높이는 것만이 아니라 낮추는 것도 포함됨

문장의 주체를 높인다: 주체 높임

맛보기

● **다음 문장의 높임 표현을 바르게 고쳐 보자.**

선생님이 벌써 갔어.

문장의 주체

➜ 선생님께서 벌써 가셨어.

주체 높임은 문장의 주체를 높이는 것을 가리킨다. 주체 높임은 주로 서술어에 선어말 어미 '-(으)시-'를 붙여 표현한다. 이때 주격 조사로는 '이/가' 대신에 '께서'를 사용한다.

주체 높임의 개념

어말 어미 앞에 나타나는 어미

(가) 우리 아버지께서는 휴일에 집에 계시는 편이야.

(나) 아버님은 키가 크시다.

주체 높임은 (가)와 같이 특수한 어휘를 써서 나타내기도 한다. '계시다(← 있다)', '잡수시다(← 먹다)', '주무시다(← 자다)' 등이 이러한 어휘에 해당한다.

한편 주체 높임에는 직접 높임과 간접 높임이 있다. 직접 높임은 높임의 대상인 주체를 직접 높이는 것이고, 간접 높임은 높임의 대상인 주체의 신체 일부, 소유물, 가족 등을 높임으로써 간접적으로 높임의 대상을 높이는 것이다. (가)는 높임의 대상인 '우리 아버지'를 직접 높인 것이므로 직접 높임의 예이고, (나)는 높임의 대상인 '아버님'의 신체 일부인 '키'를 높임으로써 간접적으로 '아버님'을 높인 것이므로 간접 높임의 예이다.

주체 높임의 종류

직접 높임과 간접 높임의 개념

행동의 객체를 높인다: 객체 높임

맛보기

● **다음 문장에서 높임 표현이 잘못된 부분을 고쳐 보자.**

나는 아버지를 데리고 공원에 갔다.

문장의 객체 – 목적어

➜ 나는 아버지를 모시고 공원에 갔다.

객체 높임은 문장의 객체를 높이는 것을 가리킨다. 객체 높임은 주로 '모시다(← 데리다)', '드리다(← 주다)', '여쭙다(← 묻다)' 등의 특수한 어휘를 사용해서 표현한다.

객체 높임의 개념 / 어미를 통해 실현되지 않음

한편 객체 높임을 실현할 때 높임 대상이 부사어인 경우, 아래의 문장처럼 부사격 조사 '에게/한테' 대신 '께'를 쓰기도 한다.

> 높임 부사격 조사
> 이 문제는 선생님께 여쭙고 싶다.
> 문장의 객체 – 부사어 / 특수 어휘 '여쭈다'

▶ 문장의 객체가 부사어인 경우 객체 높임의 실현 방법

대화 상대에 따라 다르다: 상대 높임

| 맛보기 |

● **다음 두 문장에서 대화 상대와 말하는 이의 관계가 어떻게 다른지 생각해 보자.**

- 내가 먼저 간다. : 말하는 이가 대화 상대보다 윗사람이거나 서로 동격임.
- 제가 먼저 갑니다. : 말하는 이가 대화 상대보다 아랫사람임.

상대 높임은 대화 상대인 듣는 이를 높이거나 낮추는 것이다. 맛보기에서 첫 번째의 문장은 보통 말하는 이가 듣는 이보다 윗사람이거나 두 사람이 동격인 경우이고, 두 번째 문장은 말하는 이가 듣는 이보다 아랫사람인 경우이다.

상대 높임의 개념 / 듣는 이를 높이지 않았기 때문 / 듣는 이를 높였기 때문

상대 높임은 종결 어미로 나타내는데, 크게 격식체와 비격식체로 나뉜다. 보통 격식체는 공식적이고 듣는 이와 다소 거리를 두고 예의를 갖추는 상황에서 쓰이고, 비격식체는 사적이고 듣는 이와 가깝고 친밀감을 나타내는 상황에서 쓰인다. 격식체는 높임의 순서에 따라 하십시오체, 하오체, 하게체, 해라체로 나뉘고, 비격식체는 해요체와 해체로 나뉜다.

상대 높임의 종류 / 종결 어미의 형태를 기준으로 나눔

다음은 상대 높임법에 따라 동사 '하다'의 종결 어미가 변화하는 모습이다.

		평서문	의문문
격식체	하십시오체	합니다	합니까?
	하오체	하오	하오?
	하게체	하네, 함세	하는가?, 하나?
	해라체	한다	하냐?, 하니?
비격식체	해요체	해요, 하지요	해요?, 하지요?
	해체(반말)	해, 하지	해?, 하지?

▶ 상대 높임의 종류와 실현 방법

■

확인학습

01 높임법은 주체 높임법, 객체 높임법, 간접 높임법으로 나누어진다. O☐ X☐

02 상대 높임법은 사적인 상황에서 쓰이는 격식체와 공적인 상황에서 쓰이는 비격식체로 나누어진다. O☐ X☐

03 격식체는 높임의 차이로 아주 높임, 예사 높임, 예사 낮춤, 아주 낮춤으로 비격식체는 두루높임, 두루 낮춤의 형식으로 분류할 수 있다. O☐ X☐

04 선어말 어미 –(으)시–는 주체 높임법에서만 사용되는 실현 방법이다. O☐ X☐

05 잡수시다, 드시다와 같은 특수어휘에는 계시나, 뵈다, 모시다 등을 들 수 있다. O☐ X☐

06 주격 조사 '이/가' 대신 '께서'를 사용하는 것은 객체 높임법의 실현 방법이다. O☐ X☐

07 객체 높임법에서의 객체란 목적어나 부사어가 지시하는 대상을 의미한다. O☐ X☐

08 조사 '에게' 대신 '께'를 사용하는 것은 객체 높임법의 실현 방법이다. O☐ X☐

09 '손님, 커피 나오셨습니다.'는 간접 높임법을 올바르게 사용한 예이다. O☐ X☐

10 '할머니께서는 귀가 밝으시다'는 간접 높임법을 올바르게 사용한 예이다. O☐ X☐

11 간접 높임법에서는 특수어휘를 사용하지 않고 선어말어미 '–(으)시–'를 결합하여 실현한다. O☐ X☐

12 '선생님, 우리 어머니가 도시락을 안챙겨줬어요.'의 문장을 올바르게 높임표현을 하여 고쳐보고 어떠한 높임법이 쓰였는지 적어보자. [ ]

2 시간 표현

어떤 동작이나 상태가 과거에 일어난 일인지, 현재 일어나고 있는 일인지, 혹은 앞으로 일어날 일인지를 언어로 표현하는 것을 시제(時制)라고 한다. 시제는 말하는 때[발화시(發話時)]를 기준으로 동작이나 상태가 일어나는 때[사건시(事件時)]와 선후 관계를 따져 과거 시제, 현재 시제, 미래 시제로 나뉜다.

시제의 개념

시제 판단은 발화시와 사건시의 관계에 따름

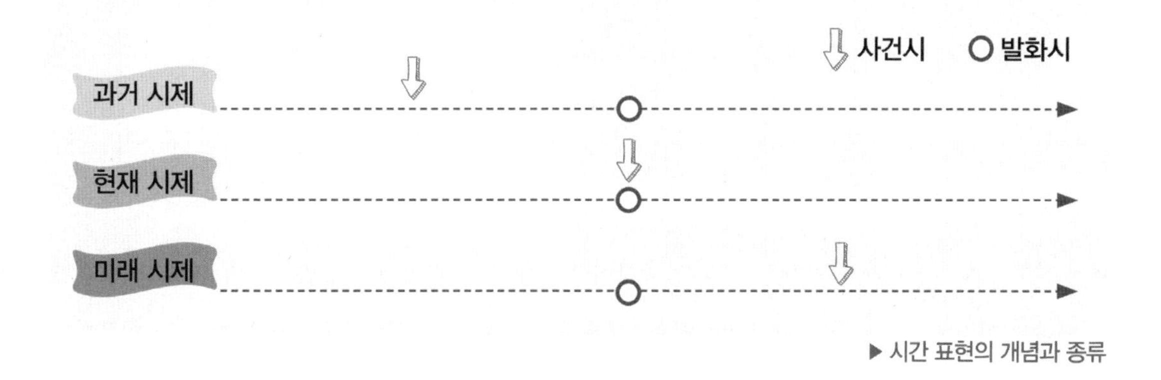

▶ 시간 표현의 개념과 종류

말하는 때보다 앞서 일어난 일을 나타낸다: 과거 시제

맛보기

● 다음 문장의 밑줄 친 부분을 문맥에 맞게 바꾸어 보자.

나는 어제 그 책을 끝까지 다 읽다.
➜ (읽었다.)

과거 시제는 사건시가 발화시보다 앞서 있는 시제이다. 과거 시제는 주로 선어말 어미 '-았-/-었-'을 써서 표현한다.

과거 시제의 개념

(가) 엄마와 함께 보자고 약속한 그 영화가 아니다.
관형사형 어미 '-ㄴ'

(나) 아주 날씬하던 중학생 시절이 그립다.
관형사형 어미 '-던'

(다) 어제 식당에서 그 사람이랑 같이 밥 먹고 있더라.
선어말 어미 '-더-'

과거 시제는 관형사형 어미 '-(으)ㄴ' 또는 '-던'을 사용하여 나타내기도 한다.
용언이 관형사처럼 체언을 꾸밀 때 용언의 어간에 붙는 어미

동사에는 두 가지 어미가 다 쓰이고 형용사에는 '-던'만 쓰인다. (가)는 '약속하다'(동사)의 어간에 관형사형 어미 '-ㄴ'을 붙여서, (나)는 '날씬하다'(형용사)의 어간에 '-던'을 붙여서 과거 시제를 표현한 예이다.

과거 시제를 나타내는 데에 선어말 어미 '-더-'도 쓰인다. 그런데 '-더'가 사용된 표현은 단순한 과거가 아니라 과거 어느 때의 일이나 경험을 돌이켜 생각하는 의미를 나타낸다. (다)에 쓰인 '-더-'가 그 예로서, 과거에 일어난 일을 회상하고 있음을 드러낸다.

과거 시제를 나타내면서 회상의 의미를 더함

말할 때 일어나고 있는 일을 나타낸다: 현재 시제

맛보기

● 다음 빈칸에 들어갈 적절한 활용형을 아래에서 찾아보자.

> "여우야, 여우야, 뭐 하니?"
> "밥 (㉠ 먹는다.)."

✓㉠ 먹는다　　㉡ 먹더라　　㉢ 먹겠다　　㉣ 먹었다

현재 시제는 발화시와 사건시가 일치하는 시제로, 동작이나 상태가 현재 일어나고 있는 것을 표현한다. 현재 시제는 동사일 경우 선어말 어미 '-는-/-ㄴ-'을 써서 표현하고, 형용사와 서술격 조사의 경우 선어말 어미 없이 표현한다. 맛보기는 질문이 현재 시제이므로, 동사의 어간에 '-는-'을 붙여 현재 동작을 하고 있음을 나타내는 ㉠이 적절하다.

(현재 시제의 개념 / 기본형이나 기본형의 활용형으로 / 동사 '먹다'의 '먹-')

> **(가)** 학생들은 현재 도서관에서 책을 읽는다. (시간 부사어 / 선어말 어미 '-는-')
> **(나)** 형은 요즈음 기말고사 직전이어서 매우 바쁘다. (시간 부사어 / 형용사의 기본형)

(가)는 동사의 어간에 선어말 어미 '-는-'이 결합하여, (나)는 형용사에 아무것도 붙지 않은 채 현재 시제가 표현된 예이다.

(동사 '읽다'의 '읽-' / 형용사 '바쁘다'의 기본형이 그대로 쓰임)

때에 따라서는 현재 시제가 확실한 미래나 보편적인 진리를 나타내기도 한다. "내일은 내일의 태양이 뜬다."와 "지구는 돈다."가 각각의 예에 해당한다.

(확실한 미래 / 보편적인 진리)

말할 때보다 나중에 일어날 일을 나타낸다: 미래 시제

맛보기

● 다음 대화가 자연스러워지도록 밑줄 친 동사의 적절한 활용형을 모두 골라 보자.

> **아빠**: 어제 약속한 일은 다 끝냈니?
> **태현**: 아직 못 끝냈어요. 내일 아침까지는 마무리하다.
> **규현**: 저는 내일 저녁까지 마무리하다.

㉠ 마무리하고 있어요.　　㉡ 마무리했어요.
✓㉢ 마무리하겠어요.　　✓㉣ 마무리할 거에요.

미래 시제는 사건시가 발화시보다 나중인 시제이다. 미래 시제는 주로 선어말 어미 '-겠-'을 써서 표현하고, 관형사형 어미 '-(으)ㄹ'과, 이에 의존 명사 '것'이 결합한 '-(으)ㄹ 것'도 널리 쓰인다.
미래 시제의 개념

맛보기에서 태현이와 규현의 대답에 모두 '내일'이라는 부사어가 쓰여 미래임을 나타내었으므로, '마무리하다'에 '-겠-'이 붙은 '마무리하겠어요.'나 '마무리할 거예요.'가 적절하다.
'마무리하다'에 '-(으)ㄹ 것'이 붙은 경우

(가) 틀림없이 지금은 이미 늦었겠죠?
부사 (추측)
(나) 다음에는 꼭 제시간에 맞춰 오겠습니다.
부사 (의지)

그런데 '-겠-'과 '-(으)ㄹ 것'은 미래 시제를 나타내는 것 이외에 추측이나 의지 등을 표현하기도 한다. 이 경우 부사 '아마, 틀림없이' 등과 함께 쓰이면 추측의 뜻이, '꼭, 반드시' 등과 함께 쓰이면 의지의 뜻이 분명해진다. (가)는 '-겠-'이 추측을, (나)는 의지를 나타내는 예이다.
부사 '틀림없이'와 함께 쓰임
부사 '꼭'과 함께 쓰임

확인학습

01 '불었다'는 '불-+-었-+-다'로 분석되어 과거 시제 선어말 어미 '-었-'이 쓰였음을 알 수 있다. O□ X□

02 '분다'는 '불-+-ㄴ-+-다'로 분석되어 관형사형 어미 -(으)ㄴ이 쓰였음을 알 수 있다. O□ X□

03 '불겠다'는 '불-+-겠-+-다'로 분석되어 선어말 어미 -겠-이 쓰였음을 알 수 있다. O□ X□

04 시간부사는 어제, 아까, 오늘, 지금, 내일, 곧 등 시제를 표현하는 부사를 의미한다. O□ X□

05 시제를 표현하는 방법으로는 (　　　　)의 활용과 (　　　　)를 통해 실현된다.

06 시제를 표현하는 선어말 어미는 시간을 드러내기 위한 기능만을 한다. O□ X□

07 과거 시제를 표현하는 '-았-/-었-'은 시제 표현 뿐만 아니라 진행상을 나타내는 기능도 한다. O□ X□

08 현재 시제를 표현하는 '-ㄴ-'은 시제 표현 뿐만 아니라 가까운 미래, 과거의 사건을 현장감 있게 표현하는 기능도 한다. O□ X□

09 미래 시제를 표현하는 '-겠-'은 추측이나 의지를 나타내기도 한다. O□ X□

10 동작상은 어떠한 행위가 진행되는 것인 (　　　　)과, 완료된 것인 (　　　　)으로 구분된다.

11 현재 시제는 때에 따라 보편적인 진리를 나타내기도 한다. O□ X□

12 과거 시제를 실현하기 위해서 동사는 어간에 관형사형 어미'-ㄴ'을 붙이지만 형용사의 경우 선어말 어미 없이 표현한다 O□ X□

3 피동 표현

주어가 동작을 자신의 힘으로 하는 것을 능동(能動)이라 하고, 다른 주체에 의해서 동작을 당하는 것을 피동(被動)이라 한다.

능동의 개념 / 피동의 개념

맛보기

● **다음 두 문장에 나타난 주어의 동작이 자신의 의지에 따른 것인지, 남의 행동으로 일어난 것인지 판단해 보자.**

- 경찰이 도둑을 붙잡았다. ➜ 주어 '경찰'의 의지에 따른 것임.
- 도둑이 경찰에게 붙잡혔다. ➜ 주어 '도둑'의 의지에 따른 것이 아니라 다른 주체인 '경찰'의 행동으로 일어난 것임.

맛보기의 첫 번째 문장은 주어인 '경찰'이 도둑을 붙잡는 동작을 스스로 하는 것이므로 능동문이다. 두 번째 문장은 주어인 '도둑'이, 다른 주체인 '경찰'이 자신을 '붙잡는' 동작을 당하는 것이므로 피동문이다.

(가) 빗소리가 조금 들리는 것 같더니, 곧 창밖에 빗방울이 보이기 시작했다.
피동 접미사 '-리-' / 피동 접미사 '-이-'
(나) 실컷 울고 났더니 속상했던 마음이 다 풀어졌다.
'-어지다'에 의한 피동
(다) 이 문은 열려지지 않는다. → 이 문은 열리지 않는다.
피동 접미사 'ㄹ-리-'에 '-어지다'의 결합
(라) 그것을 먹게 되어지는 것은 → 그것을 먹게 되는 것은
'되다'에 '-어지다'의 결합

피동문이 실현되는 방법 중 하나는 피동사에 의한 것이다. 피동사는 능동사의 어간에 피동 접미사 '-이-, -히-, -리-, -기-'가 붙어서 만들어진다. 또한 피동문은 '-되다', '-어지다', '-게 되다'에 의해서 표현되기도 한다. (가)는 접미사 '-리-'와 '-이-'가 결합된 피동사가 쓰인 피동문이고, (나)는 '-어지다'에 의해서 만들어진 피동문이다.

피동 접미사를 사용한 피동 → 짧은 피동(파생적 피동) / 짧은 피동(파생적 피동) / 긴 피동(통사적 피동) / '듣-+-리-(피동 접미사)+-는', '보-+-이-(피동 접미사)+-기' / 풀-+-어지-+-었-+-다'

이렇게 실현된 피동문 중에서 (다)와 (라)처럼 우리말 어법에 어색한 것들이 있는데, 이것들은 불필요한 피동을 쓴 번역투 문장이다. (다)는 '열다'라는 동사에 피동 접미사 '-리-'가 붙어서 '열리다'라는 피동사가 된 것에, 피동문을 만드는 '-어지다'를 또 붙인 것으로 우리말 어법에 어긋나는 표현이다. (라)는 '-어지다'를 붙여 불필요하게 피동형을 쓴 것이다. 꼭 필요한 경우가 아니라면 피동 표현보다는 능동 표현을 사용하는 것이 바람직하다.

이중 피동은 우리말 어법에 어긋난 표현임. 이중 사동은 인정

(능동문) 사냥꾼이 토끼를 잡았다.
(피동문) 토끼가 사냥꾼에게 잡혔다.

능동문이 피동문으로 바뀔 때 문장 성분이 바뀐다. 위와 같이 능동문의 주어는 피동문의 부사어가 되고, 능동문의 목적어는 피동문의 주어가 된다. 이때 피동문의 부사어에는 '에게/에'가 주로 사용되고 '에 의해(서)'가 사용되기도 한다.

능동사는 피동사로 바뀜 / 능동문이 피동문으로 변형될 때 일어나는 과정

4 인용 표현

다른 사람의 말이나 글을 끌어다 쓰는 것을 인용이라 한다. 인용 표현은 **직접 인용** 표현과 **간접 인용** 표현으로 나눌 수 있다.

인용의 개념 / 인용 표현의 종류

맛보기

● **다음 문장의 밑줄 친 부분 다음에 연결되는 조사를 빈칸에 적어 보자.**

- 갑자기 도현이가 나서서 "제가 그랬습니다."(라고) 말했다.
- 아까는 그런 적이 없다(고) 하더니 말이다.

직접 인용 표현은 다른 사람의 말이나 글을 원래의 형식을 그대로 유지하며 인용하는 것이다. 직접 인용 표현일 때는 해당 인용절에 큰따옴표를 하여 표시하고, 인용절 다음에 조사 '라고'를 쓴다. 맛보기의 첫 번째 문장은 큰따옴표를 쓴 데에서 직접 인용 표현임을 알 수 있으므로 '라고'를 써야 한다.

직접 인용의 개념 / 직접 인용 시 갖추어야 할 요건 ① / 직접 인용 시 갖추어야 할 요건 ②

간접 인용 표현은 다른 사람의 말이나 글을 인용할 때 그 형식은 유지하지 않고 내용만 끌어다 쓰는 것이다. 즉, 인용하고자 하는 말이나 글을 이해하여 자신의 말로 바꾸어 인용하는 방법이기 때문에 간접 인용 표현이라고 한다. 간접 인용절 다음에는 조사 '고'를 쓴다. 맛보기의 두 번째 문장은 간접 인용 표현이므로 '고'를 써야 한다.

간접 인용의 개념 / 간접 인용시 갖추어야 할 요건

간접 인용 표현일 때는 의미만 같다면 원래 표현의 형식을 자유롭게 바꾸어도 큰 문제가 없다. 맛보기의 두 번째 문장의 간접 인용절은 '그런 적이 없다'인데, 말하는 사람에 의해 바뀐 표현이기 때문에 원래의 표현을 정확히 알 수 없다. "그런 적이 없다니까.", "난 정말 안 그랬어." 등이 모두 원래의 표현일 가능성이 열려 있다.

형식은 유지하지 않고 내용만 끌어다 쓰는 인용이기 때문

확인학습

01 주어가 다른 주체에 의해서 동작을 당하게 되는 것을 나타내는 표현을 사동 표현이라고 한다. O□ X□

02 피동 표현은 능동사의 어간에 피동 접미사 '-되다', '-어지다', '-게 되다'가 붙어서 만들어진 피동사나, '-이-, -히-, -리-, -기-'같은 표현을 통해 실현된다. O□ X□

03 능동문이 피동문으로 바뀔 때에는 능동문의 목적어가 피동문의 주어가 되고, 능동문의 주어는 피동문의 부사어가 된다. O□ X□

04 '벌이 나를 쏘았다.'를 피동문으로 바꾸어 보고 문장 성분을 분석하시오.
[ ]

05 피동 표현을 중복해서 사용해도 의미 전달상 문제가 없으므로 괜찮다. O□ X□

06 이중 피동 표현은 피동의 의미를 강화시키기 위한 표현으로, 자주 사용하는 것이 좋다. O□ X□

07 인용하는 문장에 작은따옴표를 붙이고 조사 '라고'를 사용하는 것을 직접 인용이라 한다. O□ X□

08 직접 인용에 '라고'를 사용하거나 간접 인용에 '고'를 사용하는 경우가 많으므로 주의해야 한다. O□ X□

09 직접 인용을 할 때는 의미만 같다면 표현의 형식을 바꾸어도 된다. O□ X□

5 상황과 대상에 맞는 언어 예절

자신이 전달하고자 하는 말의 내용이 정당하더라도 그 내용을 전달하는 방법이 상황과 대상에 적절하지 않으면 말하는 목적을 이루기 어렵다. 따라서 말을 할 때는 상황과 대상에 적절하게, 예절을 갖추어 말하는 것이 중요하다.

말하기의 목적을 이루기 위해서는 말하는 내용만이 아니라 방법도 중요함.

말하기의 목적을 이루기 위해 고려해야 할 요소

맛보기

● **아래의 두 대화 상황에서 아빠의 반응이 각각 어떻게 다를지 생각해 보고, 어떤 것이 말하기의 목적을 이루기 쉬울지 말해 보자.**

〈대화가 이루어지기 전의 상황〉

아빠는 최근에 규현이가 게으르게 생활하는 것을 충고했으나, 규현이의 태도에 변화가 없어 기분이 상해 있는 상태이다.

〈대화 1〉

규현: 아빠, 나 때문에 화났어? 미안해. 고쳐 볼게. 그건 그렇고, 나 휴대 전화가 고장 났어. 좀 바꿔 줘.

아빠: 너는 말하는 태도가 그게 뭐니? 진심으로 사과하는 거야? 휴대 전화를 바꾸기는 무슨…….

〈대화 2〉

규현: 아빠, 저 때문에 화나셨어요? 아빠 기분을 상하게 해서 죄송해요. 아빠 말씀대로 부지런히 지내도록 노력해 볼게요.

아빠: 규현이가 그렇게 말하니 아빠 마음이 한결 가볍구나. 아빠도 도울 일이 있으면 도울 테니 같이 한번 해 보자꾸나.

규현: 네, 아빠. 아빠 도음이 필요하면 제가 부탁드릴게요. 우선은 제힘으로 해 볼래요.

아빠: 그래. 규현이가 잘 해낼 수 있을 거라 생각한다.

규현: 참, 아빠. 그런데 제 휴대 전화가 고장 난 것 같아요. 4년쯤 쓰면서 수리도 여러 번 해서 이제는 수리해도 별로 소용없을 것 같아요.

아빠: 그래. 규현이가 그 전화기를 아껴서 참 오래 썼지. 어떤 전화기로 바꾸면 좋을지 같이 한번 알아보자.

예시 답 〈대화 2〉의 말하기가 말하기 목적을 이루기 쉬울 것이다.

부탁이나 건의처럼 상대방이 부담을 느낄 수 있는 상황이나, 사과처럼 상대방의 기분을 살펴야 하는 상황에서는 완곡하고 차분하게 말하는 것이 좋다. 완곡하고 차분하게 말하는 것은 곧 정중하고 공손하며 예절 바르게 말하는 것을 가리키는데, 이렇게 말을 해야 상대방의 부담을 덜어 주고 기분을 상하지 않게 할 수 있기 때문이다.

부탁이나 건의를 듣는 사람이 무엇인가를 해 주기로 결심해야 하는 상황이므로

말하는 투가, 듣는 사람의 감정이 상하지 않도록 모나지 않고 부드럽고

부탁은 양해를 구하거나 물건을 빌리는 등 상대방을 설득하여 자신의 어려움을 해결하기 위한 말하기이다. 부탁을 할 때에는 부탁할 내용을 간결하고 명확하게 말하여 상대방이 쉽고 정확하게 파악할 수 있도록 말해야 한다. 그리고 공손하고 예의 바른 말을 사용하여 상대방이 편안함과 친근감을 느끼게 해야 목적을 이룰 가능성이 커진다.

'부탁'의 개념

부탁할 내용을 구성할 때 고려해야 할 요소

부탁하는 말하기를 할 때 고려해야 할 요소

건의는 어떤 문제를 혼자 해결할 수 없을 때에 의견이나 희망 사항을 내놓는 말하기이다. 건의할 때는 문제가 무엇인지 분명하게 제시하고, 그것을 해결하기 위한 건의 사항을 간결하고 구체적으로 밝혀야 한다. 그리고 건의할 때는 예의 바른 태도로 간곡하고 정중하게 말해야 한다. 경어를 사용하는 것은 물론 상대방의 호칭도 바르게 쓰는 것이 좋다.

'건의'의 개념

건의할 내용을 구성할 때 고려해야 할 요소

건의하는 말하기를 할 때 고려해야 할 요소

사과는 자기의 잘못을 인정하고 용서를 비는 말하기이다. 용서는 사과를 하는 사람의 잘못을 상대방이 꾸짖거나 벌하지 않고 덮어 주는 것이므로 상대방의 분을 살피고 상한 감정을 풀어 주는 것이 중요하다. 그래서 사과할 때는 자신의 잘못을 솔직하고 구체적으로 밝히고, 그 잘못으로 인해 상대방의 기분이 상한 것에 대해 진심으로 미안해하고 있음을 말해야 한다. 사과할 때도 예의 바르고 정중하게 말해야 하는데, 부탁이나 건의와 달리 상대방에게 행한 잘못 때문에 용서를 구하는 것이기 때문에 더욱 그러하다.

'사과'의 개념

사과할 내용을 구성할 때 고려해야 할 요소

사과하는 말하기를 할 때 고려해야 할 요소

맛보기의 대화 중에서 규현이는 〈대화 1〉보다는 〈대화 2〉처럼 말할 때, 자신의 말하기 목적을 이루기 쉬울 것이다. 그 까닭은 아빠(상대방)의 기분을 살피면서 정중하고 완곡하게 용서를 빌고 부탁(건의)을 했기 때문이다.

이렇게 상황과 대상에 적절하게, 예의를 갖추어 말을 해야 자신이 원하는 목적을 이룰 수 있으며, 대화 상대와의 관계를 원만하게 유지할 수 있다.

확인학습

01 말을 전달할 때는 말하는 방법과 상관없이 내용만 정당하면 된다. O□ X□

02 건의를 할 때는 문제가 무엇인지 분명하게 제시하고 건의 사항을 간결하고 구체적으로 밝혀야 한다. O□ X□

03 사과를 할 때는 자신의 잘못을 밝히는 것보다 상대가 듣기 좋은 말을 하여 상대의 기분을 풀어주는 것이 중요하다. O□ X□

객관식 기본문제

01 다음 중 높임법을 잘못 사용한 문장은?

① (동네 할머니에게) 저는 지금 집에 가는 길입니다.
② 부모님께서는 날 아껴주신다.
③ 저희 어머니께서도 어머니 나름의 생각이 계십니다.
④ 어제 누나가 나 몰래 할아버지께 선물을 드렸나봐.
⑤ 모르는 문제가 있으면 선생님께 여쭈어 봐라.

02 〈보기〉의 (가)를 참고했을 때, (나)의 문장에서 실현된 높임 표현으로 알맞은 것은?

보기

(가) 우리말의 높임 표현은 높임의 대상에 따라 상대 높임법, 주체 높임법, 객체 높임법으로 나뉜다. 그런데 실제 언어생활에서 높임 표현이 실현되는 양상은 복합적이다.
(나) 채영아, 선생님께서 너를 찾으셔.

① 문장의 주체와 객체를 모두 높였다.
② 문장의 주체와 청자를 모두 높였다.
③ 문장의 주체는 높이고, 청자는 낮추었다.
④ 문장의 객체와 청자를 모두 높였다.
⑤ 문장의 객체는 높이고, 청자는 낮추었다.

03 〈보기〉의 ㉠~㉤을 통해 높임표현을 바르게 탐구한 내용을 올바르게 짝지은 것은?

보기

조카 : 이모, 오셨어요.
이모 : 동호야, 오랜만이구나. 오늘 같이 밥을 못 먹어서 아쉽네. ㉠공부 열심히 하렴.
조카 : 네, 이모. 안타깝지만 시험 기간이 얼마 남지 않아서요.
이모 : 그래. ㉡엄마는 어디 가셨니? 외할머니께서도 오고 계시는지 전화 드려볼래?
조카 : 아, ㉢외할머니께서 병환이 있으셔서 종일 누워계셨대요. 그래서 ㉣외할머니께서는 엄마와 함께 병원에 가셨다가 식당으로 가신다고 ㉤이모께 전해 드리래요.
이모 : 그래? 그럼 나도 그리로 가봐야겠네.

A : ㉠은 종결 어미를 사용하여 상대인 조카를 높이고 있다.
B : ㉡은 선어말 어미를 사용하여 객체인 '엄마'를 높이고 있다.
C : ㉢은 선어말어미를 사용하여 주체인 '외할머니'를 간접적으로 높이고 있다.
D : ㉣은 선어말어미를 사용하여 주체인 '외할머니'를 직접적으로 높이고 있다.
E : ㉤은 높임을 표시하는 부사격 조사를 사용하여 이모를 높이고 있다.

① A, E ② A, B ③ B, C ④ C, D ⑤ C, D, E

04 다음 〈보기〉에 대한 설명으로 바르지 못한 것은?

보기

할머니㉠께서 어제 서울㉡에 ㉢가시었다.

① 종결어미 '-다'를 사용한 평서문이다.
② ㉠, ㉡은 주로 체언 뒤에 붙는 품사이다.
③ ㉢은 용언이다.
④ ㉢의 '가-'는 활용을 할 때 변하지 않으므로 어근이다.
⑤ ㉢의 '-시-, '-었-'은 모두 선어말 어미이다.

05 다음 〈보기〉의 ㉠~㉤에 대한 설명으로 옳은 것은?

보기

㉠ 아범, 늦기 전에 어서 가게.
㉡ 영희야, 아버지 안 계시니?
㉢ 아버지께 전화 드리고 얼른 나가자.
㉣ 어머니께서 너 데리고 식당으로 오라셨어.
㉤ 이번 달 보름께 할머니를 뵈러 갈 생각이야.

① ㉠은 '격식체'를 사용하여 청자인 아범을 높이고 있어.
② ㉡은 '계시다'를 사용하여 객체인 아버지를 높이고 있어.
③ ㉢은 '께'를 사용하여 주체인 아버지를 높이고 있어.
④ ㉣은 '께서'를 사용하여 주체인 어머니를 높이고 있어.
⑤ ㉤은 '께'와 '뵈다'를 사용하여 객체인 할머니를 높이고 있어.

06 〈보기〉의 높임 표현에 대한 설명으로 적절하지 않은 것은?

보기

점원 : 손님, 무엇을 ㉠도와드릴까요?
손님 : 어머니 선물을 사러 왔어요. ㉡저희 어머니께서 생신이거든요.
점원 : 이 립스틱은 어떨까요? 선물로 ㉢드리시면 무척 좋아하실 겁니다.
손님 : 저희 어머니께서 ㉣피부가 희셔서 잘 맞을지 모르겠네요. ㉤당신께서 짙은 화장을 싫어하셔서요.
점원 : 그러시면 다른 걸 좀 더 골라 보도록 하죠.

① ㉠ : 보조사 '-요'를 통해 듣는 상대를 높이고 있다.
② ㉡ : '저희'라는 자신을 낮추는 어휘를 사용하여 상대인 점원 높이고 있다.
③ ㉢ : 특수 어휘를 사용해서 선물을 주는 사람을 높이고 있다.
④ ㉣ : '어머니'가 높임의 대상이므로 그 신체의 일부가 주어로 올 때도 간접 높임 표현을 쓰고 있다.
⑤ ㉤ : 3인칭 주어 '어머니'를 다시 대명사로 언급하면서 높이고 있다.

07 〈보기〉의 높임 표현 ㉠~㉣이 모두 사용된 문장은?

보기

우리말에는 일반적으로 ㉠선어말 어미나 종결 어미, ㉡조사 등을 통해 높임을 표현하지만 어휘를 통해 높임을 표현하는 경우도 있다. 높임 표현에 쓰이는 어휘들은 ㉢주체를 높이는 용언, 객체를 높이는 용언, 높여야 할 인물을 직접 높이는 명사, ㉣높여야 할 인물과 관련된 것을 높이는 명사로 분류할 수 있다.

① 나는 아직 그분의 성함을 기억하고 있다.
② 누나는 여쭐 것이 있다며 할머니 댁에 갔다.
③ 연세가 많으신 할머니께서는 홍시를 잘 잡수신다.
④ 우리는 부모님을 모시고 바닷가로 여행을 떠났다.
⑤ 어머니께서는 몹시 피곤하셨는지 거실에서 주무신다.

08 다음 문장에 사용된 높임 표현에 대한 설명으로 적절하지 않은 것은?

어머니께서 할머니를 모시고 병원에 가셨다.

① 높임의 대상은 '어머니'와 '할머니'이다.
② 주격조사를 사용하여 문장의 주체를 높이고 있다.
③ 객체를 높이기 위해 높임을 나타내는 목적격조사를 사용하였다.
④ 문장의 주체를 높이기 위한 선어말어미를 사용하였다.
⑤ 문장의 목적어를 높이기 위해 특수어휘를 사용하였다.

09 〈보기〉의 밑줄 친 부분에 나타나는 높임 표현의 양상을 설명한 것으로 적절한 것은?

보기

㉠ 어머니는 할머니께 과일을 드렸다.
㉡ 어머니는 어제 할머니를 뵙고 오셨다.
㉢ 어머니는 형을 잠깐 만나러 오셨습니다.
㉣ 아버지는 할머니께 커다란 선물을 드리셨다.
㉤ 아버지는 할머니를 아침 일찍 모시러 왔습니다.

① ㉠은 주체와 객체를 모두 높이고 있다.
② ㉡은 객체와 청자를 모두 높이고 있다.
③ ㉢은 주체와 청자를 모두 높이고 있다.
④ ㉣은 객체를 높이고, 주체는 낮추고 있다.
⑤ ㉤은 주체, 객체, 청자를 모두 동시에 높이고 있다.

10 담화 상황을 고려했을 때, 〈보기〉에서 높임 표현이 적절한 것을 고른 것은?

보기

ㄱ. (손자가 할아버지께) 할아버지, 아버지가 여기에 왔습니다.
ㄴ. (식당에서 점원이 손님에게) 손님, 주문하신 커피가 나왔습니다.
ㄷ. (교실에서 친구가 영수에게) 영수야, 선생님께서 너 교무실로 오시래.
ㄹ. (학교 방송에서 학생들에게) 잠시 후, 교장 선생님 말씀이 계시겠습니다.

① ㄱ, ㄴ ② ㄱ, ㄹ ③ ㄴ, ㄷ ④ ㄴ, ㄹ ⑤ ㄷ, ㄹ

11 〈보기〉의 ㉠, ㉡이 모두 사용된 문장은?

보기

우리말에서는 일반적으로 선어말어미나 종결어미, 조사 등을 통해 높임을 표현하지만, 어휘를 통해 높임을 표현하는 경우도 있다. 높임 표현에 쓰이는 어휘들은 다음과 같이 분류할 수 있다.

- 주체를 높이는 용언
- ㉠객체를 높이는 용언
- 높여야 할 인물을 직접 높이는 명사
- ㉡높여야 할 인물과 관련된 것을 높이는 명사

① 작은아버지는 살림이 넉넉하시다.
② 나는 아직 그 분의 성함을 기억한다.
③ 이번 주말에 할머니를 뵈러 가야한다.
④ 선생님께 따님에 대한 칭찬을 해 드렸다.
⑤ 나는 전화로 할아버지께 안부를 여쭈었다.

12 다음 밑줄 친 시간 표현에 대한 설명으로 잘못된 것은?

① 그렇게 어렵던 수학문제가 이제 술술 풀린다. → 과거 시제
② 그는 언젠가는 떠날 사람이야. → 미래 시제
③ 들에 핀 꽃이 참 곱다. → 현재 시제
④ 그 애가 무거운 짐을 들고서 걸어간다. → 완료상
⑤ 미나가 의자에 앉아 있다. → 진행상

13 다음 〈보기〉의 ㉠~㉤에 대한 설명으로 적절하지 않은 것은?

보기

㉠ 우리의 꿈을 이루겠다.
㉡ 공기가 매우 맑다.
㉢ 어제 먹은 빵이 매우 맛있었다.
㉣ 철수가 양손을 흔들고서 나에게 다가온다.
㉤ 그는 은퇴 후에도 여전히 바쁘고 있다.

① ㉠은 사건시가 발화시보다 뒤에 오는 시제이다.
② ㉡의 '맑다'에는 시제 표시가 따로 없다.
③ ㉢의 '먹은'에는 선어말어미 '-(으)ㄴ'을 써서 과거 시제를 나타내었다.
④ ㉣의 밑줄 친 부분은 연결 어미 '-고서'를 써서 어떤 동작이 시간의 흐름 속에서 이미 끝났다는 것을 표현하였다.
⑤ ㉤의 밑줄 친 부분이 어색한 이유는 '바쁘다'가 형용사이기 때문이다.

14 (가)와 (나)를 비교한 내용으로 적절한 것은?

(가) 고양이가 우유를 먹고 있었다.
(나) 고양이가 우유를 먹어 버렸다.

① (가)는 가능성을, (나)는 추측을 나타낸다.
② (가)는 과거와의 단절을, (나)는 회상을 나타낸다.
③ (가)는 보조 용언으로, (나)는 선어말 어미로 동작상을 나타낸다.
④ (가)는 동작이 시간의 흐름 속에서 이어지고 있음을, (나)는 동작이 이미 끝났음을 나타낸다.
⑤ (가)는 발화시와 사건시가 일치하는 사건을, (나)는 사건시가 발화시보다 앞선 사건을 나타낸다.

15 〈보기〉는 시간을 표현하는 방법에 대해 조사한 것이다. 각 문장에 대한 시간 표현을 잘못 설명한 것은?

보기

ㄱ. 시제란 사건이 발생한 시점(사건시)이 그 사건을 언어로 표현하는 시점(발화시)보다 이전인지 이후인지 아니면 일치하는지를 나타내는 문법 요소이다.

ㄴ. 동작상은 발화시를 기준으로 동작이 일어나고 있는 모습을 표현한 것인데, 동작이 진행되고 있음을 표현하는 진행상과 동작이 이미 완결되었음을 표현하는 완료상이 있다.

㉠	어제 친구를 만나 영화를 보았다.	부사와 선어말 어미를 써서 발화시보다 사건시가 앞서는 과거시제를 표현한다.
㉡	이렇게 비가 오니 농사는 다 지었다.	미래의 일을 확정적으로 받아들임을 나타낸다.
㉢	지난 여름에는 정말 덥더라.	과거 어느 때의 일이나 경험을 회상할 때에 사용한다.
㉣	나도 그건 할 수 있겠다.	미래 시제를 나타내는 것 이외에 능력을 표현하기도 한다.
㉤	그 책은 동생에게 줘 버렸고, 지금은 이 책을 읽고 있어.	발화시를 기준으로 동작이 둘 다 동시에 진행되고 있음을 표현하고 있다.

① ㉠ ② ㉡ ③ ㉢ ④ ㉣ ⑤ ㉤

16 밑줄 부분의 동작상을 나타낸 것으로 적절하지 않은 것은?

〈문장〉	〈동작상〉
① 철수가 빵을 먹고 있을 것이다.	진행상
② 널어둔 빨래가 말라 버렸다.	완료상
③ 철수가 그림을 거의 그려 간다.	완료상
④ 그녀가 손을 흔들면서 웃었다.	진행상
⑤ 그가 한 번 웃고서 내게 온다.	완료상

17 〈보기〉의 시간 표현에 대한 설명으로 적절한 것만을 고른 것은?

보기

ⓐ 친구가 지금 읽는 책은 소설이다.
ⓑ 동생은 어제 교실 창문을 닦았다.
ⓒ 발표 준비하려면 오늘도 잠은 다 잤어.

ㄱ. ⓐ는 어미 '-는', '-은'을 사용하여 현재 시제를 표현하고 있다.
ㄴ. ⓑ는 부사와 선어말어미를 활용하여 과거 시제를 표현하고 있다.
ㄷ. ⓒ는 과거 시제 선어말어미 '-았-'을 사용하여 발화시보다 앞선 사건을 서술하고 있다.

① ㄱ ② ㄴ ③ ㄷ ④ ㄴ, ㄷ ⑤ ㄱ, ㄴ, ㄷ

18 밑줄 친 부분이 〈보기〉의 ⓐ와 가장 유사한 의미로 사용된 것은?

보기

미래 시제를 나타내는 '-겠-'은 추측이나 ⓐ의지, 가능성 등의 의미도 나타낸다.

① 그 일을 혼자 다 할 수 있겠어?
② 내일은 하루 종일 비가 오겠습니다.
③ 지금쯤이면 그가 서울역에 벌써 도착했겠다.
④ 내년에는 저도 그 학교에 지원해 보겠습니다.
⑤ 잠시 후 대통령 내외분이 식장으로 입장하시겠습니다.

19 다음 문장과 같은 시제가 사용된 문장은?

보기

이번 여름은 날씨가 정말 더웠다.

① 나는 내일 독도로 떠난다.
② 저는 지금 지하철을 탑니다.
③ 초등학교 때는 공부를 잘했었다.
④ 나 이제 우리 부모님한테 죽었다.
⑤ 해는 동쪽에서 떠서 서쪽으로 진다.

20 〈보기〉를 바탕으로 '동작상'에 대해 탐구한 내용으로 가장 적절한 것은?

보기

시제가 사건시와 발화시의 선후 관계를 표현한다면, 동작상은 사건 또는 동작 자체의 시간적 속성을 표현한다. 예를 들어 '먹다'라는 동작은 과거에서 지금까지 먹고 있는 움직임이 진행 중인 상태와 먹는 움직임이 끝난 상태로 분석할 수 있다. 이와 같이, 동작 내부의 시간적 흐름을 표현하는 문법 요소가 동작상이다. 동작상에는 진행상과 완료상이 있다. 진행상이란 어떤 동작이 시간의 흐름 속에서 계속 이어지고 있을 때 사용하는 문법 요소이고, 완료상이란 어떤 동작이 시간의 흐름 속에서 이미 끝났거나 그 결과가 지속될 때 사용하는 문법 요소이다.

ⓐ 그의 감기가 낫고 있다.
ⓑ 화단에 꽃이 피어 있다.

① '그는 바람처럼 훌쩍 떠나 버렸다.'는 ⓐ와 같은 동작상의 예에 해당한다.
② '누나는 밥을 먹으면서 신문을 본다.'는 ⓑ와 같은 동작상의 예에 해당한다.
③ ⓐ는 시간이 흐름 속에서 '낫다'라는 동작이 끝난 후 그 결과가 지속되고 있음을 표현하고 있다.
④ ⓐ의 '낫고 있다'를 '-아/-어 가다'의 형태로 바꿔도 같은 의미의 문장이다.
⑤ ⓑ는 시간의 흐름 속에서 '피다'라는 동작이 계속 이어지고 있음을 표현하고 있다.

21 〈보기〉의 ⓐ~ⓒ에 해당하는 예로 적절한 것은?

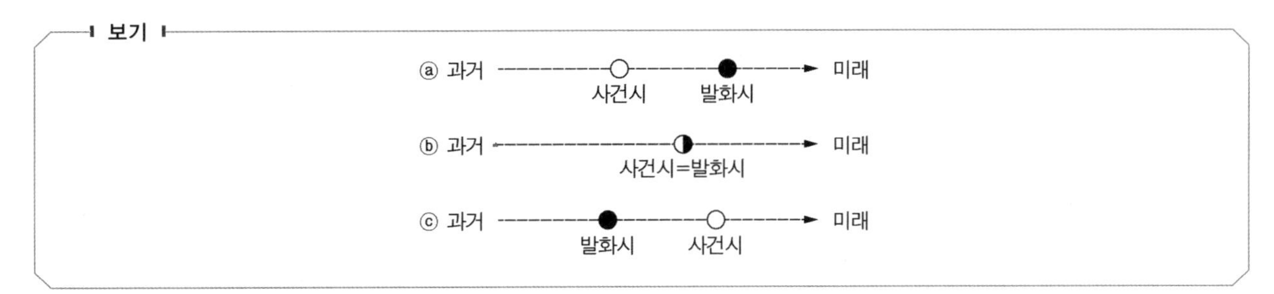

① ⓐ : 오늘 영희는 친구를 만나 영화를 볼 것이다.
② ⓐ : 지금 네가 하는 공부는 무슨 과목이니?
③ ⓑ : 철수는 장차 훌륭한 어른이 되겠다.
④ ⓑ : 조금 전만 해도 창밖에 비바람이 치고 있었다.
⑤ ⓒ : 이 식당은 주말에 개업식을 할 것이다.

22 과거 시제를 표현하는 방법으로 적절하지 않은 것은?

① 선어말 어미 '-았-/-었-'을 사용하여 과거 시제를 표현한다.
② 부사어 '어제', '아까', '이미' 등을 사용하여 과거 시제를 표현한다.
③ 과거 시제를 표현하기 위한 관형사형 어미로 동사의 경우 '-던'을 쓴다.
④ 과거 시제를 표현하기 위한 관형사형 어미로 형용사의 경우 '-(으)ㄴ'을 쓴다.
⑤ 과거의 일이나 경험을 회상하는 의미를 덧붙이기 위해 선어말 어미 '-더-'를 쓴다.

23 〈보기〉의 ⓐ, ⓑ에 대한 설명으로 적절하지 않은 것은?

보기

동작 내부의 시간적 흐름을 표현하는 국어의 문법 요소를 동작상이라고 한다. 동작상에는 ⓐ진행상과 ⓑ완료상이 있다.

① ⓐ는 발화시를 기준으로 동작이 진행되고 있는 상황이다.
② ⓑ는 발화시를 기준으로 동작이 완료된 상황이다.
③ ⓐ의 예로서 '철수는 손을 흔들면서 집에 간다.'를 들 수 있다.
④ ⓑ의 예로서 '철수는 집에 가 버렸다.'를 들 수 있다.
⑤ ⓐ를 표현할 때는 주로 보조 용언 '-아/어 있다'를 쓰고, ⓑ를 표현할 때는 보조 용언 '-고 있다'를 쓴다.

24 다음 중 피동문이 아닌 것은?

① 어제 영어 시험을 망쳐서 스트레스가 쌓였어.
② 어느새 그의 눈가에 눈물이 맺혔다.
③ 제발 날 울리지 말아줘.
④ 아기가 엄마에게 안겼다.
⑤ 곧 놀라운 사실을 알게 될 거야.

25 〈보기〉에서 피동 접미사를 사용한 피동 표현이 있는 문장만을 모두 고른 것은?

보기
㉠ 붕어빵이 백 개나 팔렸다.
㉡ 그의 독점으로 승부가 뒤집어졌다.
㉢ 정보화 사회에는 잊힐 권리가 필요하다.
㉣ 그녀 덕분에 막냇동생이 혼사를 이루게 되었다.

① ㉠, ㉡ ② ㉠, ㉢ ③ ㉡, ㉢ ④ ㉡, ㉣ ⑤ ㉢, ㉣

26 잘못 쓰인 표현을 바르게 고친 것은?

① 내 이름이 불리게 되자 깜짝 놀랐다.
→ 내 이름이 불려지자 깜짝 놀랐다.
② 그가 우승을 했더니 믿겨지지 않는다.
→ 그가 우승을 했다니 믿어지지 않는다.
③ 나는 책에서 무엇이 배워졌는지 기록하였다.
→ 나는 책에서 무엇을 배웠는지 기록되었다.
④ 공사 과정에서 발생된 소음으로 피해가 크다.
→ 공사 과정에서 발생되어진 소음으로 피해가 크다.
⑤ 현서는 초등학교 3학년 때 백일장에 참가하게 되었다.
→ 현서는 초등학교 3학년 때 백일장에 참가되었다.

27 〈보기〉의 ㉠이 사용되지 않은 것은?

보기

㉠피동 표현은 주어가 다른 주체에 의해서 어떤 동작을 당하거나 영향을 받는 것을 말하는 국어의 문법 요소이다.

① 친구가 나를 바보라고 놀렸다.
② 종이에 베인 그 상처가 꽤 깊다.
③ 엄마 등에 업힌 아이가 잠을 자고 있다.
④ 그가 내민 쪽지는 아주 작게 접혀 있었다.
⑤ 철수는 닫힌 문을 열지 못해 애를 쓰고 있다.

[28] 다음 글을 읽고, 물음에 답하시오.

요즈음 국어에서 피동 표현의 사용이 늘고 있다. 몇몇 사람들은 이러한 현상이 영어 번역 투에서 시작되었다고 본다. 영어를 한국어로 번역할 때 영어의 특성이 그대로 남아 있게 되고, 그 특성이 국어 사용에 영향을 준다는 것이다.

(ㄱ) 기본문장 : 허균이 「홍길동전」을 지었다.
(ㄴ) 한국어 문장 : 「홍길동전」은 허균이 지었다.
(ㄷ) 영어 직역 문장 : 「홍길동전」은 허균에 의해 지어졌다.

위와 같이 한국어 문장은 어순이 비교적 자유로워 문장의 첫머리에 서술의 대상이 와도 능동 표현이 가능하다. 하지만 영어에서는 문장의 첫머리에 오는 성분은 주어여야 하므로 같은 상황에서 서술어를 피동 형태로 바꾸어야 한다. 이처럼 한국어와 영어의 차이점을 고려하지 않고 영어 문장을 직역하면 불필요한 피동 표현을 쓸 수밖에 없다.

28 윗글을 읽은 후 나타난 반응으로 적절하지 않은 것은?

① 우리말은 영어에 비해 어순이 비교적 자유롭구나.
② 우리가 사용하는 말 중 불필요하게 피동 표현을 쓰는 경우가 많은가 봐.
③ (ㄴ)은 능동 표현, (ㄷ)은 피동 표현이겠네.
④ (ㄴ)에서 「홍길동전」은 문장의 첫머리에 왔으니 주어야.
⑤ (ㄷ)은 우리말다운 표현이라고 말하기 어렵겠구나.

[29] 다음 글을 읽고, 물음에 답하시오.

제힘으로 움직이는 행위의 주체가 주어인 문장을 능동문이라 한다. 이와 달리 피동문은 행위의 주체가 아닌 행위의 대상이 주어가 된다. 따라서 능동문을 피동문으로 바꿀 때에는 능동문의 주어와 목적어를 각각 피동문의 부사어와 주어로 바꾸고, 능동문의 서술어에 알맞은 피동 접미사 '-이-, -히-, -리-, -기-' 혹은 '-되다', '-아지다/-어지다'혹은 '-게 되다'를 붙여 피동문의 서술어로 만든다.

피동문을 쓸 때에는 지나친 피동 표현(이중 피동)이 되지 않도록 유의해야 한다.

29 윗글을 참고하여 〈보기〉를 이해한 내용으로 적절하지 않은 것은?

보기

ㄱ. 태풍에 건물이 흔들린다.

ㄴ. 작은 나룻배가 파도에 뒤집혔다.

① ㄱ을 능동문으로 바꾸려면 '건물이'가 목적어가 되어야 한다.

② ㄱ을 능동문으로 바꾸려면 '태풍에'가 행위의 대상이 되어야 한다.

③ ㄱ의 '흔들리다'는 '흔들다'의 어간에 피동 접미사 '리'가 붙은 경우이다.

④ ㄴ을 능동문으로 바꾸면 행위의 주체가 '파도'가 된다.

⑤ ㄴ의 '뒤집혔다' 대신 '뒤집다'의 어간에 '-어졌다'를 붙여도 피동문이 된다.

30 인용 표현을 올바르게 사용한 문장은?

① 철수는 어머니께 사랑합니다라고 말했다.

② 인태는 "수정이가 방금 운동장에 나갔어."고 말했다.

③ 처음 바다를 본 동생은 바다가 정말 넓구나고 혼잣말을 했다.

④ 어머니께서는 실패란 하나의 사건일 뿐이라고 말씀하셨다.

⑤ 손님이 점원에게 "이 옷이 얼마냐?"고 물었다.

31 직접 인용문을 간접 인용문으로 바꾼 것으로 적절하지 않은 것은?

① 오빠가 "저 집이다."라고 외쳤다.
→ 오빠가 저 집이라고 외쳤다.

② 오빠는 "조용히 해라."라고 말했다.
→ 오빠는 조용히 하라고 말했다.

③ 오빠가 내게 "많이 아프니?"라고 물었다.
→ 오빠가 내게 많이 아프냐고 물었다.

④ 오빠는 "여기가 내가 사는 곳이야."라고 말했다.
→ 오빠는 거기가 내가 사는 곳이라고 말했다.

⑤ 오빠는 어제 "선생님이 내일 오신다."라고 말했다.
→ 오빠는 어제 선생님이 오늘 오신다고 말했다.

32 〈보기〉의 ⓐ~ⓓ에 들어갈 말을 올바르게 짝지은 것은?

보기

직접인용 : 실망한 제게 어머니께서는 "실패란 하나의 사건일 뿐이다."라고 말씀해 주셨습니다.
간접인용 : 실망한 제게 어머니께서는 실패란 하나의 사건일 ___ⓐ___ 말씀해 주셨습니다.

직접인용 : 철수는 어머니께 "사랑합니다"라고 말했다.
간접인용 : 철수는 어머니께 ___ⓑ___ 말했다.

간접인용 : 인태는 수정이가 방금 운동장에 나갔다고 말했다.
직접인용 : 인태는 "수정이가 방금 운동장에 ___ⓒ___ 말했다.

간접인용 : 처음 바다를 본 그녀는 바다가 정말 넓다고 혼잣말을 했다.
직접인용 : 처음 바다를 본 그녀는 "바다가 정말 ___ⓓ___ 혼잣말을 했다.

	ⓐ	ⓑ	ⓒ	ⓓ
ㄱ	뿐이라고	사랑한다고	나갔어"고	넓구나"고
ㄴ	뿐이라고	사랑한다고	나갔어"라고	넓구나"라고
ㄷ	뿐이라고	사랑한다라고	나갔어"고	넓구나"고
ㄹ	뿐이라고	사랑한다라고	나갔어"고	넓구나"라고
ㅁ	뿐이라고	사랑한다라고	나갔어"라고	넓구나"고

① ㄱ　　② ㄴ　　③ ㄷ　　④ ㄹ　　⑤ ㅁ

33 다음 표는 직접 인용을 간접 인용으로 바꾼 것이다. 적절하지 않은 것은?

	직접 인용		간접 인용
㉠	철수는 어머니께 "사랑합니다."라고 말했다.	→	철수는 어머니께 사랑한다고 말했다.
㉡	전화 통화 중 언니는 "거기에도 비가 와?"라고 물었다.	→	전화 통화 중 언니는 여기에도 비가 오냐고 물었다.
㉢	처음 바다를 본 그녀는 "바다가 정말 넓구나." 라고 혼잣말을 했다.	→	처음 바다를 본 그녀는 바다가 정말 넓다고 혼잣말을 했다.
㉣	상이는 새로 짝꿍이 된 친구에게 "우리 앞으로 친하게 지내자."라고 말했다.	→	상이는 새로 짝꿍이 된 친구에게 앞으로 친하게 지내자고 했다.
㉤	태연이는 "모둠 활동에서 내가 발표를 맡을래."라고 외쳤다.	→	태연이는 모둠 활동에서 내가 발표를 맡겠다고 외쳤다.

① ㉠　　② ㉡　　㉢　　④ ㉣　　⑤ ㉤

34 〈보기〉 ㉠~㉤에 대해 탐구한 결과로 적절하지 않은 것은?

보기

(파수꾼 나 퇴장, 촌장은 편지를 꺼내 다에게 보인다.)

촌장 : 이것, 네가 ㉠보낸 거냐?

다 : 네, 촌장님.

촌장 : 나를 이곳에 오도록 해서 ㉡고맙다. 한 가지 유감스러운건, 이 편지를 가져온 운반인이 도중에서 읽어 본 ㉢모양이더라. '이리 떼는 없고, 흰 구름뿐.' 그 수다쟁이가 사람들에게 떠벌리고 있단다. 조금 후엔 모두들 이곳으로 몰려올 거야. 물론 네 탓은 아니다. 몰려오는 사람들은, 말하자면 불청객이지. 더구나 그들은 화가 나서 도끼라든가 망치를 들고 ㉣올 거다.

다 : 도끼와 망치는 왜 들고 와요?

촌장 : 망루를 부수려고 ㉤그러겠지. 그 성난 사람들만 오지 않는다면 난 너하구 딸기라도 따러 가고 싶다. 난 어디에 딸기가 많은지 알고 있거든. 이리 떼를 주의하라는 팻말 밑엔 으레히 잘 익은 딸기가 가득하단다.

① ㉠을 보니, 관형사형 어미 '-(으)ㄴ'이 동사의 어간에 붙으면 과거 시제를 나타내는군.
② ㉡을 보니, 형용사에서 현재 시제를 나타낼 때 시제 선어말 어미가 나타나지 않고 있군.
③ ㉢을 보니, 선어말 어미 '-더-'가 과거 어느 때의 일이나 경험을 돌이켜 생각하는 의미를 나타내는군.
④ ㉣을 보니, 관형사형 어미 '-(으)ㄹ'과 의존명사 '것'이 결합한 '-(으)ㄹ 것'이 미래 시제를 나타내는군.
⑤ ㉤을 보니, 선어말 어미 '-겠-'이 미래 시제를 나타내는 것 이외에 의지의 의미를 표현하는 경우도 있군.

35 〈보기〉의 대화에 대한 이해로 적절하지 않은 것은?

보기

(아빠는 최근에 규현이가 게으르게 생활하는 것을 충고했으나, 규현이의 태도에 변화가 없어 기분이 상해 있는 상태이다.)

규현 : 아빠, 나 때문에 화났어? 미안해. 고쳐 볼게. 그건 그렇고, 나 휴대 전화가 고장 났어. 좀 바꿔 줘.

아빠 : 너는 말하는 태도가 그게 뭐냐? 진심으로 사과하는 거야? 휴대 전화를 바꾸기는 무슨…….

① '규현'은 자신의 말하기 목적을 당성하지 못했을 것이다.
② 상대의 감정을 고려하지 않은 규현의 말하기 방식으로 인해 '아빠'의 기분은 더 상했을 것이다.
③ 사과의 말하기를 할 때에는 사과의 뜻이 잘 전달될 수 있도록 진솔하면서도 진정성 있는 태도로 말해야 한다.
④ 부탁이나 요청의 말하기를 할 때에는 상대방이 부담을 느끼지 않도록 공손하고 예의 바른 표현을 사용하는 것이 좋다.
⑤ 부탁을 할 때에는 상대방이 쉽고 정확하게 자신의 의도를 파악할 수 있도록 명령형과 같은 직접적 표현을 사용하는 것이 좋다.

객관식 심화문제

01 〈보기〉의 ⓐ~ⓔ에 들어갈 말을 올바르게 짝지은 것은?

보기

㉠ 미나 어머니께서는 "너희 어머니는 잘 지내니?"라고 물어 보셨다.
㉡ 미나 어머니께서는 우리 어머니께서 잘 지내시냐고 물어 보셨다.

㉠은 미나 어머니의 발화를 그대로 옮긴 직접 인용이고, ㉡은 미나 어머니의 발화를 풀어 쓴 간접 인용이다. 그런데 직접 인용을 간접 인용으로 바꿀 때나 간접 인용을 직접 인용으로 바꿀 때는 인용절 속의 어미, 인용 조사, 대명사, 지시 표현, 높임 표현 등에 변화가 생길 수 있다.

직접 인용	아들이 어제 저에게 "내일 병원에 모시고 갈게요."라고 말했습니다.

⇩

간접 인용	아들이 어제 저에게 (ⓐ) 병원에 (ⓑ) 말했습니다.

직접 인용	철수는 어머니께 "사랑합니다."라고 말했다.

⇩

간접 인용	철수는 어머니께 (ⓒ) 말했다.

간접 인용	철수는 어머니께 (ⓒ) 말했다.

⇩

직접 인용	선우가 "교실에서 조용히 합시다."라고 말했다.

	ⓐ	ⓑ	ⓒ	ⓓ
①	어제	모시고 간다고	사랑하냐고	하자고
②	오늘	데려 간다고	사랑한다고	하자고
③	오늘	모시고 간다고	사랑한다라고	하라고
④	오늘	데려 간다고	사랑하냐고	하자고
⑤	어제	데려 간다고	사랑한다고	하라고

02 〈보기〉의 ㉠~㉤을 고친 문장과 오류 내용이 모두 알맞은 것은?

보기

㉠ 그녀는 아까 도서관에 가고 있어.
㉡ 철수야, 선생님이 너를 모시고 오시래.
㉢ 할아버지는 매일 이 시간이면 낮잠을 자.
㉣ 창문이 닫혀지지 않아 찬바람이 들어온다.
㉤ 사육장 관계자는 시설의 개선이 필요하다라고 말했습니다.

고친 문장	오류 내용
㉠ 그녀는 아까 도서관에 가고 있었어.	시제 오류
㉡ 철수야, 선생님이 너를 데리고 오라고 하셔.	높임 오류
㉢ 할아버지는 매일 이 시간이면 낮잠을 주무셔.	높임 오류
㉣ 창문이 닫히지 않아 찬바람이 들어온다.	사동 오류
㉤ 사육장 관계자는 시설의 개선이 필요하다고 말했습니다.	시제 오류

① ㉠ ② ㉡ ③ ㉢ ④ ㉣ ⑤ ㉤

03 〈보기〉의 ㉠~㉡에 해당하는 사례로 적절하지 않은 것은?

보기

'피동'이란 주어가 스스로 행동하지 않고 남의 동작을 받는 것을 말한다. 타동사 어근에 피동 접미사 '-이-, -히-, -리-, -기-'가 붙어서 이루어진 ㉠파생적 피동과 용언의 어간에 '-어지다', '-게 되다'가 붙어서 이루어진 ㉡통사적 피동 등이 있다.

① ㉠ : 도둑이 경찰에게 잡혔다.
② ㉠ : 우연히 음악 소리를 들었다.
③ ㉡ : 나에 대한 오해가 풀어졌다.
④ ㉡ : 그는 결국 징역을 살게 되었다.
⑤ ㉡ : 경기의 승부가 그의 득점으로 뒤집어졌다.

04 〈보기〉를 바탕으로 높임 표현에 대해 탐구한 내용으로 적절하지 않은 것은?

보기

㉠ 아버지께서 저녁을 드시러 나가셨습니다.
㉡ 선생님께 문제의 풀이 과정을 여쭤보았다.
㉢ 어머니께서는 손이 아프셔서 무거운 짐을 드실 수 없어.
㉣ (가게 안을 두리번거리는 손님에게) 손님, 무엇을 찾으십니까?

① ㉠과 ㉡에서 주어가 나타내는 대상을 높일 때 사용하는 조사가 드러난다.
② ㉡은 특수 어휘를 사용하여 부사어가 나타내는 대상을 높이고 있다.
③ ㉢은 '어머니'의 신체 부분을 높여 문장의 주체를 높이고 있다.
④ ㉣은 종결 어미를 통해 듣는 상대를 아주 높여 말하고 있다.
⑤ ㉠과 ㉣은 주어가 나타내는 대상을 높일 때 사용하는 선어말 어미가 드러난다.

05 〈보기〉의 ㉠에 들어갈 문장으로 가장 적절한 것은?

보기

우리말의 높임 표현은 높임의 대상이 무엇이냐에 따라 세 종류로 나뉜다. 상대 높임법은 화자가 청자, 즉 상대를 높이거나 낮추는 방법으로 종결 어미에 의해 실현된다. 주체 높임법은 문장에서 서술의 주체를 높이는 방법으로 조사, 선어말 어미, 특수 어휘에 의해 실현된다. 또한, 객체 높임법은 문장에서 목적어와 부사어가 지시하는 대상, 즉 객체를 높이는 방법으로 조사와 특수 어휘에 실현된다.

그런데 실제 언어생활에서 높임 표현은 위의 높임 표현 두세 가지가 동시에 사용되어 실현 양상이 복합적이다.

예를 들어 '영수야, 할아버지 오셨어.'와 같은 문장은 상대는 낮추고 주체는 높여서 표현한 것이다. 그리고 ______㉠______는 상대를 높이고 주체와 객체도 높여서 표현한 것이다.

① 아버지께서는 할아버지를 뵙고 오셨어요.
② 할머니께서는 진지를 드시고 계셨습니다.
③ 철수가 손님들을 모시고 공원으로 갔어요.
④ 어머니께서는 나의 저녁밥을 차려 주였어.
⑤ 요즘 중간고사 시험 준비로 많이 힘드시죠?

06 〈보기1〉을 참고할 때, 〈보기2〉의 '-겠-'과 유사한 의미를 지닌 예로 가장 적절한 것은?

보기 1

미래 시제를 나타내는 선어말 어미 '-겠-'은 용언의 어간에 붙어 미래 시제를 나타내는 것 이외에 추측이나 의지, 가능성이나 능력, 완곡하게 말하는 태도 등의 의미로 쓰인다.

보기 2

영희야, 이 많은 일을 어떻게 혼자 다 하겠니?

① 하늘을 보니 내일은 비가 오겠다.
② 이 정도 수학 문제는 어린 아이도 풀 수 있겠다.
③ 지금쯤 이모네 가족들이 인천 공항에 도착했겠네.
④ 나는 이번 하반기 입사 시험에 합격하고야 말겠다.
⑤ 비가 그칠 때까지 잠시 옆자리에 앉아도 되겠습니까?

07 〈보기〉의 ㉠~㉢에 해당하는 예로 적절하지 않은 것은?

보기

높임 표현은 화자가 대상의 높고 낮은 정도에 따라 언어적으로 구별하여 표현하는 국어의 문법 요소이다. 높임 표현은 높임의 대상에 따라 ㉠상대 높임법, ㉡주체 높임법, ㉢객체 높임법으로 나뉜다.

① ㉠ : 철수야, 학교에 잘 다녀오너라.
② ㉠ : 오늘의 영광을 부모님께!
③ ㉡ : 아버지께서는 집에 계신다.
④ ㉡ : 할아버지께서는 이미 진지를 잡수셨다.
⑤ ㉢ : 우리는 할머니를 모시고 여행을 갔다.

08 높임법에 맞게 고쳐 쓴 문장과 그 이유가 적절하지 않은 것은?

① 나는 집에 있어.
→ (부모님께) 저는 집에 있어요.
이유 : 부모님께는 자신을 낮춰야 한다.
② 할아버지께서는 이가 안 좋으시다.
→ 할아버지께서는 치아가 안 좋으시다.
이유 : 높임의 대상과 밀접한 사람이나 사물, 신체의 일부 등을 높임으로써 해당 인물을 높이는 간접높임을 사용하고 있다.
③ 나는 어머니께 꽃다발을 주었다.
→ 나는 어머니께 꽃을 주었다.
이유 : '주었다'에 어울리는 낱말은 '꽃'이므로 '꽃다발'은 어울리지 않다.
④ 안녕하세요, 회장님? 신입사원00라고 합니다.
→ 안녕하십니까, 회장님? 신입사원 00라고 합니다.
이유 : 공적인 자리에서는 격식체를 사용해야만 한다.
⑤ 동생이 할아버지를 보고 말을 했다.
→ 동생이 할아버지를 뵙고 말씀을 드렸다.
이유 : 객체를 높이기 위하여 높임의 의미가 있는 특수한 어휘를 사용하기도 한다.

09 〈보기〉의 밑줄 친 부분에 해당하는 예로 적절한 것은?

보기

피동 표현을 쓸 때 피동사에 '-아지다/-어지다'나 '-게 되다'를 또 붙여서 이중 피동을 만드는 경우가 있는데, 이는 잘못된 표현이다. 또 불필요한 피동 표현이 사용된 경우에는 능동 표현으로 바꾸어 써야 한다. 한국어와 영어의 차이점을 고려하지 않고 영어 문장을 직역하면 불필요한 피동 표현을 쓸 수 밖에 없다. 그리고 이러한 문장에 익숙해지면 정작 피동 표현을 써야 할 때에 이중 피동 표현을 쓰게 된다. 그래야만 피동 표현이 강조되는 것처럼 느껴지기 때문이다. 한 예로, 인터넷상의 개인 정보를 삭제할 수 있는 권리는 '잊힐 권리'는 흔히 이중 피동 표현인 '잊혀질 권리'로 잘못 쓰인다.

① 많은 물고기가 국어선생님에게 잡혔다.
② 오래된 그 집이 사람들에게 헐리어졌다.
③ 내 이름이 불리자 깜짝 놀랐다.
④ 고분에서 많은 유물이 발굴되었다.
⑤ 경기의 승부가 그의 마지막 득점으로 뒤집혔다.

[10~11] 다음 글을 읽고, 물음에 답하시오.

높임 표현은 화자가 대상의 높고 낮은 정도에 따라 언어적으로 구별하여 표현하는 국어의 문법 요소이다. 높임 표현은 높임의 대상에 따라 상대 높임법, 주체 높임법, 객체 높임법으로 나뉜다.

상대 높임법은 청자를 높이거나 낮추는 방법이다. 높임과 낮춤의 정도에 따라 종결 어미가 달라진다. 화자 자신을 낮추는 것 '저', '제' 등의 어휘를 쓰기도 한다.

주체 높임법은 문장의 주체를 높이는 방법이다. 주격 조사 '이/가' 대신 '께서'를 사용하고, 일반적으로 서술어에 선어말 어미 '-(으)시-'가 붙어 실현된다. ㉠<u>'있다', '먹다' 같은 단어 대신 '계시다', '잡수시다' 같은 특수 어휘를 쓰기도 한다.</u>

[A] 최근 '주문하신 커피 나오셨습니다.' '문의하신 상품은 품절이십니다.'처럼 서비스업이나 판매업 종사자들이 고객을 존대하려는 의도로 불필요한 '-시-'를 넣은 표현을 적지 않게 사용하고 있다. 높여야 할 대상의 신체 부분, 성품, 심리, 소유물과 같이 주어와 밀접한 관계를 맺고 있는 대상을 통하여 주어를 간접적으로 높이는 '간접 존대'에는 '눈이 크시다.', '걱정이 많으시다', '선생님, 넥타이가 멋있으시네요.'처럼 '-시-'를 동반한다. 그러나 '주문하신 커피 나오셨습니다.', '문의하신 상품은 품절이십니다.'처럼 '-시'를 남용하는 것은 바른 경어법이 아니다.

객체 높임법은 문장의 목적어나 부사어가 지시하는 대상, 즉 서술의 객체를 높이는 방법이다. 서술의 객체가 화자보다 나이가 많거나 사회적 지위가 높을 때 사용한다. 부사격 조사 '에게' 대신 '께'를 사용하고, ㉡<u>'만나다', '묻다' 같은 단어 대신 '뵈다', '여쭈다' 같은 특수 어휘를 쓰기도 한다.</u>

---

10 다음 중 ㉠, ㉡이 모두 사용된 문장은?

① 누나는 여쭈어볼 것이 있다며 선생님 댁에 갔다.
② 연세가 많으신 할머니께서는 아직도 홍시를 잘 잡수신다.
③ 어머니께서는 몹시 피곤하신지 오시자마자 거실에서 주무신다.
④ 할아버지를 모시고 식당으로 가서 무엇을 잡수실 건지 여쭙거라.
⑤ 아버지께서는 할머니를 뵙고 추석 선물을 드리며 반갑게 인사를 하셨다.

11 윗글의 [A]를 제대로 이해하지 <u>못한</u> 사람은?

① (선생님께) '오늘 입으신 옷이 멋지시네요.'는 옷을 통해 선생님을 간접적으로 높이려는 것이군.
② (미용실에서) '손님, 이제 머리 감기실게요.'는 문장의 주어인 손님을 높이려는 의도로 -시-를 썼군.
③ (사장님께) '사장님 따님이 참 착하시네요.'는 화자보다 사장의 딸이 어린 경우에는 사장을 높이기 위한 간접 존대에 해당해야겠군.
④ (상점에서) '손님 성격이 참 좋으시네요.'의 '성격'은 높여야 할 대상과 밀접한 관계를 맺고 있으므로 틀린 표현이 아니겠군.
⑤ (식당에서) '문의하신 날짜는 예약이 꽉차셔서 불가능하십니다.'는 '-시'의 남용에 해당하겠군.

[12] 다음 글을 읽고, 물음에 답하시오.

높임 표현은 화자가 대상의 높고 낮은 정도에 따라 언어적으로 구별하여 표현하는 국어의 문법 요소이다. 높임 표현은 높임의 대상에 따라 상대 높임법, 주체 높임법, 객체 높임법으로 나뉜다.

㉮상대 높임법은 청자를 높이거나 낮추는 방법이다. 높임과 낮춤의 정도에 따라 종결 어미가 달라진다.

㉯주체 높임법은 문장의 주체를 높이는 방법이다. 주격 조사 '이/가' 대신 '께서'를 사용하고, 일반적으로 서술어에 선어말 어미 '-(으)시-'가 붙어 실현된다. 특수 어휘를 쓰는 단어도 있다.

㉰객체 높임법은 문장의 목적어나 부사어가 지시하는 대상, 즉 서술의 객체를 높이는 방법이다. 서술의 객체가 화자보다 나이가 많거나 사회적 지위가 높을 때 사용한다.

12 위 글의 예시로 적절하지 않은 것은?

① ㉮ : 저는 밥 먹으러 직접 가겠습니다.
② ㉮ : 어머님, 제가 무거운 것을 들고 가겠습니다.
③ ㉯ : 아버지께서는 안방에 계신다.
④ ㉯ : 선생님께서는 아름다운 따님이 두 명이나 계신다.
⑤ ㉰ : 영희가 할머니께 드릴 선물을 구입했어요.

13 다음 발표문에 대한 평가로 적절하지 않은 것은?

안녕? 나는 뽀로로라고 해.
문학에 관심이 많은 나는 초등학교 3학년 때 백일장에 참가되었어. 하루 종일 고생해서 시를 써냈지만 수상하지 못했지. 실망할 나에게 어머니께서는 "실패란 하나의 사건일 뿐이다."라고 말해 주었어. 실패는 끝이 아니라 과정이며, 실패를 통해 무엇이 배워졌는지가 더 중요하다는 사실을 깨달았지. 그 후 나는 8년간 계속해서 백일장에 참가하고 있어. 앞으로도 많이 실패하였지만 계속 도전할 거야.

① 부적절한 피동 표현은 능동 표현으로 고쳐쓴다.
② 잘못 쓰인 과거 시제와 미래 시제 표현을 수정한다.
③ 높임의 대상을 표현하기 위해 높임 표현을 사용해야 한다.
④ 직접 인용을 사용해야 하는 부분에 간접 인용을 사용하고 있다.
⑤ 공식적인 자리에서 발표하기 위해 청자를 높이는 표현으로 수정한다.

14 (가)~(마)에 대한 설명으로 옳지 않은 것은?

보기

(가) A는 연세가 많으시다.
(나) A께서 낮잠을 주무신다.
(다) A가 B께 용돈을 드렸다.
(라) 저는 이곳이 처음입니다.
(마) A께서 B를 모시고 떠나셨습니다.

① (가)에서 화자는 특수 어휘 '연세'와 선어말 어미 '-시-'를 사용하여 주체인 A를 간접적으로 높이고 있다.
② (나)에서 화자는 조사 '께서'와 선어말 어미 '-시-'를 사용하여 주체인 A를 직접 높이고 있다.
③ (다)에서 화자는 조사 '께'와 특수 어휘 '드리다'를 사용하여 객체인 B를 높이고 있다.
④ (라)에서 화자는 특수 어휘 '저'를 사용하여 자신을 낮추고, 종결 어미 '-ㅂ니다'를 사용하여 청자를 높이고 있다.
⑤ (마)에서 화자는 청자, 주체인 A, 객체인 B를 모두 높이고 있다.

15 각 쌍의 밑줄 친 부분에 대한 설명으로 옳지 않은 것은?

보기

(가) ㉠ 친구와 함께 영화를 본다.
　　㉡ 친구와 함께 영화를 보겠다.
(나) ㉢ 철수는 예전에 이 집에 살았다.
　　㉣ 철수는 예전에 이 집에 살았었다.
(다) ㉤ 동생이 먹은 빵이다.
　　㉥ 기온이 높은 날씨다.
(라) ㉦ 언니가 의자에 앉고 있다.
　　㉧ 언니가 의자에 앉아 있다.
(마) ㉨ 준현이가 손을 흔들면서 내게 다가온다.
　　㉩ 준현이가 손을 흔들고서 내게 다가온다.

① (가) : ㉠은 사건시가 발화시보다 앞서고, ㉡은 발화시가 사건시보다 앞서는 것을 나타낸다.
② (나) : ㉢과는 달리 ㉣은 '과거의 시간이 현재와 다르든가 단절되어 있음'을 나타낸다.
③ (다) : 관형사형 어미 '-(으)ㄴ'은 ㉤에서는 과거 시제를, ㉥에서는 현재 시제를 표현하는 데 사용되었다.
④ (라) : ㉦은 어떤 동작이 '진행되고 있음'을, ㉧은 '이미 끝났거나 그 결과가 지속되고 있음'을 나타낸다.
⑤ (마) : (라)와 (마)를 비교해 보면, ㉨의 시제와 동작상은 (라)의 ㉦과 ㉩은 (라)의 ㉧과 동일하다고 할 수 있다.

16 국어 문법에 어긋나는 어색한 표현을 고쳐 쓴 문장 또는 그 이유가 적절하지 않은 것은?

① 어색한 표현 : 날이 벌써 어두워 있다.
어색한 이유 : 형용사를 동작상과 함께 사용하였다.
고쳐 쓴 표현 : 날이 벌써 어둡다.

② 어색한 표현 : 그 말은 정말 믿겨지지 않았다.
어색한 이유 : 이중 피동 표현을 사용하였다.
고쳐 쓴 표현 : 그 말은 정말 믿기지 않았다.

③ 어색한 표현 : 고객님, 신분증이 계신가요?
어색한 이유 : 물건은 높임의 대상이 아니다.
고쳐 쓴 표현 : 고객님, 신분증이 있어요?

④ 어색한 표현 : 형은 "노래는 내가 잘한다."고 말했다.
어색한 이유 : 조사를 잘못 사용하였다.
고쳐 쓴 표현 : 형은 "노래는 내가 잘한다."라고 말했다.

⑤ 어색한 표현 : 혜영아, 아까 어디에 가고 있어?
어색한 이유 : 부사어와 서술어의 시제가 불일치한다.
고쳐 쓴 표현 : 혜영아, 아까 어디에 가고 있었어?

17 〈보기1〉을 〈보기2〉로 고쳐 쓴 과정에서 반영되지 않은 조건은?

보기 1

초등학교 4학년 때, 나는 백일장에 참가하였지만 입상하지 못했지. 어머니는 실망할 내게 실패는 끝이 아니라 하나의 과정이며, 실패를 통해 무엇이 배워졌는지가 더 중요하다고 말해 주었어. 그 후 나는 8년간 계속해서 백일장에 참가하고 있으면서 많이 실패하겠지만 앞으로 계속 도전할 거야.

보기 2

• 초등학교 학년 때, 저는 백일장에 참가하게 되었지만 입상하지 못했습니다. 어머니께서는 실망한 제게 "실패는 끝이 아니라 하나의 과정이야. 실패에서 무엇이 배워졌는지가 더 중요하지."라고 말씀해 주셨습니다. 그 후 저는 8년간 계속해서 백일장에 참가하면서 많이 실패하였지만 앞으로 계속 도전할 겁니다.

① 청자를 높이는 표현으로 고쳐 쓴다.
② 간접 인용을 직접 인용으로 고쳐 쓴다.
③ 잘못 쓰인 높임 표현을 바르게 고쳐 쓴다.
④ 잘못 쓰인 시간 표현을 바르게 고쳐 쓴다.
⑤ 부적절한 피동 표현을 능동 표현으로 고쳐 쓴다.

18 ㉠~㉤의 잘못된 문장을 수정한 이유로 적절하지 않은 것은?

	잘못된 문장 → 수정한 문장	
㉠	할아버지께서 우리에게 세뱃돈을 줬다.	→ 할아버지께서 우리에게 세뱃돈을 주셨다.
㉡	그의 말이 정말 믿겨지지 않았다.	→ 그의 말이 정말 믿기지 않았다.
㉢	그는 신발을 신고 있다.	→ 그는 신발을 신는 중이다.
㉣	그는 나에게 "밥 언제 먹을 거니?"고 물었다.	→ 그는 나에게 "밥 언제 먹을 거니?"라고 물었다.
㉤	그녀의 머릿결은 언제나 아름답고 있다.	→ 그녀의 머릿결은 언제나 아름답다.

① ㉠ : 서술어 '줬다'의 주체가 높임의 대상이기 때문이다.
② ㉡ : 이중 피동 표현을 사용하였기 때문이다.
③ ㉢ : 중의적 의미로 해석이 가능하기 때문이다.
④ ㉣ : 인용의 조사가 잘못되었기 때문이다.
⑤ ㉤ : 시제를 잘못 사용하였기 때문이다.

19 〈보기〉의 ㉠~㉦에 대해 설명한 것으로 적절하지 않은 것은?

보기

내가 예전에 여기에 ㉠왔을 때 ㉡본 나무들, 그토록 ㉢예쁘던 그 꽃나무들은 다 어떻게 ㉣돼 버렸을까? 그 나무들을 보면서 큰 기쁨을 ㉤느꼈었는데.
아, ㉥초등학생이던 내가 손수 심은 나무들도 다 ㉦사라졌구나.

① ㉠과 ㉦은 선어말어미 '-았/었-'을 사용했으므로 과거시제이다.
② ㉡은 관형사형 어미 '-ㄴ'이 붙어 과거시제가 되었으므로, '보다'의 품사는 동사이다.
③ ㉢과 ㉥에 관형사형 어미 '-던'이 붙어 과거시제가 되었으므로, 이들 품사는 동사이다.
④ ㉣은 '-어 버리다'에 선어말어미 '-었-'이 결합한 것으로, 과거시제 완료상이다.
⑤ ㉤은 선어말어미 '-었었-'을 사용했으므로 현재에는 그렇지 않음을 나타내는 과거시제이다.

20 〈보기〉에 쓰인 높임표현을 탐구한 내용으로 적절하지 않은 것은?

보기

ㄱ. 그녀가 할머니께 모자를 사 드렸다.
ㄴ. 삼촌께서 밖으로 나가시는 모습이 보인다.
ㄷ. 엄마, 숙부께서 할아버지를 뵙자고 하시네요.
ㄹ. 선생님, 이번에는 제 말씀을 좀 들어 보십시오.

① ㄱ의 '드렸다'는 주체를 높이기 위해 사용된 것이군.
② ㄴ과 ㄷ의 '께서'와 '-시-'는 주체를 높이기 위해 사용된 것이군.
③ ㄷ의 '뵙자고'는 객체를 높이기 위해 사용된 것이군.
④ ㄷ의 '요'는 비격식 상황에서 상대방을 높이기 위해 사용된 것이군.
⑤ ㄹ의 '-십시오'는 격식이 있는 상황에서 상대방을 높이기 위해 사용된 것이군.

21 〈보기〉의 ㉠에 들어갈 말로 가장 적절한 것은?

보기

선생님 : 우리말의 높임 표현에는 주체 높임법, 객체 높임법, 상대 높임법이 있습니다. 그런데 실제 언어 생활에서 '높임 표현'이 실현되는 양상은 복합적입니다.
예문을 볼까요? '철수야, 선생님께서 찾으셔.'는 상대는 낮추고 주체는 높여서 표현한 것입니다. 그리고 (　　㉠　　)은(는) 상대를 높이고 객체도 높여서 표현한 것입니다.

① 내일 우리 같이 밥 먹어요.
② 제가 할머니를 모시고 왔습니다.
③ 이 손수건 좀 할아버지께 갖다 드려.
④ 요즘 여러 가지 일로 많이 바쁘시죠?
⑤ 어머니께서 아버지의 손수건을 만드셨어.

22 〈보기〉를 참고하여 '-겠-'의 의미가 나머지와 다른 하나는?

보기

미래 시제를 표현하는 선어말 어미 '-겠-'은 미래 시제를 나타내는 것 이외에 추측이나 의지, 가능성이나 능력, 완곡하게 말하는 태도 등을 표현하기도 한다.

① 제가 마저 써도 되겠습니까?
② 책을 읽어봐도 괜찮겠습니까?
③ 이걸 어떻게 혼자 다 하겠니?
④ 내가 먼저 말해도 되겠니?
⑤ 어제 그만 돌아가 주시겠어요?

23 〈보기〉의 ㉠과 ㉡에 대한 설명으로 적절하지 않은 것은?

보기

㉠ 깨끗한 경치를 보니 어머니를 모시고 오고 싶어.
㉡ 저는 따뜻한 차를 마시며 앉아 있으니 기분이 좋습니다.

① ㉠은 사적이고 친근감이 나타나는 표현이고, ㉡은 공적이고 심리적 거리가 느껴지는 표현이다.
② ㉠과 청자를 낮추어 말하는 표현이고, ㉡은 청자를 높여 말하는 표현이다.
③ ㉠은 서술의 객체를 높여 말하는 표현이고, ㉡은 주체를 낮추어 말하는 표현이다.
④ ㉠과 ㉡은 형용사에 관형사형 어미 '-(으)ㄴ'을 써서 현재의 일을 나타내고 있다.
⑤ ㉠과 ㉡은 모두 사건이 발생한 시점과 그 사건을 언어로 표현하는 시점 사이에 시간 차이가 존재한다.

24 다음 중 문법 요소가 올바르게 쓰인 것은?

① 동생에게 사탕을 빼앗겼다.
② 나는 일이 잘 마무리되어지길 바란다.
③ 어제 동생이 "누나, 바다 보고 싶다."고 말했다.
④ 할아버지께서 병원에 혼자 가신다고 말해 주었어.
⑤ 편견 없는 사회가 만들어지려면 나부터 노력해야 해.

25 (가)~(다)에 대하여 시간표현 선어말어미의 의미를 중심으로 설명한 것 중 가장 적절한 것은?

보기

(가) 은경이는 어제 불암도서관에서 책을 빌리더라.
(나) 정일이는 어제 불암도서관에서 책을 빌렸어.
(다) 목감기로 승철이는 목구멍이 아직도 부었어.

① **원균** : (가)와 (나)는 모두 이전에 일어난 사건에 대한 사실을 전달하고 있어.
② **은희** : (가)는 (나)와 달리 이전에 일어난 사건이 지금까지 지속되고 있음을 나타내고 있어.
③ **영재** : (가)와 (다)는 모두 이전에 일어난 사건이 지금까지 지속되고 있음을 나타내고 있어.
④ **영관** : (나)와 (다)는 모두 이전에 일어난 사건의 사실을 화자가 직접 경험하여 알게 되었음을 나타내고 있어.
⑤ **지현** : (다)는 (가)와 달리 이전에 일어난 사건의 사실을 전달하는 동시에 그 사실을 화자가 직접 경험하여 알게 되었음을 나타내고 있어.

[26~27] 다음 글을 읽고, 물음에 답하시오.

'높임 표현'이란 말하는 이가 어떤 대상을 높이거나 낮추는 정도를 구별하여 표현하는 방법을 말한다. 국어에서 높임 표현의 대상에 따라 주체 높임, 상대 높임, 객체 높임으로 나누어진다.

주체 높임은 서술의 주체를 높이는 방법이다. 주체 높임을 실현하기 위해 선어말 어미 '-(으)시-'를 사용하며, 주격 조사 '이/가' 대신에 '께서'를 쓰기도 한다. 그 밖에 '계시다', '주무시다' 등과 같은 특수 어휘를 사용하여 높임을 드러내기도 한다. 그리고 주체 높임에는 직접 높임과 간접 높임이 있다. ㉠직접 높임은 높임의 대상인 주체를 직접 높이는 것이고, ㉡간접 높임은 높임의 대상인 주체의 신체 일부, 소유물, 가족 등을 높임으로써 주체를 간접적으로 높이는 것이다.

상대 높임은 말하는 이가 듣는 이를 높이거나 낮추어 말하는 방법이다. 상대 높임은 주체로 종결 표현을 통해 실현되는데, 아래와 같이 크게 격식체와 비격식체로 나뉜다.

격식체	하십시오체	예 합니다, 합니까? 등
	하오체	예 하오, 하오? 등
	하게체	예 하네, 하는가? 등
	해라체	예 한다, 하냐? 등
비격식체	해요체	예 해요, 해요? 등
	해체	예 해, 해? 등

격식체는 격식을 차리는 자리나 공식적인 상황에서 주로 사용하며, 비격식체는 격식을 덜 차리는 자리나 사적인 상황에서 주로 사용한다. 그렇기 때문에 같은 대상이라도 공식적인 자리인지 사적인 자리인지에 따라 높임 표현이 달리 실현되기도 한다.

㉢객체 높임은 목적어나 부사어가 지시하는 대상, 즉 서술의 객체를 높이는 방법이다. 객체 높임은 '모시다', '여쭈다' 등과 같은 특수 어휘를 통해 실현되며, 부사격 조사 '에게' 대신 '께'를 사용하기도 한다.

26 윗글을 바탕으로 〈보기〉의 ⓐ~ⓔ를 탐구한 내용으로 가장 적절한 것은?

보기

(복도에서 친구 선희와 만난 상황)

경화 : 선희야, ⓐ선생님께서 너 지금 교무실로 오라셔.

선희 : 응, 알았어.

(선희가 교무실로 선생님을 찾아간 상황)

선희 : 선생님, 부르셨어요?

선생님 : 그래. 방과 후에 있는 '탐구 논문 발표' 때 사용할 발표 자료를 점심시간 전까지 가져올 수 있니?

선희 : 점심시간 전까지 ⓑ선생님께 발표 자료를 드리기 어려운데요.

선생님 : 그러면 종례 끝나고 바로 발표 행사를 시작하니, 6교시 쉬는 시간까지는 제출해야 한다.

선희 : 발표 행사가 시작되면 바로 발표를 시작하나요?

선생님 : 아니. 행사를 시작하면 먼저 ⓒ교장선생님의 말씀이 있으실거야. 그 다음부터 순번대로 발표를 하게 될 거고. 너희가 첫 번째 순서이니까 미리 준비를 해야겠지?

선희 : 네. 그러면 6교시 쉬는 시간에 지현이와 함께 오겠습니다.

(6교시가 끝나고 지현이와 선희가 교무실로 선생님을 찾아간 상황)

지현 : 선생님, 발표 자료 여기 있어요.

선희 : ⓓ저희 열심히 준비했어요.

선생님 : 그래. 준비한 대로 발표 잘 하렴.

(발표 대회에서 발표를 하는 상황)

선희 : ⓔ이상으로 발표를 마칠게요.

미령 : 궁금한 점이 있는데, 질문해도 될까?

① **근화** : ⓐ는 서술의 주체인 선생님을 높이기 위하여 조사 '께서'와 오는 동작의 주체를 높이는 선어말어미 '-시-'를 사용하였어.

② **원균** : ⓑ는 서술의 주체인 선생님을 높이기 위하여 조사 '께'와 높임의 특수한 어휘인 '드리다'를 사용하였어.

③ **은희** : ⓒ는 높임의 대상인 주체와 관련된 사물을 높이기 위하여 '말씀'이라는 높임 어휘와 높임의 특수 어휘인 '있으시다'를 사용하였어.

④ **영재** : ⓓ는 듣는 사람인 선생님을 높이기 위하여 자신을 낮추는 표현을 사용하였어.

⑤ **영관** : ⓔ는 탐구 논문 발표라는 공식적인 자리에 맞게 높임을 나타내는 격식체의 종결 표현을 사용하였어.

27 윗글을 바탕으로 〈보기〉를 밑줄 친 ㉠, ㉡, ㉢에 해당하는 것으로 구분하여 묶은 것으로 가장 적절한 것은?

보기

㉮ 교수님께서는 책이 많으시다.
㉯ 나는 할머니를 모시고 병원에 갔다.
㉰ 교장선생님의 말씀이 있으시겠습니다.
㉱ 아무래도 네가 선생님을 직접 뵈어야겠다.
㉲ 아버지께서 지병 때문에 매일 한약을 드신다.

	㉠직접 높임	㉡간접 높임	㉢객체 높임
Ⓐ	㉮, ㉲	㉰, ㉱	㉯
Ⓑ	㉯	㉮, ㉰	㉱, ㉲
Ⓒ	㉰	㉮, ㉲	㉯, ㉱
Ⓓ	㉱	㉮, ㉰	㉯, ㉲
Ⓔ	㉲	㉮, ㉰	㉯, ㉱

① Ⓐ ② Ⓑ ③ Ⓒ ④ Ⓓ ⑤ Ⓔ

[28~30] **다음 글을 읽고, 물음에 답하시오.**

(가) 높임 표현은 화자가 대상의 높고 낮은 정도에 따라 언어적으로 구별하여 표현하는 국어의 문법 요소이다. 높임 표현은 높임의 대상에 따라 상대높임법, 주체높임법, 객체높임법으로 나뉜다.

상대높임법은 청자를 높이거나 낮추는 방법이다. 높임과 낮춤의 정도에 따라 종결 어미가 달라진다. 화자 자신을 낮추는 '저', '제' 등의 어휘를 쓰기도 한다.

주체 높임법은 문장의 주체를 높이는 방법이다. 주격조사 '이/가' 대산 '께서'를 사용하고, 일반적으로 서술어에 선어말 어미 '-(으)시-'가 붙어 실현된다. '있다', '먹다' 같은 단어 대신 '계시다', '잡수시다' 같은 특수 어휘를 쓰기도 한다.

객체 높임법은 문장의 목적어나 부사어가 지시하는 대상, 즉 서술의 주체를 높이는 방법이다. 서술의 객체가 화자보다 나이가 많거나 사회적 지위가 높을 때 사용한다. 부사격 조사 '에게' 대신 '께'를 사용하고, '만나다', '묻다' 같은 단어 대신 '뵈다', '여쭈다' 같은 특수 어휘를 쓰기도 한다.

(나) 시간 표현은 시간을 언어적으로 표현한 것으로, 시간 표현에는 시제와 동장상이 있다. 시제는 사건이 발생한 시점(사건시)이 그 사건을 언어로 표현하는 시점(발화시)보다 이전인지 이후인지, 아니면 일치하는지를 나타내는 국어의 문법 요소이다. 시제에는 과거 시제, 현재 시제, 미래 시제가 있다.

과거 시제는 사건시가 발화시보다 앞서는 시제이다. 과거 시제를 표현할 때에는 선어말 어미 '-았-/-었-'을 쓰며, 과거의 일이나 경험을 회상하는 의미를 덧붙이고 싶을 때에는 선어말 어미 '-더'를 쓴다. 관형사형 어미는 동사의 경우 '-(으)ㄴ'과 '-던'을, 형용사와 서술격 조사의 경우 '-던'을 쓴다. '어제', '아까', '이미' 등과 같은 부사어를 쓰기도 한다.

현재 시제는 사건시와 발화시가 일치하는 시제이다. 현재 시제를 표현할 때에는 동사의 경우 선어말 어미 '-ㄴ-/-는-'을 쓰는데, 형용사와 서술격 조사의 경우에는 현재 시제 표시가 따로 없다. 관형사형 어미는 동사의 경우 '-는-을, 형용사와 서술격 조사의 경우 '-(으)ㄴ'을 쓴다. '오늘', '지금', '현재' 등과 같은 부사어를 쓰기도 한다.

미래 시제는 사건시가 발화시보다 뒤에오는 시제이다. 미래 시제를 표현할 때에는 선어말 어미 '-겠-', 관형사형 어미 '-(으)ㄹ 것'을 쓰기도 한다. 예스럽게 표현할 때에는 선어말 어미 '-(으)리'를 쓴다. '내일', '장차' 등과 같은 부사어를 쓰기도 한다.

한편, 선어말어미 '-겠-'은 미래시제를 나타내는 것 이외에 추측이나 의지, 가능성이나 능력, 완곡하게 말하는 태도 등을 표현하기도 한다.

28 (가)를 읽고 〈보기〉를 설명한 것으로 적절하지 않은 것은?

보기

동생이 할아버지를 모시고 병원에 간다. ······ ㉠
언니가 할머니께 선물을 드린다. ······ ㉡
아주머니, 저는 이곳이 처음입니다. ······ ㉢
김과장이 맡았던 업무는 사장님께 여쭈어 보게 ······ ㉣
용준아, 선생님께서 너를 데리고 오라셔 ······ ㉤

① ㉠에서 높임의 대상은 '할아버지'이고 문장의 객체여서 특수어휘 '모시다'를 통해 실현하였다.
② ㉡에서 높임의 대상은 '할머니'이고 문장의 객체여서 부사격조사 '께'와 특수어휘 '드린다'를 통해 실현하였다.
③ ㉢에서 높임의 대상은 '아주머니'이고 듣는 이여서 '저'와 상대 높임의 종결어미 '-ㅂ니다'를 통해 높임을 실현하였다.
④ ㉣에서 높임의 대상은 '사장님'이고 문장의 주체여서 부사격조사 '께'를 사용하였고 특수어휘 '여쭈다'를 이용하여 높임을 실현하였다.
⑤ ㉤에서 높임의 대상은 '선생님'이고 문장의 주체에서 주격조사 '께서'와 선어말어미 '-시-'를 사용하여 높임을 실현하고 있다.

29 (나)의 내용과 일치하지 않는 것은?

① 시간 표현은 시제와 동작상이 있는데, 시간을 추상적으로 표현한 것이다.
② 시제는 사건시와 발화시의 선후 및 일치관계를 나타내는 국어의 문법요소이다.
③ 과거 시제는 사건시가 발화시보다 앞서는 시제로, 표현할 때에는 선어말 어미 '-았-/-었'을 쓴다.
④ 현재 시제는 사건시와 발화시가 일치하는 시제로 형용사와 서술격 조사의 경우에는 현재 시제 표시가 따로 없다.
⑤ 미래 시제는 사건시가 발화시보다 뒤에 오는 시제로, 미래이긴 하나 예스럽게 표현할 때에는 선어말 어미 '-(으)리'를 쓴다.

30 윗글을 읽고 〈보기〉의 ㉠~㉤에 대해 탐구한 결과로 적절하지 않은 것은?

보기

㉠ 막차를 놓쳤으니 나는 집에 다 갔다.
㉡ 내가 떠날 때 비가 왔다.
㉢ 거기에는 눈이 왔겠다.
㉣ 그는 내년에 진학한다고 한다.
㉤ 오늘 보니 그는 키가 작다.

① ㉠을 보니, 선어말 어미 '-았-'이 과거 시제를 나타내지 않는 경우도 있군.
② ㉡을 보니, 관형사형 어미 '-ㄹ-'이 붙을 때 미래의 사건을 나타내지 않는 경우도 있군.
③ ㉢을 보니, 선어말 어미 '-겠-'이 미래에 일어날 말을 완곡하게 표현하는 데 쓰이고 있군.
④ ㉣을 보니, 현재 시제 선어말 어미 '-ㄴ-'이 미래에 일어날 사건을 나타낼 때도 쓰이고 있군.
⑤ ㉤을 보니, 형용사에서 현재 시제를 나타낼 때 현재 시제 선어말 어미를 사용하고 있지 않고 있군.

[31] 다음 글을 읽고, 물음에 답하시오.

(가) 시제가 사건시와 발화시의 선후 관계를 표현한다면, 동작상은 사건 또는 동작 자체의 시간적 속성을 표현한다. 예를 들어 '먹다'라는 동작은 과거에서부터 지금까지 먹고 있는 움직임이 진행 중인 상태와 먹는 움직임이 이미 끝난 상태로 분석할 수 있다. 이와 같이 동작 내부의 시간적 흐름을 표현하는 국어의 문법 요소를 동작상이라고 한다. 동작상에는 진행상과 완료상이 있다.

㉠진행상이란 어떤 동작이 시간의 흐름 속에서 계속 이어지고 있을 때 사용하는 문법 요소이다. 진행상을 표현할 때에는 주로 보조 용언 '-고 있다' 또는 '-아 가다/-어 가다'를 쓴다. 문장이 이어질 때에는 연결어미 '-(으)면서'를 쓴다.

㉡완료상이란 어떤 동작이 시간의 흐름 속에서 이미 끝났거나 그 결과가 지속될 때 사용하는 문법요소이다. 완료상을 표현할 때에는 주로 보조 용언 '-아 있다/-어 있다' 또는 '-아 버리다/-어 버리다'를 쓴다. 문장이 이어질 때에는 연결어미 '-고서'를 쓴다.

(나) 인용 표현은 다른 데에서 들은 말이나 읽은 글을 문장 속에 넣어서 전달하는 국어의 문법 요소이다. 이때 문장 속에 넣어진 말이나 글을 인용절이라고 한다. 인용 표현에는 직접 인용과 간접 인용이 있다.

직접 인용은 다른 데에서 들은 말이나 읽은 글을 인용할 때에 원래의 내용과 형식을 그대로 유지한 채 인용하는 방식이다. 직접 인용 표현을 할 때에는 인용절에 큰 따옴표를 하여 표시하고, 큰따옴표 뒤에 조사 '라고'를 쓴다.

간접 인용은 다른 데에서 들은 말이나 읽은 글을 인용할 때 그 형식은 유지하지 않고 내용만 인용하는 방식이다. 그래서 간접 인용 표현을 사용할 때에는 인용절의 시간 표현, 높임 표현, 지시어, 종결 어미 등을 문장에 맞도록 적절히 바꾸어야 한다. 간접 인용은 직접 인용과 달리 따옴표를 쓰지 않으며, 해당 인용절 다음에 조사 '고'를 쓴다.

인용 표현을 사용할 때에는 원작자의 의도를 손상시키지 않아야 하고, 반드시 인용할 말이나 글의 출처를 밝혀야 한다. 원문의 앞뒤를 잘라 내거나 일부만 뽑아서 자기가 전달하고 싶은 뜻에 끼워 맞추는 행위, 출처를 밝히지 않고 원문을 사용하는 행위 등은 인용의 윤리에 어긋날 뿐만 아니라 저작권을 침해하는 것이 된다.

---

31 ㉠과 ㉡의 예로 적절하지 않은 것은?

① ㉠ : 은서가 그림을 그려 버렸다.
② ㉠ : 아까 널어 둔 빨래가 벌써 마르고 있다.
③ ㉡ : 준현이가 반갑게 양손을 흔들고서 내게 다가온다.
④ ㉡ : 토론대회 준비를 위해 나는 내일 학교에 남아 있겠다.
⑤ ㉡ : 국어시간에 너무 잠이 온 민호가 책상에 엎드려 버렸다.

32 〈보기〉를 참고할 때, '피동문'으로 바꿀 수 <u>없는</u> 것은?

보기

피동사는 주어가 제 힘으로 행하는 동작을 나타내는 능동사 어간에 피동 접미사 '-이-, -히-, -리-, -기-' 등이 결합되어 만들어진 것이다.

이와 같은 피동문은 다음과 같은 과정을 통해 만들어진다.

A. 능동사가 서술어로 쓰인 문장 :

사냥꾼이 호랑이를 잡았다.
(주어 / 목적어 / 서술어)

B. 피동사가 서술어로 쓰인 문장 :

호랑이가 사냥꾼에게 잡히었다.
(주어 / 목적어 / 서술어)

A의 목적어가 B의 주어가 되고 A의 주어가 B의 부사어가 된다. 그리고 A의 능동사 '잡았다'의 어간에 '-히-'가 결합된 피동사 '잡히었다'가 B의 서술어가 된다. 그렇지만 모든 능동사 어간에 피동 접미사가 결합될 수 있는 것은 아니다.

① 아빠가 아기를 안았다.
② 뱀이 개구리를 먹었다.
③ 바람이 나뭇가지를 꺾었다.
④ 비바람이 사과를 세차게 흔들었다.
⑤ 영희가 귀갓길에 소나기를 만났다.

33 〈보기〉의 ㉠과 ㉡에 대한 설명으로 가장 적절한 것은?

보기

㉠ 너는 어디로 가니?
㉡ 저는 집에 갑니다.

① ㉠은 청자를 낮추어 말하는 표현이고, ㉡은 청자를 높여 말하는 표현이다.
② ㉠은 상대를 직접적으로 낮추는 표현이고, ㉡은 상대를 간접적으로 높이는 표현이다.
③ ㉠은 사적인 경우와 공적인 경우에 쓰는 표현이고, ㉡은 공적인 경우에 쓰는 표현이다.
④ ㉠은 문장의 주체를 낮추어 말하는 표현이고, ㉡은 문장의 주체를 높여 말하는 표현이다.
⑤ ㉠은 서술의 객체를 낮추어 말하는 표현이고, ㉡은 서술의 객체를 높여 말하는 표현이다.

34 과거 시제를 표현하는 방법으로 적절하지 <u>않은</u> 것은?

① 선어말 어미 '-았-/-었-'을 사용하여 과거 시제를 표현한다.
② 부사어 '어제', '아까', '이미' 등을 사용하여 과거 시제를 표현한다.
③ 과거 시제를 표현하기 위한 관형사형 어미로 동사의 경우 '-던'을 쓴다.
④ 과거 시제를 표현하기 위한 관형사형 어미로 형용사의 경우 '-(으)ㄴ'을 쓴다.
⑤ 과거의 일이나 경험을 회상하는 의미를 덧붙이기 위해 선어말 어미 '-더-'를 쓴다.

35 인용 표현을 할 때 유의점으로 적절하지 않은 것은?

① 직접인용은 다른 데에서 들은 말이나 읽은 글을 인용할 때 원래의 내용과 형식을 그대로 유지한 채 인용하는 방식이다.
② 간접인용은 다른 데에서 들은 말이나 읽은 글을 인용할 때 원래의 내용과 형식을 변형할 수 있다.
③ 직접 인용 표현을 할 때에는 인용절에 큰따옴표를 하여 표시하고, 큰따옴표 뒤에 조사 '-라고'를 쓴다.
④ 간접 인용 표현을 할 때에는 따옴표 없이 인용절 다음에 조사 '고'를 쓴다.
⑤ 간접 인용 표현을 할 때에는 인용절의 시간 표현, 높임 표현 등을 문장에 맞도록 적절히 바꾸어야 한다.

36 〈보기〉의 ㉠~㉤에 해당하는 문장으로 적절하지 않은 것은?

보기

미래 시제를 표현할 때에는 선어말 어미 '-겠-', 관형사형 어미 '-(으)ㄹ'을 쓰거나 '-(으)ㄹ'에 의존 명사 '것'이 결합된 '-(으)ㄹ 것'을 쓰기도 한다. 선어말 어미 '-겠-'은 미래 시제를 나타내는 것 이외에 ㉠추측이나 ㉡의지, ㉢가능성이나 ㉣능력, ㉤완곡하게 말하는 태도 등을 표현하기도 한다.

① ㉠ : 지금 떠나면 저녁에 도착하겠구나.
② ㉡ : 다음에는 꼭 찾아뵙도록 하겠습니다.
③ ㉢ : 늦어도 어제는 고향에 소포가 도착했겠다.
④ ㉣ : 나도 그 정도의 문제는 풀 수 있겠다.
⑤ ㉤ : 선생님, 제가 잠시 들어가도 되겠습니까?

37 〈보기〉의 내용에 따를 때, 성격이 다른 하나는?

보기

시제가 사건시와 발화시의 선후 관계를 표현한다면, 동작상은 사건 또는 동작 자체의 시간적 속성을 표현한다. 예를 들어 '먹다'라는 동작은 과거에서부터 지금까지 먹고 있는 움직임이 진행 중인 상태와 먹는 움직임이 이미 끝난 상태로 분석할 수 있다. 이와 같이 동작 내부의 시간적 흐름을 표현하는 국어의 문법 요소를 동작상이라고 한다. 동작상에는 진행상과 완료상이 있다.

① 홍구는 학교에 가고 있다.
② 은서가 그림을 그리고 있다.
③ 민호가 책상에 엎드려 버렸다.
④ 아까 널어 둔 빨래가 벌써 마르고 있다.
⑤ 준현이가 반갑게 양손을 흔들면서 내게 다가온다.

38 〈보기〉의 ㉠, ㉡이 모두 사용된 문장은?

보기

우리말에서는 일반적으로 선어말 어미나 종결 어미, 조사 등을 통해 높임 표현을 하지만, 다음과 같이 특수한 어휘를 통해 높임을 표현하는 경우도 있다.

- 주체를 높이는 동사나 형용사
- 객체를 높이는 동사나 형용사 ……………………………… ㉠
- 높여야 할 인물을 직접 높이는 명사
- 높여야 할 인물과 관련된 것을 높이는 명사 ……………………… ㉡

① 교장 선생님께서 훈화 말씀을 하셨다.
② 아버지께서 할머니를 뵈러 큰댁에 가셨다.
③ 생신을 맞으신 할머니께서 홍시를 드신다.
④ 영희는 아직 선생님의 성함을 기억하고 있다.
⑤ 우리 가족은 할머니를 모시고 제주도로 여행을 갔다.

39 높임법에 맞게 고쳐 쓴 문장이 적절하지 않은 것은?

① 나는 이곳이 처음이다.
→ (청자를 높일 때) 저는 이곳이 처음입니다.
② 이 구두는 최신 유행 상품이다.
→ (청자를 높일 때) 이 구두는 최신 유행 상품입니다.
③ 민서는 할머니에게 사과를 주었다.
→ (객체를 높일 때) 민서는 할머니께 사과를 드렸다.
④ 어려운 문제를 선생님에게 물어 보았다.
→ (객체를 높일 때) 어려운 문제를 선생님께 물어 보았다.
⑤ 동생이 할아버지를 데리고 병원에 갔다.
→ (객체를 높일 때) 동생이 할아버지를 모시고 병원에 갔다.

40 〈보기〉에서 피동 표현이 바르게 사용된 문장만을 있는 대로 고른 것은?

보기

ㄱ. 밧줄을 세차게 당겼다.
ㄴ. 컴퓨터 파일이 복구되었다.
ㄷ. 새로운 사실이 그에 의해 밝혀졌다.
ㄹ. 성금은 불우 이웃에게 쓰여질 것이다.

① ㄱ, ㄴ ② ㄱ, ㄷ ③ ㄴ, ㄷ ④ ㄱ, ㄴ, ㄷ ⑤ ㄴ, ㄷ, ㄹ

41 〈보기〉의 ㉠~㉤에 대한 설명으로 적절하지 않은 것은?

보기
㉠ 친구가 읽는 책은 소설이다.
㉡ 고향에서는 벌써 추수를 끝냈겠다.
㉢ 학생들이 운동장에서 축구를 한다.
㉣ 언니는 입시 준비를 하느라 항상 바쁘다.
㉤ 오늘까지 발표 준비를 하려면 잠은 다 잤다.

① ㉠ : 관형사형 어미 '-는'으로 현재 시제를 나타내는군.
② ㉡ : 선어말 어미 '-겠-'으로 '추측'의 의미를 드러내고 있다.
③ ㉢ : 선어말 어미 '-ㄴ-'은 동사에 붙어 시제를 나타내는군.
④ ㉣ : 형용사는 선어말 어미가 없이 기본형으로 현재 시제를 나타내는군.
⑤ ㉤ : 선어말 어미 '-았-'으로 과거 시제를 나타내는군.

42 〈보기〉의 ㉠, ㉡의 예로 적절한 것끼리 묶은 것은?

보기
시제는 문장 내에서 가리키는 사건이 일어난 시점인 '사건시'와 그 문장을 말하는 시점인 '발화시'의 관계로 나타낼 수 있는데, ㉠사건시가 발화시보다 먼저인 경우, 사건시와 발화시가 일치하는 경우, ㉡사건시보다 발화시가 먼저인 경우가 있다.

① ㉠ : 예쁜 꽃이 마당에 피어 있다.
㉡ : 그 일은 혼자서도 할 수 있겠다.
② ㉠ : 그는 예전에 만나던 사람이다.
㉡ : 동생이 밥을 먹는 모습이 보기 좋다.
③ ㉠ : 나는 다급하게 초인종을 눌렀다.
㉡ : 네가 떠날 곳으로 곧 따라갈게.
④ ㉠ : 오늘 밤에도 별이 바람에 스친다.
㉡ : 하늘을 보니 비가 오겠다.
⑤ ㉠ : 성규는 준호에게 생일 선물을 주었다.
㉡ : 수지는 어제 서점에서 책을 보더라.

43 〈보기〉의 ㉠~㉤을 고친 문장과 그 이유가 모두 알맞은 것은?

보기

㉠ 용욱아, 선생님이 너 교실로 오시래.
㉡ 수호는 자기가 먼저 간다라고 말했다.
㉢ 할아버지는 매일 이 시간이면 낮잠을 잔다.
㉣ 이 책은 사람들의 기억에서 잊혀진 책입니다.
㉤ 나는 서로 돕는 것이 옳은 일이라고 생각되어진다.

	고친 문장	고친 이유
ⓐ	㉠ 용욱아, 선생님께서 너 교실로 오시래.	높임 오류
ⓑ	㉡ 수호는 자기가 먼저 간다고 말했다.	시제 오류
ⓒ	㉢ 할아버지는 매일 이 시간이면 낮잠을 주무신다.	높임 오류
ⓓ	㉣ 이 책은 사람들의 기억에서 잊힌 책입니다.	피동 오류
ⓔ	㉤ 나는 서로 돕는 것이 옳은 일이라고 생각된다.	피동 오류

① ⓐ ② ⓑ ③ ⓒ ④ ⓓ ⑤ ⓔ

44 〈보기〉에서 ㉠~㉤의 높임법에 대한 설명으로 적절한 것은?

보기

점원 : 손님, 어떤 옷을 ㉠찾으십니까?
손님 : 바지 좀 보려고요. ㉡아버지께 선물할 거거든요.
점원 : 이 바지는 어떠세요? 선물로 ㉢드리시면 무척 좋아하실 겁니다.
손님 : 저희 아버지는 키가 크신데 잘 맞을지 ㉣모르겠네요.
점원 : 아버님 ㉤모시고 한번 들러 주세요.

① ㉠은 특수 어휘를 사용하여 상대 높임을 나타내고 있다.
② ㉡은 조사 '께'를 사용하여 주체인 '아버지'를 높이고 있다.
③ ㉢은 특수어휘와 선어말 어미를 사용하여 객체와 주체를 높이고 있다.
④ ㉣은 선어말 어미를 사용하여 주체를 높이고 있다.
⑤ ㉤은 선어말 어미를 사용하여 객체인 '아버님'을 높이고 있다.

45 〈보기〉의 ㉠에 해당하는 문장으로 적절하지 않은 것은?

보기

제 힘으로 움직이는 행위의 주체가 주어인 문장을 능동문이라 한다. 이와 달리 ㉠피동문은 행위의 주체가 아닌 행위의 대상이 주어가 된다.

① 아이가 모기에 물렸다.
② 오늘은 붓글씨가 잘 써진다.
③ 그 집이 사람들에게 헐렸다.
④ 그는 친구들을 감쪽같이 속였다.
⑤ 그의 그림이 비싼 가격에 팔렸다.

[46] 다음 글을 읽고, 물음에 답하시오.

높임 표현은 화자가 대상의 높고 낮은 정도에 따라 언어적으로 구별하여 표현하는 국어의 문법 요소이다. 높임 표현은 높임의 대상에 따라 상대 높임법, 주체 높임법, 객체 높임법으로 나뉜다.

상대 높임법은 청자를 높이거나 낮추는 방법이다. 높임과 낮춤의 정도에 따라 종결 어미가 달라진다. 화자 자신을 낮추는 '저', '제' 등의 어휘를 쓰기도 한다.

㉠주체 높임법은 문장의 주체를 높이는 방법이다. 주격 조사 '이/가' 대신 '께서'를 사용하고, 일반적으로 서술어에 선어말 어미 '-(으)시-'가 붙어 실현된다. '있다', '먹다' 같은 단어 대신 '계시다', '잡수시다' 같은 특수 어휘를 쓰기도 한다.

㉡객체 높임법은 문장의 목적어나 부사어가 지시하는 대상, 즉 서술의 객체를 높이는 방법이다. 서술의 객체가 화자보다 나이가 많거나 사회적 지위가 높을 때 사용한다. 부사격 조사 '에게' 대신 '께'를 사용하고, '만나다', '묻다' 같은 단어 대신 '뵈다', '여쭈다' 같은 특수 어휘를 쓰기도 한다.

46 다음 중 윗글의 밑줄 친 ㉠, ㉡이 모두 나타난 문장은?

① 아버지께서는 집에 들어 가셨다.
② 멀리서 오셨는데 물이나 한 잔 드시지요.
③ 선생님, 시험 끝나면 친구들과 뵈러 갈게요.
④ 어머니께서 할머니를 모시고 식당에 가셨어.
⑤ 아버지는 아직 할아버지 사진을 간직하고 계신다.

47 〈보기〉의 ㄱ~ㅁ에 대한 설명으로 적절하지 않은 것은?

보기

ㄱ. 네가 돌려준 책을 어머니께 받았어.
ㄴ. 고객님, 이것으로 하시겠습니까?
ㄷ. 형님, 어머님을 모시고 함께 나갈게요.
ㄹ. 손님, 여기 커피 나오셨습니다.
ㅁ. 선생님, 그것 제가 들어 드릴게요.

① ㄱ : 서술의 객체를 높이기 위해 부사격 조사와 특수어휘를 사용하였다.
② ㄴ : 종결어미를 사용하여 듣는 이를 높이고자 하는 상대 높임이 쓰였다.
③ ㄷ : 특수어휘를 사용하여 목적어를 높이고 있다.
④ ㄹ : 사물에 대한 지나친 높임 표현으로 높임의 대상이 잘못된 경우이다.
⑤ ㅁ : 화자 자신을 낮추는 어휘를 사용하여 청자를 높이고 있다.

48 〈보기〉의 ㄱ~ㅁ에 대한 설명으로 옳은 것은?

보기

ㄱ. 작년에 나는 심하게 아팠었다.
ㄴ. 저기 열심히 밥을 먹는 아이가 보인다.
ㄷ. 네가 읽은 책은 유명한 작가의 작품이야.
ㄹ. 문 닫을 시간이 지나서 그 가게는 끝났겠다.
ㅁ. 어제 학교 앞 교회에 사람이 참 많더라.

① ㄱ을 통해 '-았었-'은 과거 사태가 현재까지 영향이 있음을 보여줄 때 사용됨을 알 수 있다.
② ㄴ, ㄷ을 통해 동사가 관형사형 어미 '-은', '-는'과 결합하여 과거시제를 실현할 수 있음을 알 수 있다.
③ ㄱ, ㄴ, ㅁ을 통해 작년, 저기, 어제와 같은 부사어가 문장의 시제를 나타내는 역할을 함을 알 수 있다.
④ ㄹ을 통해 선어말어미 '-겠-'이 미래에 대한 주체의 의지를 나타냄을 알 수 있다.
⑤ ㅁ을 통해 '-더-'는 과거 자신이 직접 본 내용을 나타낼 때 사용됨을 알 수 있다.

서술형 심화문제

01 다음 문장에서 잘못 쓰인 표현을 찾아 바르게 고치시오. (단, 문장 부호는 고치지 않는다.) 그리고 고친 이유를 각각 한 문장으로 서술하시오

보기

1) 국어책은 다른 책보다 잘 읽혀진다.
2) 누군가 어둠 속에서 "철수가 바로 범인이다."고 소리쳤어.

02 다음 문장에서 잘못된 표현을 바르게 고치고, 이유를 서술하시오.

조건

• 완성된 문장 형태로 고쳐 쓰고, 잘못된 이유를 정확하게 서술할 것

(1) 그는 은퇴 후에도 여전히 바쁘고 있다.

(2) 이 제품이 요즘 제일 잘 나가는 색상이세요.

03 〈보기〉의 문장을 〈조건〉에 따라 고쳐 쓰시오.

보기

철수는 선생님에게 영희가 아프다고 말씀드렸습니다.

조건

• 직접 인용으로 바꾸어 쓸 것
• 인용문의 종결 어미는 '-ㅂ니다'를 사용할 것
• 조사를 사용하여 객체높임법을 실현할 것

04 〈보기〉에서 상황에 따른 문법 요소의 활용이 적절하지 않은 곳을 있는 대로 찾아 〈조건〉에 따라 각각 올바른 형태로 고치시오.

보기

저는 그것이 옳지 않다라고 생각했기 때문에 선생님의 제안을 반대했다. 선생님께서는 그 프로그램이 우리 이웃들에게 유용하게 쓰여질 것이라고 확신하고 계셨기 때문에 반대 의견에 당황하셨다. 그때 충격을 받을 선생님의 표정이 지금까지도 잊혀지지 않는다.

조건

- 잘못된 부분과 고친 내용을 어절 단위로 제시할 것.
- '먹었다 → 먹는다'의 형식으로 서술할 것.

05 〈보기〉의 글에서 밑줄 친 부분의 잘못된 표현을 바른 문장으로 고쳐 쓰고 그 이유를 서술하시오.

보기

안녕하세요? 저는 "이현서"라고 합니다.

문학에 관심이 많은 저는 초등학교 3학년 때 백일장에 (1)참가되었습니다. 하루 종일 고생해서 시를 써냈지만 수상하지 못했습니다. 실망한 제게 (2)어머니는 실패란 하나의 사건일 뿐이라고 말씀해 주셨습니다. 실패는 끝이 아니라 과정이며, 실패를 통해 무엇을 배웠는가가 더 중요하다는 사실을 깨달았습니다. 그 후 저는 8년간 계속해서 백일장에 참가하고 있습니다. 앞으로도 많이 (3)실패하였지만 계속 도전할 것입니다.

06 〈보기〉는 영어 문장을 상대높임법에 맞게 해석한 것이다. 예를 참고하여 ㉠~㉤을 적절하게 해석하시오.

보기

Happy birthday to you.	
하십시오체	생일을 축하합니다.
해라체	㉠
해요체	㉡
해체	㉢
Are you with somebody?	
하십시오체	㉣
해라체	㉤
해요체	지금 사귀는 사람 있어요?
해체	지금 사귀는 사람 있어?

07 다음 〈보기〉의 대화 중 촌장이 파수꾼 '나'를 대할 때 사용한 높임 표현법을 세 가지를 쓰고 높임 표현이 쓰인 문장을 각각 하나씩만 찾아 쓰시오.

보기

촌장 : 수고하시는군요. 파수꾼님.
파수꾼 나 : 아, 촌장님. 여긴 웬일이십니까?
촌장 : 추억을 더듬으러 왔습니다. 이 황야는 내가 어린 시절 야생 딸기를 따러 오곤 했던 곳이지요. 그땐 이리가 무섭지도 않았나 봐요. 여기저기 덫이 깔려 있고 망루 위의 파수꾼이 외치는데도 어린 난 딸기 따기에만 열중했었으니까요. 그 즐거웠던 옛 추억, 오늘 아침 나는 그 추억을 상기시켜 주는 편지를 받았습니다. 그래 이곳엘 찾아온 거예요.
파수꾼 나 : 잘 오셨습니다, 촌장님.
촌장 : 오래 뵙지 못했더니 이곳에 계신 동안 흰머리가 더 많아지셨군요.
파수꾼 나 : 촌장님두요, 더 늙으셨어요.
촌장 : 오다 보니까 저쪽 덫에 이리가 치이어 있습니다.
파수꾼 나 : 이리요? 어느 쪽이요?
촌장 : 저쪽요. 저쪽. 찔레 덩굴 밑이던가요…….
파수꾼 나 : 드디어 붙잡는군요!

[08~09] 다음 글을 읽고, 물음에 답하시오.

민지 : 선생님, 점심 잡수셨어요?
선생님 : 응, 먹었지. 너희도 먹었지?
태현 : ㉠혹시 지금 시간 좀 있으세요?
선생님 : 왜? 무슨 일 있니?
태현 : 네. 저…… 선생님, 동아리 활동과 관련해서 선생님께 말씀드릴 게 있어서요.
선생님 : 동아리? 뭘까? ㉡얘기가 좀 길어지겠구나. 우선 좀 앉으렴.
태현, 민지 : 감사합니다!
민지 : 곧 겨울방학을 하잖아요. 아무래도 방학이 되면 지금보다 ㉢시간이 좀 더 많아질 것이니 방학 중 동아리 활동을 계획해 보려고요.

08 윗 글의 밑줄 친 ㉠은 주제 높임과 객체 높임 중 어떤 것이 쓰였는지, 어떤 방법을 이용하여 높임 표현을 실현하였는지 쓰시오.

사용된 높임 표현	실현 방법
ⓐ	ⓑ

09 〈보기〉 ⓛ과 ⓔ의 발화는 어떤 방법으로 미래 시제가 실현되었는지 쓰시오.

10 〈보기〉의 글에서 잘못된 표현을 〈조건〉에 따라 모두 찾아 쓰고 바른 문장으로 고쳐 쓰시오.

보기

안녕? 나는 OO고등학교 1학년 학생이야. 2학기가 시작한 지 한 달이 지나는데도 아침에 일찍 일어나는 것이 정말 힘들어. 아침마다 지각을 피하려고 뛰어다녀서 앞으로도 따로 운동을 할 필요가 없는 정도야. 특히 영어듣기를 하는 시간에는 너무 졸려서 정신이 없게 돼. 그런 나에게 선생님께서는 항상 피곤해서 어떡하느냐라고 걱정을 하지. 매일 노력하는데도 생활습관을 바꾸기가 힘들어. 잘못된 습관을 바로 잡기는 정말 힘들 것 같아.

조건

- 잘못 쓰인 높임 · 시간 · 인용 표현을 바르게 고쳐 쓴다. (단, 상대 높임법은 고치지말 것)
- 부적절하게 사용한 피동 표현을 능동 표현으로 고쳐 쓴다.

11 〈보기1〉과 〈보기2〉를 읽고, 〈조건〉에 따라 서술하시오.

보기 1

1. 비로 인해 패인 땅을 복구한다.
2. 나는 아직도 그녀가 잊혀지지 않는다.

보기 2

〈보기1〉에서 1, 2에 제시된 문장이 잘못된 이유는 (   ) 때문이다.

조건

- 〈보기2〉에 빈칸을 채워 전체 문장을 쓰시오.
- 〈보기1〉에서 1, 2를 올바른 표현으로 고쳐 전체 문장을 쓰시오.

12 〈보기〉의 문장을 아래의 〈조건〉을 모두 적용하여 한 문장으로 적절하게 고치시오.

보기

해리포터가 나에게 "나와 함께 해서 정말 기쁘지 않니?"라고 묻는다.

조건

• 주어인 '해리포터'를 '선생님'으로 고쳐서 높임법에 맙게 고치되, 높임을 제외하고는 시제를 포함하여 어떠한 의미도 달라지지 않도록 표현할 것.
• 인용절 속의 인칭대명사는 반드시 높임의 의미를 지니는 인칭대명사로 고칠 것.
• 직접인용문을 간접인용문으로 고치되 어법에 맞게 표현할 것.

13 다음 제시된 〈보기〉의 문장을 문법 요소의 특성에 맞게 고쳐 쓰시오.

보기

㉠ 주문하신 음료 나오셨습니다.
㉡ 손님, 가격께서는 모두 만 이천 원 되시겠습니다.
㉢ 그녀의 눈은 언제나 초롱초롱하고 아름답고 있다.

14 〈보기〉의 잘못된 높임 표현을 올바른 표현으로 고쳐 쓰시오.

보기

ㄱ. 할아버지는 일찍 자고 일찍 일어난다.
ㄴ. 만수는 할머니를 산본역까지 데려다 드리셨다.
ㄷ. 나는 선생님에게 모르는 문제를 물어 보러갔다.

조건

• 답안 작성 시에 주어와 서술어를 갖춘 완결된 문장으로 쓸 것.

15 다음 글을 읽고 〈조건〉에 맞게 수정하여 표를 완성하시오.

안녕하세요? 저는 이○○이라고 합니다. 문학에 관심이 많은 나는 초등학교 3학년 때 백일장에 참가하였습니다. 수상을 하지 않아 실망한 나에게 어머니께서는 "실패란 하나의 사건일 뿐이다."라고 말씀해 주었습니다. 많은 것을 깨달은 저는 앞으로도 많이 실패하였지만 계속 도전할 것입니다.

조건

- 반복되는 건 쓰지 않는다.
- 직접 인용을 간접 인용으로 고쳐 쓴다.
- 문법 요소가 부적절하게 실현된 부분은 고쳐 쓴다.

수정 전	수정 후
㉠	㉡
㉢	㉣
㉤	㉥
㉦	㉧
㉨	㉩

16 다음 문장을 〈조건〉에 맞게 고쳐 쓰시오.

나는 "너가 빌려 준 물건은 돌려 주겠다."라고 말했다.

조건

- 직접인용을 간접인용으로 바꿀 것.
- 대화 상황을 고려하여 바른 높임 표현으로 고칠 것.
  (상황 : 젊은 연기자가 중년의 관객에게 빌렸던 물건을 돌려주며 말하는 극중 대사)
- '하십시오체'로 종결할 것.

17 아래의 조건을 고려하여 ㉠, ㉡의 잘못된 표현을 바르게 고치시오.

㉠ 용준아, 선생님께서 너를 모시고 오시래.
㉡ 창문이 닫혀지지 않아 찬바람이 들어온다.

조건
- 잘못된 표현을 고쳐 완성된 문장으로 작성할 것.
- 우리 국어의 어법에 맞게 작성할 것.

18 다음 (1), (2)의 높임법을 설명하고, 제시된 높임법에 맞게 문장을 바꾸어 쓰시오.

(1) 할머니가 책을 읽고 있다.
주체 높임이란?
(2) 나는 아버지에게 추석 선물을 주었다.
객체 높임이란?

19 다음에 제시된 문장이 잘못된 이유를 쓰고, 올바르게 고치시오.

(1) 이 제품의 95 사이즈는 하나 남으셨습니다.
(2) 세계 각국이 '잊혀질 권리'를 법적으로 보장하려고 한다.

20 다음 물음에 답하시오.

(1) <보기>의 (가)부분 (㉠, ㉡이 '아버지'를 높이는 방법이 다른 이유)에 들어갈 내용을 서술하시오.

㉠ 아버지께 전화 드리고 밖으로 나가자.
㉡ 아버지께서는 귀가 밝으시다.

㉠에서는 조사 '께'와 특수어휘 '드리고'를 사용하여 높임 표현을 나타내고 있고, ㉡에서는 조사 '께서'와 선어말어미 '시'를 사용하여 높임 표현을 나타내고 있다. 이렇듯 두 문장이 화자보다 높은 '아버지'를 높이기 위해 다른 방법을 사용하게 된 것은 (가)________________ 때문이다.

(2) 다음 문장(㉠~㉣)들을 높임의 정도가 낮은 것부터 순서대로 배열하고, 각각의 상대 높임 표현의 체계를 함께 서술하시오. (단, 상대 높임 표현 체계는 '격식/비격식 + ~체'로 쓸 것)

㉠ "여러분, 여기를 좀 보시겠습니까?"
㉡ "자네, 이번 운전은 신중히 하게."
㉢ "재석아, 그렇게 서 있지 말고 좀 앉아라."
㉣ "오랜만에 보니 조금 살이 빠진 것 같소."

문장 기호 (낮은 것부터)	(< < <)			
상대높임 체계	+ 체	+ 체	+ 체	+ 체

21 다음을 읽고 물음에 답하시오.

㉠ 연우가 어제 책상을 닦았어.
㉡ 연우가 어제 책상을 닦더라.
㉢ 네가 먹은 과자 맛있었어?

(1) 윗글 ㉠, ㉡의 밑줄 친 말에 따라 두 문장의 의미가 어떻게 달라지는지 한 문장으로 서술하시오.

(2) 윗글 ㉢에 시제를 나타내는 어미를 모두 찾아 <조건>에 맞게 서술하시오.

조건

• 어미의 구체적인 종류와 함께 완결된 문장으로 쓸 것.

22 다음 글을 읽고, 주어진 형식에 맞추어 글의 중심 내용을 완성한 후에 그대로 옮겨 쓰시오.

언어 예절이란 대화를 할 때 지켜야 할 예절로서, 상대방을 존중하는 마음을 언어로 표현하는 사회적 관습이다. 대화 내용 자체는 타당하더라도, 대화 상황이나 대화 상대에 맞게 적절하지 않으면 언어 예절에 어긋날 수 있다. 언어 예절을 지키지 않으면 다른 사람들과의 의사소통이 원활하게 이루어지기 어렵고, 원만한 인간관계를 유지하기 어려울 수도 있다. 따라서 대화할 때에는 대화 상황과 대화 상대에 맞게 언어 예절을 갖추어 말하도록 노력해야 한다.

"언어 예절을 지키며 대화하기 위해서는 대화 상황과 대화를 고려해야 하며, 언어 예절을 잘 지켜야 하는 이유는 ______________________________ 때문이다."

23 다음 글의 내용을 참고하여, 괄호 안에서 요구한 대로 표현을 바꾸어 쓰시오.

문장에서 어떤 동작이나 행위를 표현할 때, 주어가 자기 의지대로 한 것인지 다른 대상에 의해 당하는 것인지에 따라 표현이 달라진다. 전자를 능동 표현, 후자를 피동 표현이라 한다.

능동 표현을 피동 표현으로 바꿀 때 능동문의 주어는 피동문의 부사어가 되고, 능동문의 목적어는 피동문의 주어가 된다. 그리고 능동을 나타내는 동사의 어간에 피동 접사 '-이-, -히-, -리-, -기-'나 '-아지다/-어지다', '-게 되다'를 붙인다. 또한 일부 체언 뒤에 '-되다'를 붙여 만들기도 한다.

(1) 눈이 세상을 덮었다. (능동 표현을 피동 표현으로 바꾸기)

(2) 나는 이웃이 어려울 때 서로 돕는 것이 옳은 일이라고 생각되어진다. (잘못된 피동 표현을 바르게 고치기)

24 다음은 직접 인용 표현을 간접 인용 표현으로 바꾸는 방법을 탐구한 것이다. 이를 바탕으로 물음에 답하시오.

탐구 목표 : 직접 인용 표현을 간접 인용 표현으로 바꿀 때의 변화 양상을 이해할 수 있다.

탐구 자료

㉮ 수호는 "내가 먼저 갈게."라고 말했다.
→ 수호는 자기가 먼저 간다고 말했다.

㉯ 그는 아버지께 "저도 가야 합니까?"라고 물었다.
→ 그는 아버지께 자기도 가야 하냐고 물었다.

㉰ 간호사는 나에게 "거기 앉으세요."라고 말했다.
→ 간호사는 나에게 여기 앉으라고 말했다.

탐구 결과 : 직접 인용 표현을 간접 인용 표현으로 바꿀 때,

① 큰따옴표가 사라지고, 조사 '라고'가 조사 '고'로 바뀐다.
② 문장 종결 어미는 평서문(㉮)은 '-다'로, 의문문(㉯)은 '-냐'로, 명령문(㉰)은 '-(으)라'로 바뀐다.
③ 상대 높임 표현과 인칭 대명사, 지시 대명사 등이 달라진다.

(1) 다음 문장의 직접 인용 표현을 간접 인용 표현으로 바꾸시오.

그는 나에게 "너는 참 착해."라고 말했다.

(2) 위에서 탐구한 내용과 같이 직접 인용 표현을 간접 인용 표현으로 바꿀 경우, 표현 효과가 어떻게 달라지는지를 문맥을 고려하여 〈보기〉의 밑줄 친 부분에 써 넣으시오.

보기

직접 인용 표현은 대화를 직접 전하는 듯한 현장감과 생동감이 느껴진다. 이를 간접 인용 표현으로 바꿀 경우 현장감과 생동감을 덜하지만, 직접 인용 표현을 사용할 때보다 ______________________.

25 〈보기〉의 문장을 〈조건〉에 따라 알맞게 고쳐 쓰시오.

보기

아버지는 책을 읽고 나는 그 옆에서 일기를 썼어.

조건

- 상대 높임법과 주체 높임법을 사용하여 문장을 바르게 고쳐 쓸 것
- 어머니를 청자로 하고, 비격식체의 높임법을 사용할 것

26 다음 문장을 조건에 맞게 고치시오.

㉠ 경기의 승부가 그의 마지막 득점으로 뒤집혔다.
㉡ 처음 바다를 본 그녀는 "바다가 정말 넓구나."라고 혼잣말을 했다.

조건
- ㉠ – 능동문으로 고칠 것.
- ㉡ – 간접 인용문으로 고칠 것.

27 다음 문장에 대한 물음에 답하시오.

승주야, 아버지께 할머니께서 오셨는지 여쭈어 보아라.

(1) 위의 문장에 나타나는 높임의 양상을 다음의 표에 나타내려고 한다. +, –를 순서대로 쓰시오. (상대 높임법이 사용되었으면 +로 한다. 높임과 낮춤의 구분이 아님)

주체 높임법	객체 높임법	상대 높임법

(2) (1)에서 '+'로 나타난 높임법의 실현 요소를 밝혀 쓰시오. 단, 높임법이 두 가지 이상 나타난 경우 각각을 구별하여 각각의 실현 요소를 쓰시오.

28 (A), (B)가 어색한 이유를 각각 문법적으로 구체적으로 서술하고, 자연스러운 문장으로 고쳐 쓰시오.

보기
(A) 이 제품은 반응이 아주 좋으세요.
(B) 그는 은퇴 후에도 여전히 바쁘고 있다.

29 다음 설명의 ⓐ~ⓔ 중 〈보기〉에 나타난 시간 표현을 모두 찾고, 그렇게 파악한 이유를 구체적으로 서술하시오.

시간 표현은 시간을 언어적으로 표현한 것으로, 시간 표현에는 시제와 동작상이 있다. 시제는 사건이 발생한 시점(사건시)이 그 사건을 언어로 표현하는 시점(발화시)보다 이전인지 이후인지, 아니면 일치하는지를 나타내는 국어의 문법 요소이다. 시제에는 과거 시제, 현재 시제, 미래 시제가 있다.

ⓐ과거 시제는 사건시가 발화시보다 앞서는 시제이다. 과거 시제를 표현할 때에는 선어말 어미 '-았-/-었-'을 쓰며, 과거의 일이나 경험을 회상하는 의미를 덧붙이고 싶을 때에는 선어말 어미 '-더-'를 쓴다. 관형사형 어미는 동사의 경우 '-(으)ㄴ'과 '-던'을, 형용사와 서술격 조사의 경우 '-던'을 쓴다. '어제', '아까', '이미' 등과 같은 부사어를 쓰기도 한다.

ⓑ현재 시제는 사건시와 발화시가 일치하는 시제이다. 현재 시제를 표현할 때에는 동사의 경우 선어말 어미 '-ㄴ-/-는-'을 쓰는데, 형용사와 서술격 조사의 경우에는 현재 시제 표기가 따로 없다. 관형사형 어미는 동사의 경우 '-는'을, 형용사와 서술격 조사의 경우 '-(으)ㄴ'을 쓴다. '오늘', '지금', '현재' 등과 같은 부사어를 쓰기도 한다.

ⓒ미래 시제는 사건시가 발화시보다 뒤에 오는 시제이다. 미래 시제를 표현할 때에는 선어말 어미 '-겠-', 관형사형 어미 '-(으)ㄹ'을 쓰거나 '-(으)ㄹ'에 의존 명사 '것'이 결합된 '-(으)ㄹ 것'을 쓰기도 한다. 예스럽게 표현할 때에는 선어말 어미 '-(으)리-'를 쓴다. '내일', '장차' 등과 같은 부사어를 쓰기도 한다.

시제가 사건시와 발화시의 선후 관계를 표현한다면, 동작상은 사건 또는 동작 자체의 시간적 속성을 표현한다. 예를 들어 '먹다'라는 동작은 과거에서부터 지금까지 먹고 있는 움직임이 진행 중인 상태와 먹는 움직임이 이미 끝난 상태로 분석할 수 있다. 이와 같이 동작 내부의 시간적 흐름을 표현하는 국어의 문법 요소를 동작상이라고 한다. 동작상에는 진행상과 완료상이 있다.

ⓓ진행상이란 어떤 동작이 시간의 흐름 속에서 계속 이어지고 있을 때 사용하는 문법 요소이다. 진행상을 표현할 때에는 주로 보조 용언 '-고 있다' 또는 '-아 가다/-어 가다'를 쓴다. 문장이 이어질 때에는 연결 어미 '-(으)면서'를 쓴다.

ⓔ완료상이란 어떤 동작이 시간의 흐름 속에서 이미 끝났거나 그 결과가 지속될 때 사용하는 문법 요소이다. 완료상을 표현할 때에는 주로 보조 용언 '-아 있다/-어 있다' 또는 '-아 버리다/-어 버리다'를 쓴다. 문장이 이어질 때에는 연결 어미 '-고서'를 쓴다.

보기

㉠ 나는 내일 의자에 앉아 있겠다.
㉡ 이것은 내가 읽은 책이고, 저것은 철수가 읽던 책이다.

(1) ⓐ~ⓔ 중 ㉠과 ㉡에 나타난 시간 표현을 모두 찾아 기호로 쓰시오.

(2) (1)과 같이 파악한 이유를 위의 설명을 참고하여 구체적으로 서술하시오.

30 다음 설명을 참고하여 〈보기〉를 바른 문장으로 고치고, 그렇게 고친 이유를 구체적으로 서술하시오.

상대를 높이는 방법은 종결 어미를 통해 청자를 높이거나 낮추는 방법, 화자 자신을 낮추는 어휘를 쓰는 방법이 있다. 그리고 주체를 높이는 방법은 주격 조사 '께서'를 붙이는 방법, 주체를 높이는 선어말 어미 '-(으)시-'를 어간에 붙이는 방법, 주체 높임의 특수한 용언을 쓰는 방법이 있다. 또한 객체를 높이는 방법은 부사어를 높이는 조사 '께'를 체언에 붙이는 방법, 객체 높임의 특수한 용언을 쓰는 방법이 있다. 그 외 특수한 어휘를 써서 어떤 대상을 높이는 방법도 있다.

보기

㉠ 할아버지는 매일 이 시간이면 낮잠을 잔다.
㉡ 나는 어머니에게 아버지가 안방에 있는지 물어 보았다.

(1) ㉠과 ㉡을 바른 문장으로 고치시오.

(2) ㉡을 (1)의 답과 같이 고친 이유를 위의 설명을 참고하여 구체적으로 서술하시오.

31 〈보기〉의 직접 인용문 (1)과 (2)를 간접 인용문으로 각각 바꾸어 쓰시오.

보기

(1) 아들이 어제 저에게 "내일 집에 계십시오."라고 말했습니다.
(2) 오빠는 어제 "나의 휴대 전화에 메시지를 꼭 보내라."라고 나에게 말했다.

32 다음은 어법을 잘못 사용하고 있는 글이다. 부적절하게 사용한 피동 표현이 있는 문장을 모두 찾아 피동 표현을 어법에 맞게 고치고, 고친 문장을 쓰시오. (피동 표현과 관련된 것만 고칠 것.)

안녕? 나는 이현서라고 해.
문학에 관심이 많은 나는 초등학교 3학년 때 백일장에 참가되었어. 하루 종일 고생해서 시를 써냈지만 수상하지 못했지. 실망할 나에게 어머니께서는 "실패란 하나의 사건일 뿐이다."라고 말해 주었어. 실패를 통해 무엇이 배워졌는지가 더 중요하다는 사실을 깨달았지. 그 후 나는 8년간 계속해서 백일장에 참가하고 있어. 앞으로도 많이 실패하였지만 계속 도전할 거야.

33 (1)~(4)를 바르게 고치고, 고친 문장을 쓰시오. 고친 이유를 구체적으로 서술하시오. (어떤 문법 요소의 오류로 인한 것인지 언급할 것.)

(1) 혜영이는 아까 도서관에 가고 있어.
(2) 할아버지는 매일 이 시간이면 낮잠을 자.
(3) 창문이 닫혀지지 않아 찬바람이 들어온다.
(4) 사육장 관계자는 시설의 개선이 필요하다라고 말했습니다.

34 다음 문장을 〈조건〉에 따라 바르게 고치시오.

친구가 동생에게 선물을 주었다.

보기

- 주어를 '선생님'으로 바꾸고 조사와 서술어도 적절한 높임 표현으로 바꿀 것
- '관형사형 어미+의존명사'의 형태를 사용하여 발화시가 사건시보다 앞선 시제로 바꿀 것
- 주어진 조건 외 다른 표현은 바꾸지 말 것

35 〈보기〉를 바탕으로 물음에 답하시오.

보기 1

선생님 : 인용표현은 다른 데서 들은 말이나 글을 문장 속에 넣어 전달하는 것을 말해요. 인용표현에는 직접 인용이나 간접 인용이 있습니다. 직접 인용은 남의 말이나 글을 그대로 문장 속에 가져오는 것을 말해요. 그렇다면 간접 인용은 무엇일까요?

학생 : 간접 인용은 (㉠)을(를) 말합니다.

선생님 : 잘했어요. 간접 인용에서는 시간표현, 높임표현 지시어, 종결어미 등을 조심해야 해요.

보기 2

㉡ 어제 할아버지께서 "내일 밥을 사서 나에게 와라"라고 말씀하셨다.

(1) ㉠에 들어갈 말을 서술하시오.

(2) ㉡문장을 '간접 인용문'으로 바꿔서 서술하시오.

36 〈보기〉 ⓐ~ⓓ를 〈조건〉에 주어진 문장의 상대 높임 등급과 동일하게 고치시오. (단, 문장 종결 형식(평서형, 의문형, 명령형, 청유형, 감탄형 등) 및 의미는 바꾸지 말 것.)

보기

ⓐ 시간이 너무 촉박합니다.
ⓑ 이 구간은 그냥 빨리 넘어가세.
ⓒ 이곳은 위험하니 저쪽으로 비키시오.
ⓓ 그토록 찾던 물건을 드디어 구했구려.

조건

• 오늘 영업하는 약국은 어디니?

37 〈보기〉의 밑줄 친 문장이 잘못된 부분을 모두 찾아 잘못된 이유를 서술하고, 바르게 고쳐 쓰시오.

보기

높임법은 화자가 높이려는 대상이 누구인지에 따라 주체 높임법, 상대 높임법, 객체 높임법으로 구분된다. 주체 높임법은 주어가 나타내는 대상인 주체를 높이는 것이며, 상대 높임법은 대화의 상대인 청자를 높이거나 낮추는 것이고, 객체 높임법은 문장의 목적어나 부사어가 나타내는 대상인 객체를 높이는 것이다.

예 (남동생이 누나에게)
어머니가 할머니를 데리고 병원에 가나요?

[38] 다음 글을 읽고, 물음에 답하시오.

제힘으로 움직이는 행위의 주체가 주어인 문장을 능동문이라 한다. 이와 달리 피동문은 행위의 주체가 아닌 행위의 대상이 주어가 된다. 따라서 능동문을 피동문으로 바꿀 때에는 능동문의 주어와 목적어를 각각 피동문의 부사어와 주어로 바꾸고, 능동문의 서술어에 알맞은 피동 접미사 '-이-, -히-, -리-, -기-' 혹은 '-되다', '-아지다/-어지다'혹은 '-게 되다'를 붙여 피동문의 서술어로 만든다.

피동문을 쓸 때에는 지나친 피동 표현(ⓐ이중 피동)이 되지 않도록 유의해야 한다.

38 〈보기〉에서 ⓐ에 해당되는 사례를 모두 찾아 조건에 맞게 적절한 피동 표현으로 바꾸어 쓰시오.

보기

홍수 피해 주민들에 대한 구체적인 생계 지원 방안은 오늘 공개된 정부의 발표 자료에는 담겨져 있지 않았다. 또한 피해 대칙이 수도권 피해 복구 위주로 짜여지면서 지방 민심의 반발이 우려되는 상황이다. 이 같은 실수를 되풀이하지 않기 위해 좀 더 신속하고 정확한 피해 상황 집계 시스템 구축을 서둘러야 할 것으로 생각되어진다.

조건

- 아래와 같이 한 개의 어절 단위로 찾아 쓸 것

  예 믿겨진다 → 믿긴다

39 〈보기〉는 직접 인용 표현이다. 이를 간접인용 표현으로 바꾸고 변화 양상을 4가지 쓰시오.

보기

그가 나에게 "그쪽에서 무대가 보입니까?"라고 물었다.

40 다음 문장을 높임법에 맞게 고쳐 쓰고, 높임의 대상과 높임법의 실현 방법을 구체적으로 쓰시오. 〈문제〉에 높임법이 어떻게 실현되었는지 본문에 나타난 문법 용어를 사용하여 설명할 것.

예시

나는 어머니를 데리고 시골집에 다녀왔다.
→ 나는 어머니를 모시고 시골집에 다녀왔다.
특수어휘 '모시고'를 사용하여 객체 '어머니'를 높였다.

문제

할아버지는 걱정거리가 있다.

2012년 10월 9일 화요일 제7545호 세계일보

표제

손누리틀, 똑똑전화…… 순화어 '사장 위기'

사물 따위를 필요한 곳에 활용하지 않고 썩혀 둠

부제

오늘 566돌 한글날

국립국어원 선정어 외면받아

애써 발굴한 300여 개 통용 안 돼

의식 조사선 국민 83% '사용 찬성'

일부는 『표준국어대사전』 이미 등재

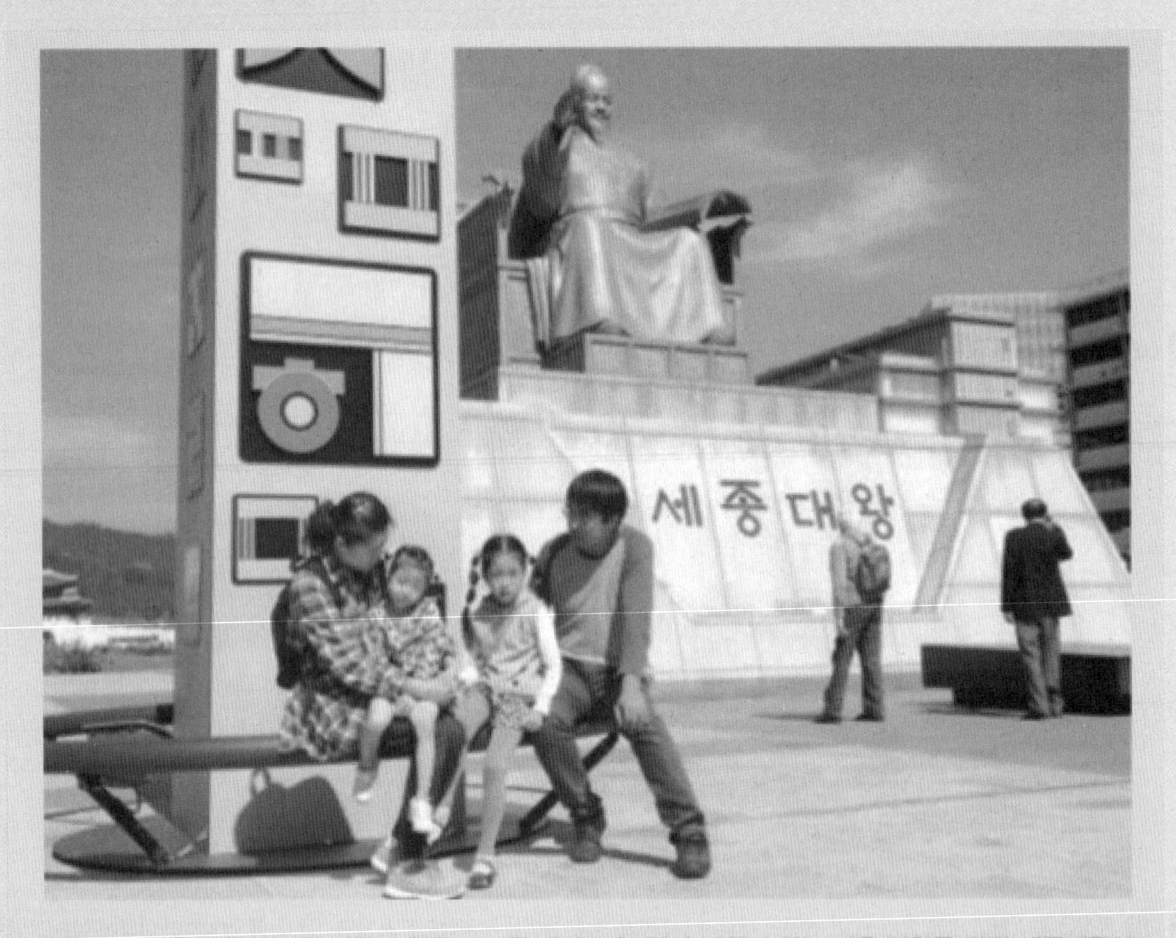

한글날을 하루 앞둔 8일 한 가족이 한글 자모를 새긴 조형 탑이 세워져 있는 서울 광화문 광장 세종대왕상 앞에서 기념사진을 찍고 있다. 한글이 나날이 오염돼 가는 현실에 대해 한글을 창제한 세종대왕은 무슨 생각을 할지 궁금해진다. 김범준 기자

2012년 10월 9일 화요일 | 제7545호 세계일보

"나 이번에 손누리틀 새로 샀어."

"지난번에 똑똑전화도 사더니 역시 넌 앞선 사용자구나." ▶ 순화어를 사용한 대화 사례

언뜻 보면 북한 사람들이 주고받는 것 같은 이 대화에는 '손누리틀(넷북)', '똑똑전화(스마트폰)', '앞선사용자(얼리어답터)' 등 국립국어원이 선정한 순화어 3개가 포함돼 있다. ▶ 대화에 사용된 순화어 분석

국립국어원이 누리꾼과 전문가의 도움을 받아 선정하고 있는 순화어가 국민의 외면을 받고 있다. 지금까지 300개가 넘는 순화어가 만들어졌지만 널리 쓰이는 단어는 일부에 불과하다. 전문가들은 순화 대상어 선정 기준을 명확히 하고 홍보 수단도 다양화해야 한다고 지적했다. ▶ 순화어 사장의 위기와 극복 방안

8일 국립국어원에 따르면 2004년 7월부터 최근까지 웹사이트 '우리말 다듬기(www.malteo.net)'를 통해 만들어진 순화어는 342개에 달한다. 전문가 16명으로 구성된 '말다듬기위원회'가 웹 사이트에서 누리꾼의 추천을 받아 순화 대상어(외래어 · 외국어)와 순화어를 정해 발표하고 있다. 기존에는 순화 대상어와 순화어 모두 누리꾼의 투표로 정했지만, 전문성을 더하기 위해 지난해 11월부터 전문가가 참여하고 있다. ▶ 순화어를 만들기 위한 노력과 과정

순화어 사용에는 대체로 긍정적인 여론이 많다. 2010년 국민 언어 의식 조사에서는 순화어 사용에대해 조사대상의 83.1%가 찬성했다. "외래어 · 외국어는 우리말로 적극적으로 순화해서 사용해야 한다."라는 의견에도 51.2%가 대체로 그렇다는 의견을 냈다. ▶ 순화어 사용에 관한 국민들의 긍정적 인식

그런데도 실생활에서 순화어의 쓰임은 많지 않다. 순화어를 만들기 시작한 2004년 선정된 댓글(리플), 누리꾼(네티즌), 참살이(웰빙) 등의 단어가 그나마 널리 알려져 순화어의 체면을 세워 줬다. 비슷한 시기에 생겨난 꾸림정보(콘텐츠), 그림말(이모티콘), 피부교감(스킨십) 등은 인터넷 어휘 사전이나 몇몇 기사에서만 찾아볼 수 있다. ▶ 실생활에서의 순화어 사용 실태

순화 대상어 선정에도 문제가 있다는 지적이다. 국립국어원이 '권장 순화어'로 꼽은 61개 단어 중 11개의 외래어 표현이 『표준국어대사전』(웹 버전 포함)에 포함돼 있다. 사전에 실릴 정도로 사회에서 통용되는 말을 굳이 우리말로 바꾼 셈이다. 국립국어원 관계자는 "순화어를 만들었으니 순화어가 아닌 말은 사용하지 말라는 의미가 아니다."라며 우리 말을 더 아름답게 가꾸고 지키려는 노력으로 이해해 달라고 말했다. ▶ 순화 대상어 선정의 문제점

전문가들은 애써 발굴한 순화어가 사장되지 않으려면 '무엇을 순화할 것인지', '이를 어떻게 알릴지'에 대한 깊은 고민이 필요하다고 지적한다. ○○대학교 ○○○ 박사는 "외래어가 쏟아져 들어오는 만큼 그냥 사용할 말과 순화할 말을 고르는 기준에 대해 먼저 사회적 합의를 해야 한다."라면서 "순화어를 언론 매체 등에서만 홍보할 것이 아니라 정규 교육 과정을 통해 소개하는 방법도 검토해 봐야 한다."라고 말했다. ▶ 순화어 사장의 위기를 극복하기 위한 방안

오현태 기자

순화어

외래어	순화어
테이크아웃 (takeout)	포장구매 · 포장판매
캘리그래피 (calligraphy)	멋글씨 또는 멋글씨예술
얼리어답터 (early adopter)	앞선사용자
벤치마킹 (benchmarking)	본따르기
스펙 (specification)	공인자격
리얼 버라이어티 (real variety)	생생예능

국립국어원, 2012

⊙ 핵심정리

갈래	신문 기사
성격	비판적, 설득적, 논리적
제재	순화어
주제	순화어 사장의 위기와 그 극복 방안
특징	• 전문가의 견해를 인용하여 의도를 전달함. • 문제 상황을 제시하고 그 해결 방안을 모색함. • 시각 자료를 제시하여 내용 전달의 효과를 높임. • 정보의 출처를 밝히고 통계 자료 등을 구체적인 수치로 제시하여 신뢰성을 높임. • 구체적인 사례를 제시하여 내용을 뒷받침하고 독자들의 이해를 도움.

확인학습

01 표제와 부제를 보니 해당 기사는 국립국어원이 선정한 순화어들이 사람들로부터 외면받는 현실을 다룬 것이겠군.
O□ X□

02 부제에 '애써 발굴한'이라는 표현을 쓴 것으로 보아 기사에는 순화어를 선정하는 과정에 지나치게 많은 비용과 노력이 들어가는 것을 비판하는 내용이 담겨 있겠군. O□ X□

03 윗글은 기사를 통해 궁극적으로 의도하는 바를 전문가의 견해를 인용하여 전달하고 있다. O□ X□

04 윗글은 정보의 출처를 밝히고 통계 자료 등을 구체적인 수치로 제시함으로써 내용의 신뢰성을 높이고 있다.
O□ X□

05 윗글은 구체적인 사례를 제시하여 내용을 뒷받침하고 독자들의 이해를 돕고 있다. O□ X□

객관식 기본문제

[01~04] 다음 글을 읽고 물음에 답하시오.

> ㉠손누리틀, 똑똑전화…… 순화어 '사장 위기'
>
> 오늘 566돌 한글날 한글날국립국어원 선정어 외면받아
> 애써 발굴한 300여 개 통용 안 돼
> 의식 조사선 국민 83% '사용 찬성'
> 일부는「표준국어대사전」이미 등재

"나 이번에 손누리틀 새로 샀어."

"지난번에 똑똑전화도 사더니 역시 넌 앞선 사용자구나."

언뜻 보면 북한 사람들이 주고받는 것 같은 이 대화에는 '손누리틀(넷북)', '똑똑전화(스마트폰)', '앞선 사용자(얼리어답터)'등 국립국어원이 선정한 순화어 3개가 포함돼 있다.

국립국어원이 누리꾼과 전문가의 도움을 받아 선정하고 있는 순화어가 국민의 외면을 받고 있다. 지금까지 300개가 넘는 순화어가 만들어졌지만 널리 쓰이는 단어는 일부에 불과하다. 전문가들은 순화 대상어 선정기준을 명확히 하고 홍보 수단도 다양화해야 한다고 지적했다.

8일 국립국어원에 따르면 2004년 7월부터 최근까지 웹 사이트 '우리말 다듬기(www.malteo.net)'를 통해 만들어진 순화어는 342개에 달한다. 전문가 16명으로 구성된 '말다듬기위원회'가 웹 사이트에서 누리꾼의 추천을 받아 순화 대상어(외래어 · 외국어)와 순화어를 정해 발표하고 있다. 기존에는 순화 대상어와 순화어 모두 누리꾼의 투표로 정했지만 전문성을 더하기 위해 지난해 11월부터 전문가가 참여하고 있다.

순화어 사용에는 대체로 긍정적인 여론이 많다. 2010년 '국민 언어 의식'조사에서는 순화어 사용에 대해 조사대상의 83.1%가 찬성했다. '외래어 · 외국어는 적극적으로 우리말로 순화해서 사용해야 한다'는 의견에도 51.2%가 '대체로 그렇다'는 의견을 냈다.

그럼에도 실생활에서 순화어의 쓰임은 많지 않다. 순화어를 만들기 시작한 2004년 선정된 댓글(리플), 누리꾼(네티즌), 참살이(웰빙) 등의 단어가 그나마 널리 알려져 순화어의 체면을 세워 줬다. 비슷한 시기에 생겨난 꾸림정보(콘텐츠), 그림말(이모티콘), 피부교감(스킨십) 등은 인터넷 어휘사전이나 몇몇 기사에서만 찾아볼 수 있다. 순화 대상어 선정에도 문제가 있다는 지적이다.

㉡국립국어원이 '권장 순화어'로 꼽은 61개 단어 중 11개의 외래어 표현이 '표준국어대사전'(웹버전 포함)에 포함돼 있다. 국립국어원 관계자는 "순화어를 만들었으니 순화어가 아닌 말은 사용하지 말라는 의미가 아니다"라며 우리 말을 더 아름답게 가꾸고 지키려는 노력으로 이해해 달라고 말했다. 전문가들은 애써 발굴한 순화어가 사장되지 않으려면 '무엇을 순화할 것인지' '이를 어떻게 알릴지'에 대한 깊은 고민이 필요하다고 지적한다. ○○대학교 ○○○ 박사(국어학)는 "외래어가 쏟아져 들어오는 만큼 그냥 사용할 말과 순화할 말을 고르는 기준에 대해 먼저 사회적 합의를 해야 한다"면서 "순화어를 언론 매체 등에서만 홍보할 것이 아니라 정규 교육과정을 통해 소개하는 방법도 검토해 봐야 한다"고 말했다.

– 오현태 기자 –

01 윗글의 내용으로 알맞지 않은 것은?

① 순화어 선정의 문제점을 지적하고 있다.
② 순화어 홍보 과정의 대안을 제시하고 있다.
③ 순화어를 사용한 대화 사례를 보여주고 있다.
④ 순화어 선정 과정을 구체적으로 제시하고 있다.
⑤ 순화어에 대한 국민들의 긍정적 · 부정적 인식을 제시하고 있다.

02 윗글에서 내용을 효과적으로 전달하기 위해 사용한 방법으로 알맞지 않은 것은?

① 통계수치와 출처를 제시하여 신뢰성을 높이고 있다.
② 실제 순화어를 제시하여 내용 전달력을 높이고 있다.
③ 전문가의 말을 인용하여 문제 해결방안을 제시하고 잇다.
④ 서론-본론-결론 3단 구성을 통해 통일성을 유지하고 있다.
⑤ 순화어를 만들기 위한 노력과 과정을 구체적으로 밝혀 제시하고 있다.

03 밑줄 친 ㉠을 통해 얻을 수 있는 효과로 가장 알맞은 것은?

① 낯선 순화어를 제시하면서 독자의 흥미를 유발한다.
② 낯선 순화어를 제시하면서 글의 주제를 재확인시킨다.
③ 낯선 순화어를 제시하면서 순화어의 중요성을 부각시킨다.
④ 낯선 순화어를 제시하면서 순화어의 문제점을 부각시킨다.
⑤ 낯선 순화어를 제시하면서 사용 실태를 구체적으로 보여준다.

04 밑줄 친 ㉡에 대한 비판으로 가장 알맞은 것은?

① 국립국어원은 순화어 홍보에 적극적으로 노력해야 한다.
② 사회에서 통용되는 말을 굳이 우리말로 바꾼 것이 문제다.
③ 국어사전에 무분별하게 외래어가 유입되어 있어서 문제다.
④ 국립국어원은 외래어를 권장순화어로 더 많이 바꿔야 한다.
⑤ 11개의 외래어 표현을 더 정확한 의미로 바꾸는 노력을 해야 한다.

객관식 심화문제

[01] 다음 글을 읽고 물음에 답하시오.

손누리틀, 똑똑전화…… 순화어 '사장 위기'
오늘 566돌 한글날 국립국어원 선정어 외면받아

"나 이번에 손누리를 새로 샀어."
"지난번에 똑똑전화도 사더니 역시 넌 앞선 사용자구나."

언뜻 보면 북한 사람들이 주고받는 것 같은 이 대화에는 '손누리틀(넷북)', '똑똑전화(스마트폰)', '앞선 사용자(얼리어답터)'등 국립국어원이 선정한 순화어 3개가 포함돼 있다.

국립국어원이 누리꾼과 전문가의 도움을 받아 선정하고 있는 순화어가 국민의 외면을 받고 있다. 지금까지 300개가 넘는 순화어가 만들어졌지만 널리 쓰이는 단어는 일부에 불과하다. 전문가들은 순화 대상어 선정기준을 명확히 하고 홍보 수단도 다양화해야 한다고 지적했다.

8일 국립국어원에 따르면 2004년 7월부터 최근까지 웹 사이트 '우리말 다듬기(www.malteo.net)'를 통해 만들어진 순화어는 342개에 달한다. 전문가 16명으로 구성된 '말다듬기위원회'가 웹 사이트에서 누리꾼의 추천을 받아 순화 대상어(외래어 · 외국어)와 순화어를 정해 발표하고 있다. 기존에는 순화 대상어와 순화어 모두 누리꾼의 투표로 정했지만 전문성을 더하기 위해 지난해 11월부터 전문가가 참여하고 있다.

순화어 사용에는 대체로 긍정적인 여론이 많다. 2010년 '국민 언어 의식'조사에서는 순화어 사용에 대해 조사대상의 83.1%가 찬성했다. '외래어 · 외국어는 적극적으로 우리말로 순화해서 사용해야 한다'는 의견에도 51.2%가 '대체로 그렇다'는 의견을 냈다.

그럼에도 실생활에서 순화어의 쓰임은 많지 않다. 순화어를 만들기 시작한 2004년 선정된 댓글(리플), 누리꾼(네티즌), 참살이(웰빙) 등의 단어가 그나마 널리 알려져 순화어의 체면을 세워 줬다. 비슷한 시기에 생겨난 꾸림정보(콘텐츠), 그림말(이모티콘), 피부교감(스킨십) 등은 인터넷 어휘사전이나 몇몇 기사에서만 찾아볼 수 있다.

순화 대상어 선정에도 문제가 있다는 지적이다. 국립국어원이 '권장 순화어'로 꼽은 61개 단어 중 11개의 외래어 표현이 '표준국어대사전'(웹버전 포함)에 포함돼 있다. 사전에 실릴 정도로 사회에서 통용되는 말을 굳이 우리말로 바꾼 셈이다. 국립국어원 관계자는 "순화어를 만들었으니 순화어가 아닌 말은 사용하지 말라는 의미가 아니다"며 "우리말을 더 아름답게 가꾸고 지키려는 노력으로 이해해 달라고 말했다.

전문가들은 애써 발굴한 순화어가 사장되지 않으려면 '무엇을 순화할 것인지' '이를 어떻게 알릴지'에 대한 깊은 고민이 필요하다고 지적한다. ○○대학교 ○○○ 박사(국어학)는 "외래어가 쏟아져 들어오는 만큼 그냥 사용할 말과 순화할 말을 고르는 기준에 대해 먼저 사회적 합의를 해야 한다"면서 "순화어를 언론 매체 등에서만 홍보할 것이 아니라 정규 교육과정을 통해 소개하는 방법도 검토해 봐야 한다"고 말했다.

01 윗글에 대한 설명으로 적절하지 않은 것은?

① 전문가의 견해를 인용하여 의도를 전달하고 있다.
② 글쓴이가 직접 문제 상황과 해결방안을 제시하고 있다.
③ 통계 자료를 통해 구체적인 수치를 제시하여 신뢰성을 높이고 있다.
④ 구체적인 사례를 제시하여 문제 상황에 대한 독자의 이해를 돕고 있다.
⑤ 제목에 문장부호를 사용하여 위기상황을 강조하고자 하는 의도를 드러내고 있다.

[02~07] 다음 글을 읽고 물음에 답하시오.

[A]

ⓐ손누리틀, 똑똑전화......순화어 '사장 위기'

오늘 566돌 한글날

국립국어원 선정어 ⓑ외면받아

ⓒ애써 발굴한 300여 개 통용 안 돼
의식 조사선 국민 83% '사용 찬성'
일부는[표준국어대사전] 이미 등재

▶ 한글날을 하루 앞둔 8일 한 가족이 한글 자모를 새긴 조형탑이 세워져 있는 서울 광화문 광장 세종대왕상 앞에서 기념사진을 찍고 있다.

국립국어원이 누리꾼과 전문가의 도움을 받아 선정하고 있는 순화어가 국민의 외면을 받고 있다. 지금까지 300개가 넘는 순화어가 만들어졌지만 널리 쓰이는 단어는 일부에 불과하다. 전문가들은 순화 대상어 선정기준을 명확히 하고 홍보 수단도 다양화해야 한다고 지적했다.

8일 국립국어원에 따르면 2004년 7월부터 최근까지 웹 사이트 '우리말 다듬기(www.malteo.net)'를 통해 만들어진 순화어는 342개에 달한다. 전문가 16명으로 구성된 '말다듬기위원회'가 웹 사이트에서 누리꾼의 추천을 받아 순화 대상어(외래어 · 외국어)와 순화어를 정해 발표하고 있다. 기존에는 순화 대상어와 순화어 모두 누리꾼의 투표로 정했지만 전문성을 더하기 위해 지난해 11월부터 전문가가 참여하고 있다.

순화어 사용에는 대체로 긍정적인 여론이 많다. 2010년 '국민 언어 의식'조사에서는 순화어 사용에 대해 조사대상의 83.1%가 찬성했다. '외래어 · 외국어는 적극적으로 우리말로 순화해서 사용해야 한다'는 의견에도 51.2%가 '대체로 그렇다'는 의견을 냈다.

그럼에도 실생활에서 순화어의 쓰임은 많지 않다. 순화어를 만들기 시작한 2004년 선정된 댓글(리플), 누리꾼(네티즌), 참살이(웰빙) 등의 단어가 그나마 널리 알려져 순화어의 체면을 세워 줬다. 비슷한 시기에 생겨난 꾸림정보(콘텐츠), 그림말(이모티콘), 피부교감(스킨십) 등은 인터넷 어휘사전이나 몇몇 기사에서만 찾아볼 수 있다.

순화 대상어 선정에도 문제가 있다는 지적이다. 국립국어원이 '권장 순화어'로 꼽은 61개 단어 중 11개의 외래어 표현이 '표준국어대사전'(웹버전 포함)에 포함돼 있다. 사전에 실릴 정도로 사회에서 통용되는 말을 굳이 우리말로 바꾼 셈이다. ⓓ국립국어원 관계자는 "순화어를 만들었으니 순화어가 아닌 말은 사용하지 말라는 의미가 아니다"며 "우리말을 더 아름답게 가꾸고 지키려는 노력으로 이해해 달라"고 말했다.

순화어 [B]

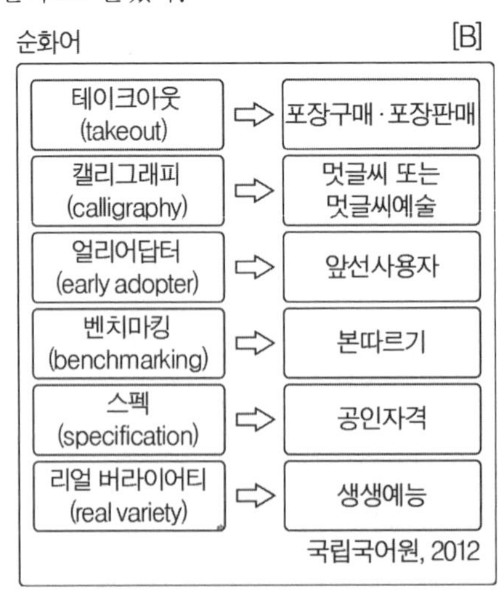

외래어		순화어
테이크아웃(takeout)	⇨	포장구매 · 포장판매
캘리그래피(calligraphy)	⇨	멋글씨 또는 멋글씨예술
얼리어답터(early adopter)	⇨	앞선사용자
벤치마킹(benchmarking)	⇨	본따르기
스펙(specification)	⇨	공인자격
리얼 버라이어티(real variety)	⇨	생생예능

국립국어원, 2012

전문가들은 애써 발굴한 순화어가 사장되지 않으려면 '무엇을 순화할 것인지' '이를 어떻게 알릴지'에 대한 깊은 고민이 필요하다고 지적한다. ⓔ○○대학교 ○○○ 박사(국어학)는 "외래어가 쏟아져 들어오는 만큼 그냥 사용할 말과 순화할 말을 고르는 기준에 대해 먼저 사회적 합의를 해야 한다"면서 "순화어를 언론 매체 등에서만 홍보할 것이 아니라 정규 교육과정을 통해 소개하는 방법도 검토해 봐야 한다"고 말했다.

– 세계일보(2012.10.09.), 오현태 기자 –

02 기사의 내용을 고려할 때 ⓐ~ⓔ에 담긴 관점과 의도에 대한 설명으로 가장 적절한 것은?

① 표제 부분에 ⓐ 같은 예를 든 것은 언중들에게 익숙한 순화어를 제시함으로써 독자의 관심을 끌기 위해서이다.
② ⓑ 같은 단어를 사용한 것은 순화이 사장 위기에 책임이 순화어에 우호적이지 않은 언어 사용자에 있음을 강조하기 위해서이다.
③ ⓒ와 같은 표현을 사용한 것은 사전에 실릴 정도로 통용되는 말을 순화 대상으로 삼은 국립국어원에게 순화어 사장의 책임이 있다는 것을 강조하기 위해서이다.
④ ⓓ의 말을 인용함으로써 순화어 사용이 필요함을 강조하고 독자로 하여금 외래어 사용의 문제점을 인식하도록 유도하고 있다.
⑤ ⓔ의 말을 인용해 순화 대상어 선정 방식과 홍보 방법의 문제점을 지적하고 그에 대한 해결 방안을 제시하고자 한다.

03 윗글에 사용된 시각 자료 [A]와 [B]의 표현 효과에 대한 설명으로 가장 적절한 것은?

① [A]를 통해 언어 사용자들이 한글을 외면하고 있는 현실을 보여주어 기사에서 제시하고 있는 문제어의 심각성을 환기시킨다.
② [A]에서 순화어를 적극적으로 사용하는 언어 사용자의 모습을 보여줌으로써 순화어 사장 위기가 곧 극복될 것임을 암시한다.
③ [B]에서 독자 스스로 자신이 알고 있는 순화어의 개수를 점검하는 체크리스트를 장석해 보며 순화어 사용에 소극적인 자신을 반성하게 한다.
④ [B]에서 독자에게 익숙하지 않은 순화어를 추가적으로 정리해 제공함으로써 기사에서 다룬 순화어 사장 위기에 대한 공감을 불러일으킨다.
⑤ [A]와 [B]를 통해 기사에서 지적하고 있는 문제를 한눈에 알아볼 수 있는 시각 자료를 제시함으로써 기사의 내용을 함축적으로 보여준다.

[04~05] 다음 글을 읽고 물음에 답하시오.

"나 이번에 손누리틀 새로 샀어."

"지난번에 똑똑전화도 사더니 역시 넌 앞선 사용자구나."

언뜻 보면 북한 사람들이 주고받는 것 같은 이 대화에는 '손누리틀(넷북)', '똑똑전화(스마트폰)', '앞선 사용자(얼리어답터)'등 국립국어원이 선정한 순화어 3개가 포함돼 있다.

국립국어원이 누리꾼과 전문가의 도움을 받아 선정하고 있는 순화어가 국민의 외면을 받고 있다. 지금까지 300개가 넘는 순화어가 만들어졌지만 널리 쓰이는 단어는 일부에 불과하다. 전문가들은 순화 대상어 선정 기준을 명확히 하고 홍보 수단도 다양화해야 한다고 지적했다.

8일 국립국어원에 따르면 2004년 7월부터 최근까지 웹 사이트 '우리말 다듬기(www.malteo.net)'를 통해 만들어진 순화어는 342개에 달한다. 전문가 16명으로 구성된 '말다듬기위원회'가 웹 사이트에서 누리꾼의 추천을 받아 순화 대상어(외래어 · 외국어)와 순화어를 정해 발표하고 있다. 기존에는 순화 대상어와 순화어 모두 누리꾼의 투표로 정했지만 전문성을 더하기 위해 지난해 11월부터 전문가가 참여하고 있다.

순화어 사용에는 대체로 긍정적인 여론이 많다. 2010년 국민 언어 의식 조사에서는 순화어 사용에 대해 조사대상의 83.1%가 찬성했다. '외래어 · 외국어는 적극적으로 우리말로 순화해서 사용해야 한다.'라는 의견에도 51.2%가 대체로 그렇다는 의견을 냈다.

그럼에도 실생활에서 순화어의 쓰임은 많지 않다. 순화어를 만들기 시작한 2004년 선정된 댓글(리플), 누리꾼(네티즌), 참살이(웰빙) 등의 단어가 그나마 널리 알려져 순화어의 체면을 세워 줬다. 비슷한 시기에 생겨난 꾸림정보(콘텐츠), 그림말(이모티콘), 피부교감(스킨십) 등은 인터넷 어휘 사전이나 몇몇 기사에서만 찾아볼 수 있다.

순화 대상어 선정에도 문제가 있다는 지적이다. 국립국어원이 '권장 순화어'로 꼽은 61개 단어 중 11개의 외래어 표현이 '표준국어대사전'(웹 버전 포함)에 포함돼 있다. 사전에 실릴 정도로 사회에서 통용되는 말을 굳이 우리말로 바꾼 셈이다. 국립국어원 관계자는 "순화어를 만들었으니 순화어가 아닌 말은 사용하지 말라는 의미가 아니다"라며 우리말을 더 아름답게 가꾸고 지키려는 노력으로 이해해 달라고 말했다.

전문가들은 애써 발굴한 순화어가 사장되지 않으려면 '무엇을 순화할 것인지' '이를 어떻게 알릴지'에 대한 깊은 고민이 필요하다고 지적한다. ○○대학교 ○○○ 박사(국어학)는 "외래어가 쏟아져 들어오는 만큼 그냥 사용할 말과 순화할 말을 고르는 기준에 대해 먼저 사회적 합의를 해야 한다."라면서 "순화어를 언론 매체 등에서만 홍보할 것이 아니라 정규 교육 과정을 통해 소개하는 방법도 검토해 봐야 한다."라고 말했다.

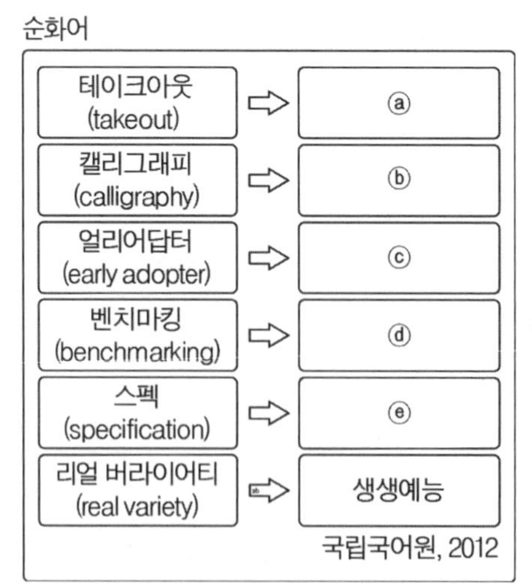

순화어
테이크아웃 (takeout)
ⓐ
캘리그래피 (calligraphy)
ⓑ
얼리어답터 (early adopter)
ⓒ
벤치마킹 (benchmarking)
ⓓ
스펙 (specification)
ⓔ
리얼 버라이어티 (real variety)
생생예능
국립국어원, 2012

04 윗글에서 다루고 있는 내용이 아닌 것은?

① 순화어 사장의 위기와 극복방안
② 실생활에서의 순화어 사용 실태
③ 순화어 선정의 세부 절차 및 조건
④ 순화어를 만들기 위한 노력과 과정
⑤ 순화어 사용에 대한 국민들의 긍정적 인식

05 윗글의 ⓐ~ⓔ에 들어갈 말로 가장 적절한 것은?

① ⓐ : 멋글씨 또는 멋글씨예술
② ⓑ : 포장구매 · 포장판매
③ ⓒ : 공인자격
④ ⓓ : 본따르기
⑤ ⓔ : 앞선사용자

[06~08] 다음 글을 읽고 물음에 답하시오.

"나 이번에 손누리틀 새로 샀어."
"지난번에 똑똑전화도 사더니 역시 넌 앞선사용자구나."
언뜻 보면 ㉠북한 사람들이 주고받는 것 같은 이 대화에는 '손누리틀(넷북)', '똑똑전화(스마트폰)', '앞선사용자(얼리어답터)' 등 국립국어원이 선정한 순화어 3개가 포함돼 있다.
국립국어원이 누리꾼과 전문가의 도움을 받아 선정하고 있는 순화어가 국민의 외면을 받고 있다. 지금까지 300개가 넘는 순화어가 만들어졌지만 널리 쓰이는 단어는 일부에 불과하다. 전문가들은 순화 대상어 선정기준을 명확히 하고 홍보수단도 다양화해야 한다고 지적했다.
8일 국립국어원에 따르면 2004년 7월부터 최근까지 웹 사이트 '우리말 다듬기(www.malteo.net)'를 통해 만들어진 순화어는 342개에 달한다. 전문가 16명으로 구성된 '말다듬기위원회'가 웹 사이트에서 누리꾼의 추천을 받아 순화 대상어(외래어 · 외국어)와 순화어를 정해 발표하고 있다. 기존에는 순화 대상어와 순화어 모두 누리꾼의 투표로 정했지만 전문성을 더하기 위해 지난해 11월부터 전문가가 참여하고 있다.
순화어 사용에는 대체로 긍정적인 여론이 많다. 2010년 '국민 언어 의식'조사에서는 순화어 사용에 대해 조사대상의 83.1%가 찬성했다. '외래어 · 외국어는 적극적으로 우리말로 순화해서 사용해야 한다.'는 의견에도 51.2%가 '대체로 그렇다'는 의견을 냈다. 그럼에도 실생활에서 순화어의 쓰임은 많지 않다. 순화어를 만들기 시작한 2004년 선정된 댓글(리플), 누리꾼(네티즌), 참살이(웰빙) 등의 단어가 그나마 널리 알려져 순화어의 체면을 세워 줬다. 비슷한 시기에 생겨난 꾸림정보(콘텐츠), 그림말(이모티콘), 피부교감(스킨십) 등은 인터넷 어휘사전이나 몇몇 기사에서만 찾아볼 수 있다.

순화 대상어 선정에도 문제가 있다는 지적이다. 국립국어원이 '권장 순화어'로 꼽은 61개 단어 중 11개의 외래어 표현이 '표준국어대사전'(웹 버전 포함)에 포함돼 있다. 사전에 실릴 정도로 사회에서 통용되는 말을 굳이 우리말로 바꾼 셈이다. 국립국어원 관계자는 "순화어를 만들었으니 순화어가 아닌 말은 사용하지 말라는 의미가 아니다"며 우리말을 더 아름답게 가꾸고 지키려는 노력으로 이해해 달라고 말했다.

전문가들은 애써 발굴한 순화어가 사장되지 않으려면 '무엇을 순화할 것인지' '이를 어떻게 알릴지'에 대한 깊은 고민이 필요하다고 지적한다. ○○대학교 ○○○ 박사는 "외래어가 쏟아져 들어오는 만큼 그냥 사용할 말과 순화할 말을 고르는 기준에 대해 먼저 사회적 합의를 해야 한다"면서 "순화어를 언론 매체 등에서만 홍보할 것이 아니라 정규 교육과정을 통해 소개하는 방법도 검토해 봐야 한다."라고 말했다.

---

06 윗글에 대한 설명으로 적절하지 않은 것은?

① 시각 자료를 통해 기사의 내용을 압축적으로 제시하고 있다.
② 문제 상황을 초래한 원인을 분석하고 그에 대한 해결책을 소개하고 있다.
③ 기사를 통해 궁극적으로 의도하는 바를 전문가의 견해를 인용하여 전달하고 있다.
④ 구체적인 사례를 제시하여 내용을 뒷받침하고 독자들의 이해를 돕고 있다.
⑤ 정보의 출처를 밝히고 통계 자료 등을 구체적인 수치로 제시함으로써 내용의 신뢰성을 높이고 있다.

07 윗글의 표제와 부제를 속담을 활용하여 만들고자 할 때, 가장 적절한 것은?

	표제	부제
①	빛 좋은 개살구	순화어 사용의 허와 실
②	연기 나는 굴뚝	고유어 사장 위기의 원인
③	무너져 가는 공든 탑	순화어를 살리는 방안
④	마른하늘에 날벼락	고유어에 닥친 위기
⑤	천 리 길도 한 걸음부터	순화어 선정의 방향

08 윗글의 내용을 고려할 때 ㉠의 문맥적 의미로 가장 적절한 것은?

① 다소 어려워 보이는
② 우리들이 사용해서는 안 되는
③ 우리들에게 익숙하지 않은
④ 고유어의 묘미를 잘 살린
⑤ 우리말과 외국어를 적절히 활용한

서술형 심화문제

[01] 다음 글을 읽고 물음에 답하시오.

(가) "나 이번에 손누리틀 새로 샀어."

"지난번에 똑똑전화도 사더니 역시 넌 앞선사용자구나."

언뜻 보면 북한 사람들이 주고받는 것 같은 이 대화에는 '손누리틀(넷북)', '똑똑전화(스마트폰)', '앞선사용자(얼리어답터)' 등 국립국어원이 선정한 순화어 3개가 포함돼 있다.

국립국어원이 누리꾼과 전문가의 도움을 받아 선정하고 있는 순화어가 국민의 외면을 받고 있다. 지금까지 300개가 넘는 순화어가 만들어졌지만 널리 쓰이는 단어는 일부에 불과하다. 전문가들은 순화 대상어 선정기준을 명확히 하고 홍보수단도 다양화해야 한다고 지적했다.

8일 국립국어원에 따르면 2004년 7월부터 최근까지 웹 사이트 '우리말 다듬기(www.malteo.net)'를 통해 만들어진 순화어는 342개에 달한다. 전문가 16명으로 구성된 '말다듬기위원회'가 웹 사이트에서 누리꾼의 추천을 받아 순화 대상어(외래어 · 외국어)와 순화어를 정해 발표하고 있다. 기존에는 순화 대상어와 순화어 모두 누리꾼의 투표로 정했지만 전문성을 더하기 위해 지난해 11월부터 전문가가 참여하고 있다.

순화어 사용에는 대체로 긍정적인 여론이 많다. 2010년 '국민 언어 의식'조사에서는 순화어 사용에 대해 조사대상의 83.1%가 찬성했다. '외래어 · 외국어는 적극적으로 우리말로 순화해서 사용해야 한다.'는 의견에도 51.2%가 '대체로 그렇다'는 의견을 냈다. 그럼에도 실생활에서 순화어의 쓰임은 많지 않다. 순화어를 만들기 시작한 2004년 선정된 댓글(리플), 누리꾼(네티즌), 참살이(웰빙) 등의 단어가 그나마 널리 알려져 순화어의 체면을 세워 줬다. 비슷한 시기에 생겨난 꾸림정보(콘텐츠), 그림말(이모티콘), 피부교감(스킨십) 등은 인터넷 어휘사전이나 몇몇 기사에서만 찾아볼 수 있다.

순화 대상어 선정에도 문제가 있다는 지적이다. 국립국어원이 '권장 순화어'로 꼽은 61개 단어 중 11개의 외래어 표현이 '표준국어대사전'(웹 버전 포함)에 포함돼 있다. 사전에 실릴 정도로 사회에서 통용되는 말을 굳이 우리말로 바꾼 셈이다. 국립국어원 관계자는 "순화어를 만들었으니 순화어가 아닌 말은 사용하지 말라는 의미가 아니다"며 우리말을 더 아름답게 가꾸고 지키려는 노력으로 이해해 달라고 말했다.

전문가들은 애써 발굴한 순화어가 사장되지 않으려면 '무엇을 순화할 것인지' '이를 어떻게 알릴지'에 대한 깊은 고민이 필요하다고 지적한다. ○○대학교 ○○○ 박사는 "외래어가 쏟아져 들어오는 만큼 그냥 사용할 말과 순화할 말을 고르는 기준에 대해 먼저 사회적 합의를 해야 한다"면서 "순화어를 언론 매체 등에서만 홍보할 것이 아니라 정규 교육과정을 통해 소개하는 방법도 검토해 봐야 한다."라고 말했다.

(나) **사회자** : 오늘은 제569회 한글날입니다. 국립국어원 원장을 모시고 현대 사회의 언어 습관에 관해서 이야기를 나눠 보겠습니다. 원장님, 안녕하십니까.

국립국어원장 : 안녕하세요. 국립국어원장입니다.

사회자 : 원장님, 우리 말과 글이 참 자랑스럽지만 요즘 염려스러운 점이 많다는 지적도 있는데요. 원장님은 어떠세요?

국립국어원장 : 우리가 지금까지 우리말을 잘 가꿔 왔습니다만 요즈음 일부에서 엄청나게 축약된 말을 쓴다든지, 다른 세대들과 소통되지 않는 외래어 같은 걸 쓴다든지 하는, 그런 부정적인 측면이 있는 것 같습니다. 〈중략〉

사회자 : 그리고 요즘 문법 파괴 현상이라고 해야 할까요. 지나친 높임 표현 사용도 문제라는 지적도 많은데요. 원장님께서도 그런 점을 지적하셨더라고요?

국립국어원장 : 그렇습니다. 요즘 문제가 많이 되고 있는데요, 잘 아시는 것처럼 그런 어법은 주로 서비스업이라든가 판매업에 종사하는 분들이 고객을 좀 더 존재한다는 태도를 보이기 위해서 나온 것 같습니다.

사회자 : 그렇죠.

국립국어원장 : 그런데 문제는 그렇게 지나친 높임 표현은 어법에 어긋나기도 하거니와 잘못하면 상대방을 오히려 기분 나쁘게 할 수 있습니다. 그래서 고쳐 나가야 하지 않나, 그렇게 생각하고 있습니다.

사회자 : "버스에서 모두 내리실게요.", "주사 맞으실게요." 이게 다 잘못된 표현인거죠?

국립국어원장 : 그렇습니다. 현재 국어 문법으로는 잘못된 것입니다.

사회자 : 또 어떤 점이 문제가 될까요? 아직 일상으로 쓰는 단어에 일본어 잔재가 많이 남아 있는 것도 계속 지적이 되고 있지 않습니까?

국립국어원장 : 그렇습니다. 광복 후 우리말에서 일본어 잔재를 몰아내려는 노력이 계속돼 왔는데요. 여전히 우리말에 남아 있죠. 흔히 점퍼를 잠바라고 한다든지, 흠집을 가스라고 한다든지, 공사판 노동자를 노가다라고 한다든지 하는 것들이 그런 예입니다.

01 (가)글에서 '애써 발굴한'과 '의식 조사선 국민 83% 사용 찬성'에 담겨 있는 관점이나 의도를 쓰고, 이 기사에서 제시한 문제 해결 방안을 2가지를 서술하시오.

02 (나)글에서 '버스에서 모두 내리실게요'와 '주사 맞으실게요' 그리고 '잠바, 기스, 노가다'와 같은 예시를 사용한 의도를 쓰시오.

단원 종합평가

[01~03] 다음 글을 읽고, 물음에 답하시오.

(가) 국어의 높임법은 높임의 대상이 무엇이냐에 따라 크게 주체높임, 객체 높임, 상대 높임으로 나뉜다. 주체 높임은 문장의 주체를 높이는 표현이고, 객체 높임은 문장의 부사어나 목적어가 가리키는 대상, 즉 객체를 높일 때 사용한다. 상대 높임은 말을 듣는 상대가 높임의 대상이 된다.

(나) 과거 시제는 사건시가 발화시보다 앞서 있는 시제이다. 과거 시제는 주로 선어말 어미 '-았-/-었-'을 써서 표현한다. 관형사형 어미 '-(으)ㄴ' 또는 '-던'을 사용하여 나타내기도 한다. 동사에는 두 가지 어미가 다 쓰이고 형용사에는 '-던'만 쓰인다.

현재 시제는 발화시와 사건시가 일치하는 시제로, 동작이나 상태가 현재 일어나고 있는 것을 표현한다. 현재 시제는 동사일 경우 선어말 어미 '-는-/-ㄴ-'을 써서 표현하고, 형용사와 서술격 조사의 경우 선어말 어미 없이 표현한다.

미래 시제는 사건시가 발화시보다 나중인 시제이다. 미래 시제는 주로 선어말 어미 '-겠-'을 써서 표현하고, 관형사형 어미 '-(으)ㄹ'과, 이에 의존 명사 '것'이 결합한 '-(으)ㄹ 것'도 널리 쓰인다.

그런데 '-겠-'과 '-(으)ㄹ 것'은 미래 시제를 나타내는 것 이외에 화자의 추측이나 의지, 가능성이나 능력등을 표현하기도 한다.

01 〈보기〉에서 사용된 높임의 양상을 바르게 분석한 것은?

보기

어머니께서는 선생님을 뵈러 학교에 오셨다.

	주체 높임법			객체 높임법	
	선어말 어미	조사	특수어휘	조사	특수어휘
ⓐ	○	○	×	×	○
ⓑ	×	○	○	○	×
ⓒ	○	○	×	○	×
ⓓ	×	○	○	×	○
ⓔ	○	×	×	○	○

① ⓐ ② ⓑ ③ ⓒ ④ ⓓ ⑤ ⓔ

02 〈보기1〉을 바탕으로 〈보기2〉에 쓰인 높임 표현의 양상을 분석한 것으로 적절한 것은?

보기 1

우리말 문장에서는 보통 두세 가지의 높임 표현이 나타나는 경우가 많다. 존대를 [+]로 비존대를 [-]로 나타낸다면, '영수야, 선생님께서 오셨어.'라는 문장은 [주체 높임+], [상대 높임-]로 표시할 수 있다.

보기 2

영수가 할머니께 선물을 드린다고 했습니다.

① [주체 높임+], [객체 높임+], [상대 높임+]
② [주체 높임+], [객체 높임+], [상대 높임-]
③ [주체 높임+], [객체 높임-], [상대 높임-]
④ [주체 높임-], [객체 높임-], [상대 높임+]
⑤ [주체 높임-], [객체 높임+], [상대 높임+]

03 (나)를 바탕으로 살펴볼 때, 밑줄 친 부분에 나타난 시제가 다른 하나는?

① 우리 아기 잘도 자는구나.
② 여우야, 여우야, 뭐 하니? 밥 먹는다.
③ 지금 내가 가는 곳은 영화박물관이다.
④ 형은 요즈음 시험 직전이어서 매우 바쁘다.
⑤ 승철이는 화려한 무대에서 춤을 춘 적이 있다.

[04~08] 다음 글을 읽고 물음에 답하시오.

(가) 주어가 스스로 행동하지 않고 다른 주체에 의해 어떤 동작을 당하거나 영향을 받는 것을 피동이라고 한다. 피동문은 ㉠능동사의 어근에 피동 접미사 '-이-, -히-, -리-, -기-'를 붙여서 피동사를 만들거나, '-되다, -아/-어지다, -게 되다'와 결합하여 표현한다. 이렇게 실현된 피동문 중에서 ㉡우리말 어법에 어색한 것들이 있는데, 이것들은 불필요한 피동을 쓴 번역투 문장이다. 꼭 필요한 경우가 아니라면 피동 표현보다는 능동 표현을 사용하는 것이 바람직하다.

(능동문) 사냥꾼이 토끼를 잡았다.
(피동문) 토끼가 사냥꾼이게 잡혔다.

능동문이 피동문으로 바뀔 때 문장 성분이 바뀐다. 위와 같이 능동문의 주어는 피동문의 부사어가 되고, 능동문의 목적어는 피동문의 주어가 된다. 이때 피동문의 부사어에는 '에게/에'가 주로 사용되고 '에 의해(서)'가 사용되기도 한다.

(나) 다른 사람의 말이나 글을 끌어다 쓰는 것을 인용이라 한다. 다른 사람의 말이나 글을 원래의 형식을 그대로 유지하며 인용하는 것을 '직접 인용', 그 형식은 유지하지 않고 내용만 끌어다 쓰되 말하는 사람의 관점에서 표현하는 것을 '간접 인용'이라 한다.

직접 인용은 큰따옴표와 종결 표현에 따른 문장 부호를 사용하고, 조사 '라고'를 붙여 표현한다. 간접 인용은 문장 부호 없이, 앞말의 종결 어미에 조사 '고'를 붙여 표현한다. 간접 인용문은 화자의 관점에서 표현하기 때문에 직접 인용문과 비교할 때 인칭, 지시 표현, 높임 표현, 시간 표현, 종결 표현 등에서 변화가 나타나기도 한다.

ⓐ 어제 철호는 "내일 떠나고 싶다."라고 했다.
→ 어제 철호는 오늘 떠나고 싶다고 했다.
ⓑ 딸이 나에게 "잠시만 집에 계세요."라고 했다.
→ 딸이 나에게 잠시만 집에 있으라고 했다.
ⓒ 미국에 간 지호는 "나는 이곳이 마음에 들어."라고 했다.
→ 미국에 간 지호는 자기는 그곳이 마음에 든다고 했다.

(다) 자신이 전달하고자 하는 말의 내용이 정당하더라도 그 내용을 전달하는 방법이 상황과 대상에 적절하지 않으면 말하는 목적을 이루기 어렵다. 따라서 말을 할 때는 상황과 대상에 적절하게, 예절을 갖추어 말하는 것이 중요하다.

부탁이나 건의처럼 상대방이 부담을 느낄 수 있는 상황이나, 사과처럼 상대방의 기분을 살펴야 하는 상황에서는 완곡하고 차분하게 말하는 것이 좋다. 완곡하고 차분하게 말하는 것은 곧 정중하고 공손하며 예절 바르게 말하는 것을 가리키는데, 이렇게 말을 해야 상대방의 부담을 덜어 주고 기분을 상하지 않게 할 수 있기 때문이다.

04 밑줄 친 어휘 중 ㉠에 해당하는 예로 보기 어려운 것은?

① 빗방울이 조금씩 보인다.
② 영희가 술래에게 잡혔다.
③ 결정적인 한 방에 승패가 갈렸다.
④ 길에 버려진 고양이는 다리를 다쳤다.
⑤ 엄마 품에 안긴 아이는 울음을 터뜨렸다.

05 ㉡에 해당하는 예로 볼 수 있는 것은?

① 구름 사이로 희미하게 해가 보여졌다.
② 엄마 품에 안긴 아기 곰은 곧 잠들었다.
③ 도둑은 경찰에게 붙잡히기 전에 달아났다.
④ 아팠던 윤수는 이제 학교에 다니게 되었다.
⑤ 그 복지 시설은 지금 민간에 위탁 운영되고 있다.

06 피동 표현의 문장을 능동 표현으로 바꾸었을 때, 그 의미가 달라지거나 어색한 것은?

① 아름다운 음악소리가 들렸다.
② 달아나던 쥐가 고양이에게 물렸다.
③ 문 앞에서 도둑이 경비원에게 잡혔다.
④ 입고 있던 스웨터가 나뭇가지에 걸렸다.
⑤ 전쟁이 나서 적군에게 수도가 점령당했다.

07 (나)를 참고하여 ⓐ~ⓒ에 대해 이해한 내용으로 적절하지 않은 것은?

① ⓐ : 직접 인용문에서 쓰인 조사 '라고'가 간접 인용문에서 '고'로 달라졌다.
② ⓐ : 직접 인용문에서 쓰인 시간 표현 '내일'이 간접 인용문에서 '오늘'로 달라졌다.
③ ⓑ : 직접 인용문에서 실현된 주체 높임 표현이 간접 인용문에서 객체 높임 표현으로 바뀌었다.
④ ⓒ : 직접 인용문에서 쓰인 1인칭이 간접 인용문에서 3인칭으로 바뀌었다.
⑤ ⓒ : 직접 인용문에서 쓰인 지시 표현 '이곳'이 간접 인용문에서 '그곳'으로 달라졌다.

08 (다)를 참고할 때 적절한 발화로 보기 어려운 것은?

① (학교 친구들과 의견을 모아 교장 선생님께 건의를 하는 상황) 교장 선생님, 늘 저희들에게 관심을 가져 주셔서 감사합니다. 이번 학생 대의원회의에서 학교 매점 설치 문제가 건의 사항으로 나왔는데, 한번 검토해 주시기를 부탁드립니다.

② (친구에게 거짓말을 한 것이 들통나 사과를 하는 상황) 미안해. 하지만 내가 오죽했으면 그랬는지 먼저 이해해 주길 바란다.

③ (창가에 앉은 사람에게 부탁을 하는 상황) 내가 감기가 걸려 바람이 무척 차게 느껴지는구나. 괜찮으면 문 좀 닫아 주겠니?

④ (카페 옆 테이블 손님에게 부탁을 하는 상황) 제 자리에는 설탕이 없네요. 죄송하지만 설탕 좀 건네주시겠어요?

⑤ (선생님께 질문을 하는 상황) 선생님, 바쁘시지 않으면 이 문제 좀 설명해 주시면 고맙겠습니다.

[09] 다음 글을 읽고 물음에 답하시오.

2012년 10월 9일 화요일

손누리틀, 똑똑전화…… 순화어 '사장 위기'

오늘 566돌 한글날

국립국어원 선정어 외면받아

애써 발굴한 300여 개 통용 안 돼
의식 조사선 국민 83% '사용 찬성'
일부는『표준국어대사전』이미 등재

한글날을 하루 앞둔 8일 한 가족이 한글 자모를 새긴 조형 탑이 세워져 있는 서울 광화문 광장 세종대왕상 앞에서 기념사진을 찍고 있다. 한글이 나날이 오염돼 가는 현실에 대해 한글을 창제한 세종대왕은 무슨 생각을 할지 궁금해진다.

김범준 기자

09 윗글은 신문기사의 일부분이다. 바른 설명이 아닌 것은?

① 표제와 이를 보충하는 부제로 이루어져 있다.

② 시각자료를 사용하여 주의를 집중시키고 있다.

③ 구체적인 수치를 제시하여 신뢰성을 높이고 있다.

④ '애써 발굴한', '외면받아' 등의 문구에서 국립국어원에 대한 부정적 인식이 강하게 드러난다.

⑤ '손누리틀, 똑똑전화' 등의 익숙하지 않은 순화어를 제시하여 독자의 호기심을 불러일으키고 있다.

[10~11] 다음 글을 읽고 물음에 답하시오.

(가)

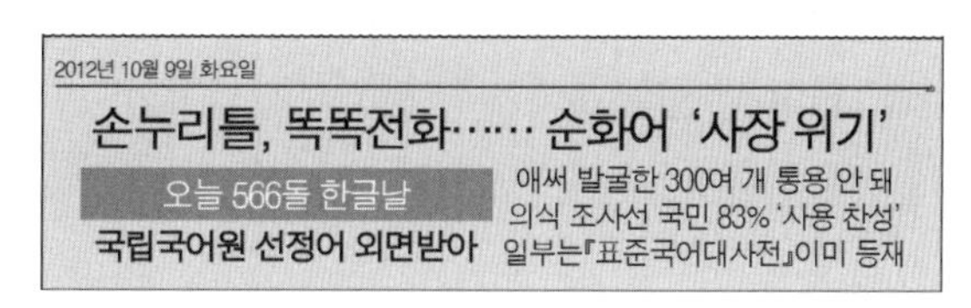

2012년 10월 9일 화요일

손누리틀, 똑똑전화…… 순화어 '사장 위기'

오늘 566돌 한글날

국립국어원 선정어 외면받아

애써 발굴한 300여 개 통용 안 돼
의식 조사선 국민 83% '사용 찬성'
일부는 『표준국어대사전』 이미 등재

(나)

한글날을 하루 앞둔 8일 한 가족이 한글 자모를 새긴 조형 탑이 세워져 있는 서울 광화문 광장 세종대왕상 앞에서 기념사진을 찍고 있다. 한글이 나날이 오염돼 가는 현실에 대해 한글을 창제한 세종대왕은 무슨 생각을 할지 궁금해진다.

김범준 기자

(다) "나 이번에 손누리를 새로 샀어."

"지난번에 똑똑전화도 사더니 역시 넌 앞선 사용자구나."

언뜻 보면 북한 사람들이 주고받는 것 같은 이 대화에는 '손누리틀(넷북)', '똑똑전화(스마트폰)', '앞선 사용자(얼리어답터)'등 국립국어원이 선정한 순화어 3개가 포함돼 있다.

국립국어원이 누리꾼과 전문가의 도움을 받아 선정하고 있는 순화어가 국민의 외면을 받고 있다. 지금까지 300개가 넘는 순화어가 만들어졌지만 널리 쓰이는 단어는 일부에 불과하다. 전문가들은 순화 대상어 선정기준을 명확히 하고 홍보 수단도 다양화해야 한다고 지적했다.

8일 국립국어원에 따르면 2004년 7월부터 최근까지 웹 사이트 '우리말 다듬기(www.malteo.net)'를 통해 만들어진 순화어는 342개에 달한다. 전문가 16명으로 구성된 '말다듬기위원회'가 웹 사이트에서 누리꾼의 추천을 받아 순화 대상어(외래어 · 외국어)와 순화어를 정해 발표하고 있다. 기존에는 순화 대상어와 순화어 모두 누리꾼의 투표로 정했지만 전문성을 더하기 위해 지난해 11월부터 전문가가 참여하고 있다.

순화어 사용에는 대체로 긍정적인 여론이 많다. 2010년 국민 언어 의식 조사에서는 순화어 사용에 대해 조사대상의 83.1%가 찬성했다. '외래어 · 외국어는 적극적으로 우리말로 순화해서 사용해야 한다.'라는 의견에도 51.2%가 대체로 그렇다는 의견을 냈다.

그럼에도 실생활에서 순화어의 쓰임은 많지 않다. 순화어를 만들기 시작한 2004년 선정된 댓글(리플), 누리꾼(네티즌), 참살이(웰빙) 등의 단어가 그나마 널리 알려져 순화어의 체면을 세워 줬다. 비슷한 시기에 생겨난 꾸림정보(콘텐츠), 그림말(이모티콘), 피부교감(스킨십) 등은 인터넷 어휘사전이나 몇몇 기사에서만 찾아볼 수 있다.

순화 대상어 선정에도 문제가 있다는 지적이다. 국립국어원이 '권장 순화어'로 꼽은 61개 단어 중 11개의 외래어 표현이 「표준국어대사전」(웹 버전 포함)에 포함돼 있다. 사전에 실릴 정도로 사회에서 통용되는 말을 굳이 우리말로 바꾼 셈이다. 국립국어원 관계자는 "순화어를 만들었으니 순화어가 아닌 말은 사용하지 말라는 의미가 아니다"라며 우리말을 더 아름답게 가꾸고 지키려는 노력으로 이해해 달라고 말했다.

전문가들은 애써 발굴한 순화어가 사장되지 않으려면 '무엇을 순화할 것인지' '이를 어떻게 알릴지'에 대한 깊은 고민이 필요하다고 지적한다. ○○대학교 ○○○박사는 "외래어가 쏟아져 들어오는 만큼 그냥 사용할 말과 순화할 말을 고르는 기준에 대해 먼저 사회적 합의를 해야 한다"라면서 "순화어를 언론 매체 등에서만 홍보할 것이 아니라 정규 교육과정을 통해 소개하는 방법도 검토해 봐야 한다" 라고 말했다.

(라)

테이크아웃(takeout)	⇨	포장구매 · 포장판매
캘리그래피(calligraphy)	⇨	멋글씨 또는 멋글씨예술
얼리어답터(early adopter)	⇨	앞선사용자
벤치마킹(benchmarking)	⇨	본따르기
스팩(specification)	⇨	공인자격
리얼 버라이어티(real variety)	⇨	생생예능

– 국립국어원, 2012 –

10 (가)~(라)에 대해 학생들이 나눈 대화로 적절하지 않은 것은?

① 표제에 현실에서 잘 쓰지 않는 순화어 '손누리틀', '똑똑전화'를 제시하여 순화어가 사장 위기에 처해 있는 상황에 대해 독자들의 공감을 이끌어내려 하고 있어.
② 표제에 '사장 위기'라고 작은따옴표를 붙여 강조한 것을 보면 기자는 순화어가 사람들에게 외면받는 현실의 문제점을 경고하고 개선하기 위해 기사를 섰을 거야.
③ 부제에 의식 조사선 국민 83% '사용찬성'이라고 쓴 걸 보면 기사에서는 순화어가 사장 위기에 처한 원인을 순화어 선정의 측면보다는 사용의 측면에서 살펴볼 것이라고 예상할 수 있겠군.
④ 본문에서 문제 상황을 초래한 원인을 분석하고 그에 대한 해결책을 전문가의 견해를 인용하여 전달하고 있어.
⑤ 본문에서 통계 자료 등을 구체적인 수치로 제시함으로써 내용의 신뢰성을 높이고 있어.

11 (나), (라)에 대한 설명으로 적절한 것만을 고른 것은?

ㄱ. (나)는 한글 자모가 새겨진 조형물 앞에서 사진을 찍는 가족의 모습을 보여주어 독자들의 관심을 불러일으키고 있다.
ㄴ. (나)는 국민들이 한글을 얼마나 자랑스러워하는지 환기할 수 있다.
ㄷ. (라)를 통해 기사에서 다룬 순화어 사장 위기에 대해 독자들의 공감을 불러일으킬 수 있다.
ㄹ. (라)는 이미 익숙한 순화어에 관한 정보를 제시하여 독자들의 실천 의지를 요구하고 있다.

① ㄱ, ㄴ ② ㄱ, ㄴ, ㄷ ③ ㄱ, ㄴ, ㄹ
④ ㄴ, ㄷ, ㄹ ⑤ ㄱ, ㄴ, ㄷ, ㄹ

MEMO

MEMO

실전기출 문제은행

정답 및 해설

지학 | 이삼형

(1) 옛 노래의 향기

확인학습 P.07

01 ○ 02 ○ 03 ○ 04 ○ 05 × 06 ○ 07 ○ 08 ○
09 × 10 ○ 11 × 12 × 13 ○ 14 × 15 ○

확인학습 P.10

01 ○ 02 ○ 03 × 04 대화 05 꿈
06 어엿븐 그림재(불쌍한 그림자) 07 × 08 백옥경

01 임과 이별한 후 임에 대해 걱정하는 마음과 그로 인한 슬픔을 드러내고 있다.
03 현실의 갈등이 해결되는 모습은 찾아볼 수 없다.
07 '옥 같은 얼굴'은 화자의 모습이 아니라 임의 곱던 모습을 표현한 것으로 볼 수 있다.

객관식 기본문제 P.11~24

01 ②	02 ⑤	03 ⑤	04 ③
05 ②	06 ④	07 ⑤	08 ④
09 ③	10 ②	11 ①	12 ④
13 ①	14 ②	15 ⑤	16 ③
17 ②	18 ④	19 ②	20 ⑤
21 ④	22 ④	23 ①	24 ③
25 ②	26 ②		

01 세 작품 모두 화자는 임과의 이별을 통해 임에 대한 그리움을 보이고 있다.
02 4연은 이별 후의 소망으로 임이 바로 돌아오기를 바라는 부분이다.
03 궁으로 복귀하고자 하는 의지가 아니라 죽어서라도 따르고자 하는 임에 대한 간절한 사모의 정이다. 거기서 적극적인 사랑의 태도에 대해서 말해주고 있다.
04 구름은 화자를 방해하는 존재로 같은 의미는 '안개'이다. '반벽청등'은 화자의 외로움을 부각시키는 존재로 홀로 있는 화자의 처지를 강조하는 소재인 '어엿븐 그림재'가 적절하다.
05 '갑'은 '을'의 소극적인 태도를 질책하는 것이 아니라 위로를 건네며 적극적인 방안을 제시하고 있는 부분이다.
06 화자의 정서를 반어적으로 표현하여 떠난 임을 그리워하며 임을 잊을 수 없음을 나타내고 있다.
07 '싀여디여'는 '죽어져서'의 의미이다.
08 (가)에서 감정이입이 된 대상은 없다.
09 ㉢은 떠나는 임에 대한 원망과 슬픔을 나타내는 부분이다. 체념하는 심정은 아니다.
10 종교적인 부분은 나오지 않는다. 물론 불교적 가치관을 종교적으로 승화시키는 부분도 없다.
11 임과 헤어진 이유가 하늘과 타인이 잘못이 아니라 자신의 잘못과 조물주의 탓이라고 하는 부분이다.
12 '달'은 화자의 분신으로 화자를 나타내는 시어는 벼랑가에 버려진 '빗'이다
13 ①은 자연친화적인 내용으로 가장 이질적이다.
14 '가시리 가시리잇고 ᄇᆞ리고 가시리잇고'로 'ᄇᆞ리고'만 다른 aaba 구조이다.
15 반어법을 사용하여 '당신'에 대한 마음을 잊을 수 없다는 것을 강조하고 있다.
16 화자는 희생적이고 헌신적인 존재로 가장 적절한 것은 ③이다.
17 처음에 '이별의 안타까움(애원과 탄식)'이 드러나고, '절박한 심정'(애원의 고조, 원망), 이별의 수용(감정의 절제와 체념)이 드러난다. 마지막으로 '이별 후의 소망(임이 돌아오기를 바람)'이 나타난다.
18 낙관적인 태도가 아니라 차마 임을 붙잡지 못하는 전통적인 여성의 태도가 나타난다.
19 3음보의 율격은 민요적인 성격에 영향이 있고(ㄴ), (가)와(나) 둘 다 이별을 제재로 하고 있다.(ㄹ)
20 관계를 명시하면서 충신연주지사의 성격이 아니라, '충'의 감정을 '그리움'으로 변화시킨 것이다.
21 ㉣은 '아침저녁의 밥'을 의미한다.
22 임을 탓하거나 원망하지 않고 자신의 숙명으로 돌리는 운명론적 사고관을 지녔으므로 적절한 것은 ④이다.
23 '조물주'가 아니라 '임금'을 상징한다.
24 ㉥은 화자(여인 2)와 임 사이를 가로막는 장애물의 역할이다. 가장 적절한 것은 ③이다.
25 보조 인물은 중심 인물에게 인사 후, 너무 본인을 자책하지 말라며 위로해 준 후에, '구즌비'가 되라고 충고해주고 있다.
26 「속미인곡」의 화자는 임을 그리워하는 내용이고, 가장 유사하지 않은 것은 ②이다.

객관식 심화문제 P.25~44

01 ①	02 ②	03 ⑤	04 ④
05 ①	06 ③	07 ②	08 ⑤
09 ①	10 ⑤	11 ⑤	12 ②
13 ②	14 ④	15 ④	16 ⑤
17 ④	18 ③	19 ⑤	20 ④
21 ④	22 ③	23 ⑤	24 ①
25 ④	26 ④	27 ②	28 ②
29 ⑤	30 ③	31 ③	32 ②
33 ③	34 ③		

01 이 작품에는 다양한 비유와 상징이 드러나지 않는다.

02 'ᄇᆞ리고 가시리잇고'라는 문장을 반복하여 이별의 슬픔과 정한을 강조하고 있다.

03 가자마자 돌아서서 오라고 하는 화자의 소망을 얘기하는 부분이다. 임에 대한 불신과 미래에 대한 불안감은 적절하지 않다.

04 (가)의 화자는 이별의 상황에서 그에 대한 슬픔을 말하고 있는데, '두터비 ᄑᆞ리를 물고~'에는 탐관오리를 상징하는 두꺼비의 허장성세를 비판하는 내용이므로 (가)의 화자의 상황과 같지 않다.

05 화자의 내적 갈등이 나오는 부분이 없고, 그에 따른 내적 갈등이 해소되는 부분도 없다.

06 ㉡과 ㉠은 화자의 분신이며, ㉡은 적극적인 사랑의 태도를 말하고, ㉠은 소극적 애정관을 말한다.

07 ⓑ만 여인1인 보조적 인물을 가리킨다.

08 고려 시대 평민들이 부르던 고려 가요이고, 향찰로 표기되지 않았다.

09 '남포에서 임 보내며 슬픈 노래 부르네.'에서 같은 이별 상황이라는 것을 알 수 있다.

10 ㉠은 별다른 뜻이 없는 여음구로, 구전되다가 후대에 궁중의 악곡으로 수용되는 과정에서 첨가된 후렴구이다.

11 (나)의 화자가 현실을 거부하는 적극적 태도를 가지고 있지 않다.

12 중심 인물 여인2와 보조 인물 여인1의 대화 형식으로 진행되고 있다.

13 임과 헤어진 이유가 자신의 잘못과 조물주의 탓이라고 한다. 임을 탓하거나 원망하지 않고 자신의 숙명으로 돌리는 운명론적 사고관을 지녔다. 임의 변심 탓은 적절하지 않다.

14 '꿈'은 화자가 그리운 임을 만날 수 있는 공간이지만, 꿈속에서 안도감을 느끼는 것은 아니다.

15 '괴얌즉'은 '사랑받음직'의 의미이다.(ㄱ), '모쳠'은 '띠로 지붕을 이은 초가집'이다(ㄷ).

16 [A]에서는 차라리 죽어서 '달'이 되어서 임을 따르고자 하는 염원을 드러내고, 〈보기〉는 차라리 죽어서 '범나뵈'가 되어서 임을 따르고자 한다.

17 (가), (나) 모두 대구적 표현을 통해 리듬감을 형성하고 있다.

18 '빈 배'는 감정이입이 아니라, 화자의 외로움을 드러내는 객관적 상관물이다.

19 ⓑ와 ⓒ는 임과의 재회에 대한 인식이 아니라 죽어서라도 임을 따르겠다는 마음을 표현한 부분이다.

20 '아니 올셰라'는 '아니 올까 두렵다'라는 뜻으로 이별을 거부하는 이유를 확인하기는 어렵다. 또한 각 연이 나눠져있는 분연체는 맞지만 각 연의 내용은 연결되어 있다.

21 (가)의 시적 화자는 임에 대한 불만을 드러내고 있지 않은 소극적 화자이다.

22 '잡ᄉᆞ와 두어리마ᄂᆞᄂᆞᆫ'은 '잡아두고 싶지만'이라는 뜻으로, 잡아두려는 주체는 '화자'로 볼 수 있다.

23 '가시는 듯 다시 오소서'는 역설법이 쓰였다고 할 수 없다.

24 1연에서는 '버리고 가시렵니까'라며 안타까움을 표현하고, 2연에서는 '나는 어찌 살라고'라며 슬픔과 원망을 나타내고, 3연에서는 '잡아두고 싶지만 서운하면 안 올까 두렵다'라며 체념하고 순응하고, 4연에서는 '가는 듯 다시 오소서'라며 임이 다시 오기를 소망하며 기원하고 있다.

25 (가)시에는 현실 극복 의지나 미래에 대한 지향은 나타나지 않고 이별에 대한 슬픔과 체념이 나타나있다.

26 '서운하면 아니 올까 두렵다'는 이별에 대한 체념이 나타나 있다.

27 (나)시에 색채 이미지의 대조는 나타나지 않는다.

28 (가)에는 '가시리잇고', (나)에는 '–우리다'의 반복을 통해 시적 화자의 상황을 부각하고 있다.

29 (가)에서는 후렴구를 통해 시각적으로 연을 구분하고, (나)에는 후렴구가 없다.

30 (가)시에도 임이 돌아오기를 바라는 시적 화자의 바람이 나타나 있다.

31 (가)는 두 여인의 대화 형식이고, (나)는 대화 형식이 아니다.

32 ㉣은 '임을 그리워하는 상사몽이 귀뚜라미의 넋이 되어'라는 뜻으로 '실솔'은 임에게 화자의 마음을 전달하는 매개체의 역할을 하므로 '낙월'과 가장 유사한 것은 ㉣이다.

33 '계성(溪聲)'은 '방정맞은 닭소리'로 나의 잠을 깨우는 방해물이다. 비슷한 의미는 풀 속에 울어 나의 잠을 깨우는 '즘생'이다.

34 ③은 그리워하던 임이 오더라도 산을 바라보는 것이 더 좋다는 자연 친화의 내용이다.

서술형 심화문제 P.45~49

01 가시ᄂᆞᆫ ᄃᆺ 도셔 오쇼셔 나ᄂᆞᆫ

02 우리 민족의 전통적 정서인 이별의 정한을 공통적으로 드러내고 있다.

03 (1)후렴구 (2)흥을 돋우고 운율을 살리며 전체적인 통일감을 준다.

04 구존비

05 (1) [A] 내 모습 이 거동이 임께 사랑받음직 한가마는 / 어쩐지 날 보시고 너로구나 여기시므로 [B] 오르고 내리며 헤매며 방황하니 / 잠시 기운이 다하여 풋잠을 잠깐 드니
(2) 낙월, 구존비

06 '빅옥경'–궁월, '구름'–간신

07 작가는 신하의 입장에서 임금에게 자신의 마음을 솔직하게 표현하게 어렵고, 남성의 목소리로는 감정 표현이 자유롭지 않았기 때문이다.

08 반벽청등

09 (1)임금, (2)임금이 있는 궁궐, (3)임금, (4)간신, (5)임금

10 3음보, 반어적, 반복

(2) 옛이야기의 맛과 멋

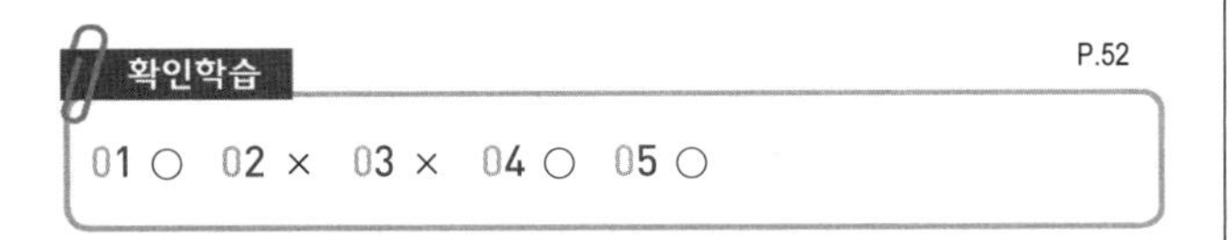

02 "내가 왔다고 말을 하소."/"왔단 말을 하게 되면 기절해서 간 떨어질 것이니 가만히 계시옵소서."에서 확인 할 수 있다.
03 모친을 걱정하고 있다.
04 춘향은 '그저 왔다'는 모친의 말에 '서방님께서 기별 왔소? 언제 오신단 소식 왔소? 벼슬 띠고 내려온단 공문 왔소?'라고 질문하며 자세한 정보를 제시해 주길 요구하고 있다.

확인학습 P.55

01 × 02 ○ 03 ○ 04 ○ 05 × 06 × 07 × 08 ○
09 × 10 ○ 11 × 12 × 13 ○ 14 ○ 15 ○

11 한시는 한자로 서술되어 있어 양반의 언어를 구사하고 있으며, 평민의 언어는 드러나지 않는다.
15 폐포파립이란 해어진 옷과 부서진 갓이란 뜻으로, 초라한 차림새를 비유적으로 이르는 말이다.

확인학습 P.58

01 ○ 02 ○ 03 × 04 ○ 05 ○ 06 ○ 07 × 08 ○
09 ○ 10 ○ 11 ○ 12 ○ 13 × 14 ○ 15 ○

객관식 기본문제 P.59~79

01 ③	02 ③	03 ④	04 ③
05 ①	06 ④	07 ④	08 ②
09 ②	10 ⑤	11 ③	12 ①
13 ②	14 ④	15 ④	16 ⑤
17 ③	18 ⑤	19 ⑤	20 ⑤
21 ⑤	22 ④	23 ②	24 ③
25 ①	26 ④	27 ③, ⑤	28 ②
29 ⑤			

01 시대적 배경을 구체적으로 묘사한 부분은 없다.
02 〈보기〉의 밑줄 친 부분은 편집자적 논평(서술자의 개입)이 일어난 부분이다. 같은 표현상의 특징이 일어난 것은 ③이다.
03 복합적인 이유는 양반들의 한문체와 서민들의 비속어와 같은 상스러운 말투가 뒤섞인 이중적 언어를 사용해서이다.
04 입체적 구성 방식이라는 것은 역순행적 구성이 일어나야 하는데, 이 소설은 시간의 흐름대로 사건이 전개되므로 적절하지 않다.
05 ①은 사건을 서술하고 있을 뿐, 편집자적 논평이 나타나지 않는다.
06 한시에는 한문을 사용하고 있다. 언어의 이중성을 엿보려면 양반의 말투와 서민의 말투가 섞여야 한다. 이중성을 엿볼 수 없다.
07 변사또와 이몽룡을 대비해 불의한 지배층에 대한 비판이라는 작품의 주제를 드러내고 있다.
08 윗글에서 두드러지는 해학적 표현을 〈보기〉에서 '곰비임비 임비곰비 천방지방 지방천방'이라는 음성상징어를 활용하여 표현하고 있다.
09 Ⓐ에 드러난 서술상의 특징은 편집자적 논평이다.
10 '본관 사또가 똥을 싸고 멍석 구멍 새앙 쥐 눈 뜨듯 하고'에서 일상어(ⓜ)을 확인할 수 있고, '층암절벽 ~ 청송녹죽'에서 한문투의 표현을 사용하고 있음을 확인 할 수 있다.
11 윗글과 달리 〈보기〉에서는 '상하고 멍든 자리 마디마디 문지르며', '옥창살을 들이치는데 청절(淸節) 춘향도 혼을 잃고 몸을 버렸다'와 같이 옥중에서 춘향이의 모습을 상세하게 묘사하고 있다.
12 판소리계 소설의 특징으로 열거와 대구가 많이 쓰였다.
13 ⓛ에서는 남편을 이르는 말인 '서방(書房)'을 서쪽 방향을 이르는 말인 '서방(西方)'으로 치환하고 이와 유사한 '남방(南方)'과 연달아 발음하여 해학적으로 표현함. 언어 도치를 통한 언어유희가 아니라 동음이의어를 통해 표현했다.
14 부패한 사회상과 백성들의 피폐한 삶을 생각하고 탐관오리인 본관사또의 정체를 감안해서 지었다.
15 초월적 공간은 나오지 않았다.
16 '긴장감 넘치는 극적 장면에서 인물의 대사나 행동을 해학적으로 표현하여 독자에게 극적 장면의 재미를 더함(열거법, 대구법, 과장법)'을 사용하였다. 심정적 동요가 일어난 부분은 [B]에 해당되지 않는다.
17 자신의 미래를 염려하는 것이 아니라 본인의 의지를 드러내는 부분이다.
18 〈보기〉에서 신분 상승에 대한 지나친 욕망을 나타내는 부분은 찾을 수 없다.
19 운봉은 어사또를 쫓아낼 구실을 만들려고 차운을 짓자고 제안한 것이다.
20 [A]는 동음이의어를 활용한 언어유희이다. '이부'를 사용한 ⑤이 가장 적절하다.
21 ㉠은 반어법이 쓰였다. ⑤에서 '어찌 아니 명관(名官)인가'에서 반어법이 쓰였다.
22 어사또가 한시를 지어 부패한 탐관오리를 비판하는 부분이다. 흥청스러운 분위기로 바뀌는 계기가 아니다.
23 서술자의 개입이 나타나므로 서술자가 상황을 객관적으로 설명한다는 부분은 옳지 않다.
24 ⓐ는 과장법이 쓰였다. '뱃가죽이 등에 붙은 느낌이었다.'에서 과장법을 찾을 수 있다.

25 ⓐ진양조는 음악에서 쓰는 판소리 및 산조장단의 하나이다. 가장 느린 장단이다.

26 [A]는 부패한 사회상과 백성들의 피폐한 삶, 부조리한 현실의 모순을 고발하고 변 사또의 정체를 폭로하는 부분이다. 가렴주구는 세금을 가혹하게 거두어들이고 무리하게 재물을 빼앗음을 의미한다.

27 '만성고(萬姓膏), 원성고(怨聲高)'에서 찾을 수 있다.

28 [A]로 인해 인물 간의 갈등이 해소되지 않는다. [A]는 탐관오리를 비판하는 내용이다.

29 암행어사가 출두하는 장면의 위기감과 긴박감을 열거의 방식으로 표현한 부분이다.

객관식 심화문제 P.80~107

01 ②	02 ⑤	03 ④	04 ②
05 ①	06 ①	07 ⑤	08 ⑤
09 ③	10 ④	11 ④	12 ②
13 ④	14 ①	15 ⑤	16 ①
17 ②	18 ④	19 ④	20 ③
21 ①	22 ⑤	23 ②	24 ②
25 ⑤	26 ④	27 ②	28 ②
29 ②	30 ⑤	31 ④	32 ③
33 ①	34 ①	35 ④	36 ③

01 내적 독백을 통해 인물이 소망을 직접적으로 드러낸 부분이 없고, 요약적 제시로 인물의 일대기에 대한 정보를 제공한 부분도 나오지 않았다.

02 "너의 서방인지 남방인지 걸인 하나가 내려왔다."에서 확인할 수 있다.

03 [A] 서로 존대하고 있지 않고, [B]에서 춘향은 모친에게 원망을 드러내고 있지 않다, [C] 춘향 모친이 오사또에 대한 믿음을 드러낸 부분도 없으며, [E]에서 자신의 안위를 걱정한 부분은 나오지 않는다. 가장 적절한 것은 [D]이다.

04 언어 도치를 통한 언어유희이다. 이가 빠져서 말이 헛나왔다는 것을 말이 빠져서 이가 헛나왔다고 도치하였다.

05 ㉡에는 은유, 대구, 설의법이 쓰였다. '침묵이 금'에서 은유, '사색은 다이아몬드인가'에서 설의, 전체 문장에서 대구가 쓰였다.

06 '춘향'이 옥에 있는 장면을 통해서 정신적 충격을 위로받을 수 없다.

07 개루왕은 권력의 횡포를 부리는 사람으로 자신에게 맞서는 인물을 벌하는 사람이 아니다.

08 '윤 직원'이 '종학'에게 돈을 보내지 않았다는 부분은 확인할 수 없다.

09 서술자가 개입하여 윤 직원 영감에 대한 비하의 시선으로 서술하였다.

10 ㉣은 서술자가 인물에 관하여 판단이나 정서를 표한 부분이 아니다.

11 '매암이 맴다 울고 쓰르라미 쓰다 우니'에서 언어유희를 사용하였다.

12 탐관오리의 횡포를 노래한 ②가 가장 적절하다.

13 원래 공연(판소리)이었던 것을 글로 창작한 것이다.

14 오매불망은 '자나 깨나 잊지 못하다'라는 뜻으로, 사랑하는 사람을 그리워하여 잠 못 들거나 근심 또는 생각이 많아 잠 못 드는 것을 비유하는 말로 사용된다.

15 수령들이 도망하는 모습을 열거, 대구, 과장법을 사용하여 나타내고 있다. 설의법은 쓰이지 않았다.

16 운봉은 눈치가 빠른 인물이다. 관대하거나 이몽룡과 춘향을 만나는 계기를 제공하지 않는다.

17 표면적 주제는 이몽룡과 춘향이의 사랑이고 이면적 주제는 탐관오리의 횡포에 대한 비판이다.

18 (나)는 윤직원의 왜곡된 역사의식을 비판하는 내용이다.

19 구비 전승의 특징을 지니고 있는 연희 양식은 판소리이다. 18세기 초반에 형성된 것으로 추측되며, 민속 연희의 한 형태로 널리 전파된다.

20 평민의 언어와 양방의 언어가 섞여서 사용되고 있다.

21 삼현육각은 삼현과 육각의 갖가지 악기를 의미한다.

22 비유적 표현으로 춘향이의 지조와 절개의 의지를 보여준다.

23 Ⓐ는 서술자의 개입이 드러난 부분이다. ㉠, ㉡에 드러났다.

24 사건과 각 인물들의 내면 심리까지 다루는 전지적 작가 시점이다.

25 운봉은 어사또의 신분을 눈치채고 곧 암행어사가 출도할 것을 알아챘다.

26 과거의 사건을 요약적으로 제시하는 부분은 없다.

27 (가)에서 춘향은 도련님을 탓하는 것이 아니라 방자에게 화를 내고 있다.

28 ⓑ는 편집자적 논평이 드러난 부분이 아니다.

29 도치의 언어유희를 사용한 부분으로 가장 유사한 것은 ②이다.

30 〈보기〉는 갈등이 해소되는 부분이 나오지 않는다.

31 서술자가 작품 중간에 개입하여 인물들에 대한 판단을 한다. 감정을 배제하고 있지 않다.

32 판소리에서는 특별한 소품이 필요하지 않다. 노래와 몸짓과 손짓으로 하는 공연이다.

33 윗글에선 비현실적인 내용이 나오지 않으므로 전기적 요소를 활용하고 있다는 부분은 적절하지 않다.

34 춘향이가 자신의 과거를 후회하는 부분은 없다.

35 신분제 사회는 맞았지만, 양반이 항상 존경받고 후한 대접을 받는 모습을 작품 속에 반영하진 않았다.

36 ㉢은 서술자가 자신의 견해를 드러내는 부분이 아니다.

서술형 심화문제 P.108~113

01 ㉮여성의 지조와 절개 ㉯지배층의 횡포에 대한 항거
02 피, 기름, 원망소리
03 언어 도치, 동음이의어
04 옥중화
05 高, 노랫소리 높은 곳에 원망 소리 높았더라.
06 춘향을 상징하는 '검은 물', '구름', '소나기'와 몽룡을 상징하는 '나무'를 통해 영원한 사랑이라는 주제를 드러내고 있다.
07 설화(암행어사이야기, 열녀이야기), 판소리(춘향가), 고전소설(춘향전), 신소설(옥중화)
08 너의 서방인지 남방인지 걸인 하나가 내려왔다.
09 반어법

(3) 현대 문학의 시선

객관식 기본문제 P.115~120

01 ①	02 ②	03 ⑤	04 ①
05 ③	06 ⑤	07 ④	08 ③
09 ①	10 ②	11 ①	12 ⑤

01 이 작품은 남성적 어조로 강인한 의지를 드러내고 있다. 비장한 어조를 취하고 있지 않다.
02 (가)는 가혹한 상황을 극복하고자 하는 의지는 있지만, 자아 성찰을 하고 있지 않다.
03 (가)는 자신의 한계를 수용하고 있는 것이 아니라 극복하고자 하고, (나)에서도 시련 속에서 굳은 절개를 지키려는 의지를 지니고 있다.
04 (가)는 겨울이라는 부정적인 상황에서 극복하고자 하는 의지를, (나)는 백설이 만건곤하는 부정적인 상황에서 지조를 지키겠다는 의지를 드러내고 있다.
05 '강철'과 같은 남성적 어조, '-하리라'라는 의지적 어조를 통해서 강인한 화자의 어조를 확인할 수 있다.
06 윗글은 '오다, 서다'와 같이 과거형 종결어미가 아니라 현재형 종결어미를 사용하고 있다.
07 〈보기〉는 나라를 걱정하는 우국충정의 마음이다. 적대적 존재를 물리치겠다는 투쟁심을 드러낸 것이 아니다.
08 1연은 현실의 한계를 수평적, 2연은 수직적 이동으로 표현하고 있다. 3연은 극한 상황에 대한 화자의 인식을 드러내고, 4연은 환상으로 도피하는 것이 아니라 초극 의지를 나타낸다. '서릿발 칼날진 그 위'는 '고원' 중에서도 높은 곳으로 가장 극한 상황을 말한다.
09 ㉯: 낭만적 인식을 드러내고 있지 않고, ㉶: 애민정신과 우아미를 계승하고 있지 않다.
10 '강철'은 차갑고 단단한 금속의 이미지로 부정적 시어이다.
11 일제에 저항하고 극복하고자 하는 삶의 의지가 드러나 있다.
12 ⓐ에 사용된 수사법은 역설법이다. ⑤번에서 '찬란한 슬픔의 봄을'에서 역설법이 사용되었다.

객관식 심화문제 P.121~135

01 ①	02 ②	03 ③	04 ③
05 ④	06 ③, ④	07 ①	08 ⑤
09 ④	10 ③	11 ③	12 ⑤
13 ②, ③	14 ①	15 ⑤	16 ④
17 ③	18 ④	19 ④	20 ④
21 ①	22 ③	23 ①	24 ④
25 ④			

01 '오다, 보다.'와 같은 현재 시제를 사용하고 있다.
02 2연은 1연의 수평적 한계 상황에 대한 인식을 이어 받아 수직적 한계 상황으로 발전시키고 있다.
03 ⓒ는 작품 내적인 부분을 보고 감상하는 방법으로 적절하다. ①은 ⓒ로 고쳐야 하고, ②는 독자의 감상이 드러나므로 ⓓ, ④는 일제 말기의 현실을 반영한 ⓐ, ⑤는 이육사 시인을 이야기한 ⓑ로 고쳐야 한다.
04 (가)의 시적 화자의 태도는 현실 극복을 위한 의지적 태도이다. ③번에서 내 외로운 혼을 건지기 위하여 독을 차고 가겠다는 부분에서 유사한 태도를 찾을 수 있다.
05 (나)만 전통적인 4음보의 율격을 지니고 있다. (가)는 4단 구성 방식을 따라 시상을 전개한다.
06 (나)에는 '수류탄 쪼가리, 팔을 잃은 아버지, 다리를 잃은 아들'과 같이 일제 강점기와 6.25의 비극을 구체적이고 사실적으로 그리고 있다. (가),(나)는 현실을 극복하고자 하고 있다.
07 절정에 설의법을 통해 시상 전환을 하는 부분은 없다.
08 진수의 좌절감을 보여주고 있는 것이 아니라, 아버지에 대한 애정과 염려가 드러난다.
09 (다)는 방언을 사용하였지만, (가)는 사용하지 않았다.
10 극한 상황에 대한 화자의 인식이 드러난 부분이다. 대결 정신을 보여주고 있지 않다.
11 ⓐ에 나타난 표현 기법은 역설법이다. ㉡에서 '님은 갔지마는 나는 님을 보내지 아니하였습니다.' ㉣에서 '외로운 황홀한 심사이어니'에서 역설법이 쓰였다.
12 〈보기〉도 춘향이의 굳은 의지와 지조, 절개를 표현하고 있다.
13 '수류탄 쪼가리'를 통해서 6.25전쟁의 상황을 짐작해 볼 수 있고, "그렇다니. 그러니까 집에 앉아서 할 일은 니가 하고, 나댕기메 할 일은 내가 하고, 그라면 안 되겠나, 그제?"라는 만도의 말에서 극복하는 방안을 제시하고 있다.
14 부정적인 상황을 극복, 부정적인 상황에서 지조 절개를 지키겠다는 자신의 의지를 드러내고 있다.

15 색채 대비를 활용하지 않았다.

16 '님은 갔지만은 나는 님을 보내지 아니하였습니다.', '외로운 황홀한 심사이어니', '찬란한 슬픔의 봄을'에서 역설법이 쓰였다. (바)는 반어법이다.

17 ㉡과 ㉢은 수평과 수직으로 대비적인 구조라고 할 수 있지만 극한 상황을 표현한 것이다. 지향하는 바를 나타내고 있지 않다.

18 〈보기〉는 군사 독재라는 부정적 현실 속에서 자유를 소망하고 있다.

19 정신적 초극의 태도를 보여주는 부분으로 가장 적절하다.

20 ㉮의 관점은 시대적 배경을 반영하는 관점이다. 일제 강점기라는 시대를 반영해서 감상했기에 가장 적절하다.

21 윗글의 화자는 부정적인 상황 속에서 극복하고자 하는 의지적 태도를 가지고 있다. ①에서 오상고절은 서릿발이 심한 추위 속에서도 굴하지 않고 홀로 꼿꼿하다는 뜻으로 시련을 이겨내는 국화의 모습과 화자의 모습이 유사하다.

22 〈보기〉의 '대'는 지조와 절개를 상징하므로 유사한 상징적 의미는 ⓒ이다.

23 비애와 굴욕감이 아니라 비극적 상황 속 절박함을 드러낸 것이다.

24 ㉠은 역설법이다. '괴로웠던 사나이 행복한 그리스도에게서처럼'에서 역설법이 사용되었다.

25 '잊었노라'는 반어적 표현으로 그리워하는 화자의 마음을 표현한 것이다. 이별을 수용하는 화자의 태도를 강조하는 것이 아니다.

서술형 심화문제 P.136

01 (1) '기–승–전–결'의 한시 구조 (2) 극한 상황에서의 초극 의지
02 (A) 낙락장송 (B) 백설

단원 종합평가 P.137~147

01 ③	02 ②	03 ②	04 ④
05 ⑤	06 ③	07 ①	08 ②
09 ①	10 ③	11 ②, ③	12 ③
13 ③	14 ④		

01 '님'이 서운하면 오지 않을까 두려워 잡지 못하는 이유를 말하는 것이지 화자의 잘못으로 이별 상황이 빚어졌음을 말하는 부분이 아니다.

02 떠나는 상대를 향한 당부는 윗글에 더 잘 나타나 있다.

03 〈보기〉는 'AABA'의 구성이 아니다.

04 ④은 화자의 서러운 감정이 나타나고 나머지는 외로움을 나타낸다.

05 배신한 동료는 'ᄇᆞ람'이나 '물결'이 상징한다.

06 위 작품과 〈보기〉는 모두 3(4) · 4조, 4음보의 율격을 가지고 있다.

07 [A]는 '낙월'을 통해 임을 따르겠다는 소극적 사랑을 의미하고, [B]는 범나븨가 되어서 임의 옷에 직접 올라가는 것으로 적극적으로 표출한다.

08 언어유희는 (가)에 드러난다.

09 "우리 둘이 처음 만나 놀던 부용당의 적막하고 고요한데 뉘어 놓고 서방님 손수 염습하되 나의 혼백 위로하여 입은 옷 벗기지 말고 양지 끝에 묻었다가 ~ 북망산천 찾아갈 제 앞 남산 뒤 남산 다 버리고 한양성으로 올려다가 선산발치에 묻어 주고 비문에 새기기를 수절원사춘향지묘라 여덟 자만 새겨 주오."에서 확인할 수 있다.

10 ㉮에는 반어법이 쓰였다. 사랑하는 사람을 잃어버린 이 겨울을 누워 편히 지냈다는 부분에서 반어법을 확인할 수 있다.

11 가렴주구는 '세금을 가혹하게 거두어들이고 무리하게 재물을 빼앗음'을 의미하고, 도탄지고는 '가혹(苛酷)한 정치(政治)로 말미암아 백성(百姓)이 심한 고통(苦痛)을 겪는 것'을 의미한다.

12 인궤는 '인뒤웅이. 관아에서 쓰던 인(印)을 넣어 두던 상자'를 의미한다.

13 (가)에는 현실 도피적 태도가 나타나지 않는다. [C]는 절망적인 상황을 나타내는 부분이다.

14 (가)는 '칼날'과 '무지개' (나)는 '낙락장송'의 푸른 색과 '백석'의 흰색을 대비하여 주제 의식을 부각시키고 있다.

(1) 문법 요소와 언어 예절

확인학습 P.152

01 × 02 × 03 ○ 04 ○ 05 ○ 06 × 07 ○ 08 ○
09 × 10 ○ 11 ○
12 '선생님, 저희 어머니께서 도시락을 안챙겨주셨어요.' '께서', '주셨어-'에서 주체높임법, '저희'와 '-요'에서 상대 높임법

확인학습 P.155

01 ○ 02 × 03 ○ 04 ○ 05 어미, 시간 부사 06 × 07 ×
08 ○ 09 ○ 10 진행상, 완료상 11 ○ 12 ×

확인학습 P.155

01 ○ 02 × 03 ○ 04 ○ 05 어미, 시간 부사 06 × 07 ×
08 ○ 09 ○ 10 진행상, 완료상 11 ○ 12 ×

확인학습 P.159

01 × 02 ○ 03 ×

객관식 기본문제 P.160~172

01 ③	02 ③	03 ⑤	04 ④
05 ④	06 ③	07 ③	08 ③
09 ③	10 ①	11 ④	12 ⑤
13 ③	14 ④	15 ⑤	16 ③
17 ②	18 ④	19 ③	20 ④
21 ⑤	22 ④	23 ⑤	24 ③
25 ②	26 ②	27 ①	28 ④
29 ②	30 ④	31 ④	32 ②
33 ⑤	34 ⑤	35 ⑤	

01 어머니의 생각은 간접 높임의 대상이다. 간접 높임은 선어말 어미 '-(으)시-'를 통해서만 가능하다. '계시다'라는 특수 어휘를 사용할 수 없다.

02 문장의 주체, 즉 주어 '선생님'을 높이고 듣는 이, 청자 '채영'이는 낮추고 있다.

03 '공부 열심히 하렴'은 대화 상대를 낮춰서 표현하는 것이고 주어 '엄마는'은 객체가 아닌 주체이다.

04 활용할 때 변하지 않는 부분은 어간이다. ㉢의 어근은 '가-', 어간은 '가시었-'이다.

05 '께서'는 주체 높임의 조사이다.

06 '드리시다'는 문장의 주체와 객체를 높이고 있다. 선물을 주는 사람은 주체와 객체가 아니라 청자이므로 적절하지 않다.

07 선어말 어미 '많으신', 조사 '께서', 주체 높임의 용언 '잡수다' 간접높임 '연세'가 사용되고 있다.

08 객체 높임의 목적격 조사는 없다.

09 '오다'에 주체 높임의 선어말 어미 '-시'가 사용되고 있고 'ㅂ니다'를 통해 상대를 높이고 있다.

10 '오시래'는 영수를 높여주므로 '오라셔'로 고치는 것이 맞고, 교장 선생님의 '말씀'은 간접높임의 대상이므로 특수 어휘 '계시다'를 통해서 높이면 안되므로 '있으시다'로 고치는 것이 적절하다.

11 객체높임의 용언 '드리다'가 사용되고 '따님'이라는 간접 높임의 어휘가 사용되고 있다.

12 앉는 행위 자체는 이미 끝난 것으로 완료상이 맞다.

13 '-으(ㄴ)'은 선어말 어미가 아니라 관형사형 어미이다.

14 (가)는 '-고 있다'를 통해 진행상을, (나)는 '-어 버리다'를 통해 완료상을 나타내고 있다.

15 '줘 버렸고'에 사용된 '-어 버리다'는 완료상을 나타낸다.

16 '그려 간다'는 행위가 아직 진행 중이므로 진행상이다.

17 과거시간 부사어 '어제', 선어말 어미 '-았-'을 통해 과거시제를 나타내고 있다.

18 학교에 지원하겠다는 의지를 드러내고 있으므로 ④번이 제일 적절하다.

19 '이번 여름은 날씨가 정말 더웠다'는 과거 시제이다. ③번도 과거시제이다.

20 '낫고 있다', '나아 가다' 모두 진행상을 나타낸다.

21 식당 개업은 미래의 일이므로 사건시가 발화시보다 나중인 미래 시제가 적절하다.

22 형용사의 경우 과거시제를 나타내는 관형사형 어미는 '-던'이 사용된다.

23 진행상의 경우 '-고 있다'를 주로 사용하고 완료상의 경우 '-아/어 있다'를 주로 사용한다.

24 ③의 '울리지'는 피동이 아닌 사동 표현이다.

25 ㉠은 '팔다'의 피동 표현 '팔리다', ㉢은 '잊다'의 피동 표현 '잊히다'가 사용되고 있다.

26 '믿겨지지'는 '믿다'에 피동 접사 '-기', 피동문을 만드는 어미 '-어지다'가 함께 쓰인 이중 피동표현으로 '믿어지지' 혹은 '믿기지'로 고치는 것이 적절하다.

27 '놀렸다'는 기본형이 '놀리다'로 남을 욕보이는 행위를 뜻한다. 어간 자체에 '리'가 포함된 단어이므로 피동 접미사 '리'가 쓰였다고 볼 수 없다.

28 '지었다'라는 서술어의 주체가 홍길동전이 아닌 허균이므로 허균이 주어이다.

29 태풍이 행위의 주체가 되어야 한다.

30 직접인용에는 큰따옴표의 문장에 '라고'가 결합하고 간접인용문엔 '고'가 결합한다.

31 오빠가 있는 현재 위치를 나타내므로 여기를 거기로 바꿀 필요는 없다.

32 뿐이라고, 사랑한다고(간접인용), "나갔어"라고 "넓구나"라고 (직접인용)

33 '내가 발표를 맡겠다고'가 아니라 '자기가 발표를 맡겠다고'로 바꿔주는 것이 적절하다.

34 의지의 의미가 아니라 추측의 의미이다.

35 부탁을 할 때에는 완곡하고 차분하게 말하는 것이 좋다. 명령형과 같은 직접적 표현은 지양해야한다.

객관식 심화문제 P.173~195

01 ②	02 ①	03 ②	04 ①
05 ①	06 ②	07 ①	08 ③
09 ②	10 ④	11 ②	12 ④
13 ④	14 ②	15 ①	16 ③
17 ⑤	18 ⑤	19 ③	20 ①
21 ②	22 ③	23 ⑤	24 ①
25 ①	26 ④	27 ⑤	28 ④
29 ①	30 ③	31 ①	32 ⑤
33 ①	34 ④	35 ②	36 ③
37 ③	38 ②	39 ④	40 ③
41 ⑤	42 ③	43 ④	44 ③
45 ④	46 ④	47 ①	48 ⑤

01 인용절 속의 어미, 인용 조사, 대명사, 지시 표현, 높임 표현 등에 변화를 주의하며 문맥상 매끄러울 수 있는 답은 ②이다.

02 ㉡은 주격조사 '이'를 '께서'로 바꿔야 한다. ㉢은 '할아버지께서는'이 옳다. ㉣은 사동 오류가 아닌 이중 피동의 오류이다. ㉤은 시제 오류가 아니라 인용표현의 오류이다.

03 ②의 '들었다'는 피동표현이 아니다.

04 ㉠의 '께서'는 주체를 높이는 조사가 맞지만 ㉡의 '께'는 객체를 높이는 표현이다.

05 '아버지께서는'에서의 '께서'는 주체 높임이고 할아버지를 '뵙고'에서 객체 높임 표현도 알 수 있다.

06 〈보기2〉의 '-겠-'은 가능성이나 능력의 의미로 쓰이므로 ②가 가장 적절하다. ① 추측, ③ 추측, ④ 의지, ⑤ 완곡하게 말하는 태도.

07 '께'는 객체 높임이다.

08 '나는 어머니께 꽃다발을 드렸다.'가 옳은 높임 표현이다.

09 '헐리어졌다'는 '헐리었다', 혹은 '헐어졌다'로 고쳐 써야 한다.

10 '모시고' → 객체 '잡수실-' → 주체 '여쭙거라' → 객체

11 주체높임법이 아닌 상대높임법을 쓰면 되는 경우이다. '감기실게요'는 '-시-'의 남용이므로 '감기겠습니다.'의 종결어미를 씀으로서 청자인 손님을 높이는 상대높임법을 쓰는 것이 적절하다.

12 간접높임 표현에서는 특수어휘 ('계시다')가 사용될 수 없으므로 '있으시다'로 바꿔야 한다.

13 올바른 직접 인용을 사용하였다. ① 참가되었어 → 참가했어. ② 실패하였지만 → 실패하겠지만 ③ 말해 주었어 → 말씀해 주셨어. ⑤ 발표문이므로 공적인 자리에서 사용할 상대 높임법의 종결어미들을 사용해야 한다.

14 '주무신다'는 주무시(어간) + 다(종결어미)이다. '주무시'의 '시'는 선어말 어미가 아니다.

15 ㉠은 사건시와 발화시가 일치하는 현재 시제이다.

16 고객의 신분증이므로 간접 높임의 대상이 될 수 있으나 간접 높임에는 특수어휘의 사용은 적절하지 않다.

17 〈보기1〉의 참가하였지만 (능동) → 〈보기2〉의 참가하게 되었지만 (피동)

18 시제는 둘 다 현재 시제이다. '아름답고 있다'는 문맥상 어색하므로 '아름답다'로 고쳐 쓴다.

19 '예쁘던'의 품사는 형용사이며 '초등학생이던'의 '이던'은 서술격 조사 '이다'이다.

20 '드렸다'는 객체를 높이기 위해 사용된 것이다.

21 객체인 할머니를 '모시고'의 특수어휘로 높이고 '-습니다'의 종결어미를 써서 상대도 높이고 있다

22 ③번만 가능성이나 능력을 의미하고 나머지 보기는 완곡하게 말하는 태도를 의미한다.

23 ㉠에는 발화시와 사건시 간의 시간 차이가 존재하지만 ㉡은 발화시와 사건시가 일치하여 시간 차이가 존재하지 않는다.

24 ② 불필요한 피동표현이므로 '마무리되길'이 적절하다. ③ 직접 인용이므로 '라고'를 붙여 준다. ④ 주체인 할아버지를 높여야 하므로 '말씀해 주셨어'가 적절하다. ⑤ '만들어지려면'을 '만들려면'으로 불필요한 피동표현을 줄인다.

25 '어제'라는 시간 부사를 통해 시제가 과거 시제임을 알 수 있다.

26 ① 오는 동작의 주체는 이 문장에서 객체인 선희이다. ② '께'와 '드리다'는 객체 높임의 표현이다. ③ '있다'의 특수어휘는 '계시다'이다. ⑤ 공적인 자리에서는 -해요체 보다는 -하십시오체가 적절하다.

27 가. 간접 높임(교수님의 책) 나. 객체 높임(객체인 할머니를 높이는 '모시고') 다. 간접 높임(교장 선생님의 말씀) 라. 객체 높임(객체인 선생님을 높이는 '뵈어야겠다') 마. 주체 높임(주체인 아버지를 높이는 특수어휘 '드신다')

28 높임의 대상은 '사장님'이고 문장의 객체여서 부사격조사 '께'를 사용하였고 특수어휘 '여쭈다'를 이용한다.

29 시간을 언어적으로 표현한 것이다.

30 미래에 일어날 말을 추측하는 데 쓰이고 있다.

31 진행상은 -고 있다. '-아/-어 있다'를 쓴다. '-어 버리다'는 완료상이다.

32 '만났다'에는 피동 접미사가 결합될 수 없다.

33 ㉠과 ㉡ 모두 상대높임의 종결표현이 사용되고 있다.

34 형용사의 경우 과거 시제를 표현하기 위한 관형사형 어미로 '-던'을 쓴다.

35 간접인용은 형식은 변형할 수 있지만 내용을 변형하는 것은 아니다.

36 '늦어도 어제는 고향에 소포가 도착했겠다'는 '능력'의 의미가 아니라 '추측'의 의미이다.

37 ③은 '-어 버리다'를 사용한 완료상이다. ①, ②, ④, ⑤는 모두 진행상이다.

38 객체 높임의 동사 '뵈다'가 사용되고 높임의 명사 '큰댁'이 사용되고 있다.

39 '물어 보았다' 또한 '여쭈어 보았다'로 고치는 것이 적절하다.

40 ㄱ에서는 피동표현이 사용되고 있지 않고, ㄴ은 체언에 접사 '-되다'가 붙어 피동표현이 사용되고 있고, ㄷ은 '밝히다'에 '-어지다'가 결합하여 피동의 의미를 나타낸다. ㄹ은 '쓰다'에 피동 접미사 '-이-'와 '-어지다'가 동시에 붙은 잘못된 이중피동 표현이다.

41 선어말 어미 '-았-'이 사용되고 있는 것은 맞지만 과거 시제가 아니라 미래 추측의 의미를 나타내고 있다.

42 사건시가 발화시보다 먼저인 것은 과거시제이고 사건시보다 발화시가 먼저인 것은 미래시제이다. '나는 다급하게 초인종을 눌렀다'는 선어말 어미 '-었-'을 통해 과거시제를 나타내고, '네가 떠날 곳으로 곧 따라갈게'는 관형사형 어미 '-ㄹ'을 통해 미래시제를 나타내고 있다.

43 '잊혀진'은 '잊다'에 피동 접미사 '-히-'와 어미 '-어지다'가 동시에 사용된 이중 피동으로 올바르지 않은 표현이다. 둘 중에 하나만 사용하는 것이 올바른 피동 표현이다.

44 객체높임의 특수 어휘 '드리다'와 주체 높임의 선어말 어미 '-시-'가 사용되고 있다.

45 '속이다'는 '속다'에 사동접미사 '-이-'가 붙은 것이다. 피동의 의미는 찾을 수 없다.

46 주체높임의 조사 '께서', 객체높임의 특수 어휘 '모시다'가 사용되고 있다.

47 '께'라는 객체높임의 조사가 사용되고 있지만 특수어휘는 사용되고 있지 않다.

48 '-더-'를 통해 주체의 과거 회상의 의미를 나타내고 있다.

서술형 심화문제

P.196~211

01 (1) 국어 책은 다른 책보다 잘 읽힌다. 이중 피동이 쓰였다.
(2) 누군가 어둠 속에서 "철수가 바로 범인이다"라고 소리쳤다. 인용격 조사가 적절하지 않다.

02 (1) 그는 은퇴 후에도 여전히 바쁘다. 형용사는 동작상으로 쓸 수 없다.
(2) 이 제품이 요즘 제일 잘 나가는 색상이에요. 높임 표현이 잘못 쓰였다.

03 철수는 선생님께 "영희가 아픕니다"라고 말씀드렸습니다.

04 저는 → 나는, 않다라고 → 않다고, 쓰여질 → 쓰일, 받을 → 받으신, 잊혀지지 → 잊히지

05 (1) 참가하였습니다-잘못된 피동표현이므로 수정해야 한다.
(2) 어머니께서는-주격 조사로 주체 높임을 나타내야 한다.
(3) 실패하겠지만-미래 시제로 수정해야 한다.

06 ㉠ 생일을 축하한다. ㉡ 생일을 축하해요 ㉢ 생일을 축하해
㉣ 지금 사귀는 사람이 있으세요? ㉤ 지금 사귀는 사람이 있니?

07 (1) 상대 높임, 추억을 더듬으러 왔습니다.
(2) 객체 높임, 오래 뵙지 못했더니 (3) 주체 높임, 흰머리가 더 많아지셨군요.

08 ⓐ주체 높임, ⓑ-시-

09 ㉡-겠- ㉢-ㄹ 것

10 지나는데도 → 지났는데도, 없게 돼 → 없어 어떡하느냐라고 → 어떡하냐고, 걱정을 하지 → 걱정을 하시지, 힘들 것 같아 → 힘든 것 같아

11 〈보기1〉에서 1, 2에 제시된 문장이 잘못된 이유는 이중 피동 때문이다. 비로 인해 파인 땅을 복구한다. 나는 아직도 그녀가 잊어지지 않는다.

12 선생님께서 나에게 당신과 함께 해서 정말 기쁘지 않냐고 물어보신다.

13 ㉠ 주문하신 음료 나왔습니다. ㉡ 손님, 가격은 모두 만 이천원 되겠습니다.
㉢ 그녀의 눈은 언제나 초롱초롱하고 아름답다.

14 ㄱ.할아버지께서는 일찍 주무시고 일찍 일어나신다.
ㄴ.만수는 할머니를 산본역까지 모셔다 드렸다.
ㄷ.나는 선생님께 모르는 문제를 여쭤보러 갔다.

15 ㉠나는→ ㉡저는, ㉢나에게→ ㉣제게,
㉤말씀해 주었습니다→㉥말씀해 주셨습니다,
㉦실패하였지만→㉧실패하겠지만,
㉨어머니께서는 "실패란 ~ "라고 말씀해 주었습니다.→ ㉨어머니께서는 실패란 하나의 사건일 뿐이라고 말씀해 주셨습니다.

16 저는 당신께서 빌려주신 물건을 돌려드리겠다고 말씀드렸습니다.

17 ㉠ 용준아 선생님께서 너를 데리고 오라셔
㉡ 창문이 닫히지 않아 찬바람이 들어온다.

18 (1) 문장의 주체인 주어를 높이는 높임법, 할머니께서 책을 읽고 있으시다(계시다).
(2) 문장의 객체인 목적어나 부사어를 높이는 높임법, 나는 아버지께 추석 선물을 드렸다.

19 (1) 잘못된 높임 표현: 이 제품의 95 사이즈는 하나 남았습니다.
(2) 이중피동: 세계 각국이 '잊힐 권리'를 법적으로 보장하려고 한다.

20 (1) ㉠은 높임 대상인 '아버지'를 직접 높이는 문장이고, ㉡은 아버지의 신체 일부를 간접적으로 높이는 문장이기 때문이다.
(2) ㉢<㉡<㉣<㉠, 격식 해라체, 격식 하게체, 격식 하오체, 격식 하십시오체

21 (1) ㉠은 단순히 연우가 어제 책상을 닦은 사실만 전달하는 반면 ㉡은 화자의 연우가 책상을 닦은 사실을 전달하는 동시에 연우가 그 사실을 화자가 직접 경험하여 알게 되었음을 드러낸다.
(2) 관형사형 어미 '-은', 선어말 어미 '-었-'이다.

22 언어 예절을 지키며 대화하기 위해서는 대화 상황과 대화를 고려해야 하며, 언어 예절을 잘 지켜야 하는 이유는 다른 사람과 원활하게 의사소통을 하고 원만한 인간관계를 유지할 수 있게 하기 때문이다.

23 (1) 세상이 눈에 덮였다.
(2) 나는 이웃이 어려울 때 서로 돕는 것이 옳은 일이라고 생각한다.

24 (1) 그는 나에게 내가 참 착하다고 말했다. (2) 매끄럽고 간결한 느낌을 준다.

25 아버지께서는 책을 읽으셨고, 저는 그 옆에서 일기를 썼어요.

26 ㉠ 그의 마지막 득점이 경기의 승부를 뒤집었다.
㉡ 처음 바다를 본 그녀는 바다가 정말 넓다고 혼잣말을 했다.

27 (1) +, +, +
(2) 주체 높임: 할머니께서(주격 조사 '께서')), 오셨는지(선어말 어미 '-시-'), 객체 높임: 아버지께(부사격 조사 '께'), 여쭈어(특수 어휘), 상대 높임: 보아라(종결어미 '-아라'로 해라체를 사용)

28 (A)지나친 높임- 이 제품은 반응이 아주 좋아요
(B)형용사는 동작상과 결합할 수 없다- 그는 은퇴 후에도 여전히 바쁘다

29 (1) ㉠- ㉢, ㉣ / ㉡- ⓐ, ⓑ
(2) ㉠의 '내일'이라는 부사어, 선어말 어미 '-겠-'을 통해 미래 시제를 나타내며, '앉아 있겠다'의 보조 용언 '-아 있다'는 완료상을 나타낸다. ㉡의 관형사형 어미 '-던'과 '-은'은 과거 시제를, 시제 표시가 없는 서술격 조사'-이다'는 현재 시제를 나타낸다.

30 (1) ㉠ 할아버지께서는 매일 이 시간이면 낮잠을 주무신다. ㉡ 나는 어머니께 아버지께서 안방에 있으신지(계신지) 여쭤 보았다.
(2) 주격 조사와 특수 어휘로 주체 높임을 나타내야 한다. 주격 조사와 부사격 조사, 특수 어휘, 주체 높임 선어말 어미로 주체와 객체 높임을 나타내야 한다.
31 (1) 아들이 어제 저에게 오늘 집에 있으라고 말했습니다
(2)오빠는 어제 자신의 휴대 전화에 메시지를 꼭 보내라고 나에게 말했다.
32 참가되었어→ 참가하였어(참가했어), 무엇이 배워졌는지가→ 무엇을 배웠는지가
33 (1) 혜영이는 아까 도서관에 갔어–시제의 일치의 오류
(2) 할아버지께서는 매일 이 시간이면 낮잠을 주무셔– 잘못된 높임 표현
(3) 창문이 닫히지 않아 찬바람이 들어온다–이중피동
(4) 사육장 관계자는 시설의 개선이 필요하다고 말했습니다– 올바르지 않은 인용격 조사의 사용
34 선생님께서 동생에게 선물을 주실 것이다.
35 (1) 다른 데서 들은 말이나 읽은 글을 인용할 때 그 형식은 유지하지 않고 내용만 인용하는 방식
(2) 어제 할아버지께서 오늘 진지를 사서 할아버지께 오라고 말씀하셨다.
36 ⓐ–시간이 너무 촉박하다.
ⓑ–이 구간은 그냥 빨리 넘어가자.
ⓒ–이곳은 위험하니 저쪽으로 비켜라.
ⓓ–그토록 찾던 물건을 드디어 구했구나.
37 주체 높임(어머니가, 가나요)과 객체 높임(데리고)이 올바르게 쓰이지 않았다. 어머니께서 할머니를 모시고 병원에 가시나요?
38 담겨져→담기어(담겨), 짜여지면서→ 짜이면서, 생각되어진다→ 생각된다
39 큰따옴표가 사라진다. 조사 '라고'가 '고'로 바뀐다. '–입니까'가 '–냐'로 바뀐다. 높임법이 바뀐다. 지시 대명사가 '그쪽'에서 '이쪽'으로 바뀐다.
40 할아버지께서는 걱정거리가 있으시다. 높임의 선어말 어미 '–시–'를 활용하여 할아버지의 생각인 '걱정거리'를 높여 주체를 간접적으로 높였다.

(2) 매체와 국어 사랑

확인학습 P.214

01 ○ 02 × 03 ○ 04 ○ 05 ○

02 '애써 발굴한'이라는 부제 중 '애써'라는 부사어에 주목하여 힘들게 발굴한 순화어들이 국민들로부터 외면받는 현실을 안타까워하는 기자의 관점을 엿볼 수 있다. 하지만 해당 구절을 통해 기사에 순화어를 선정하는 과정에 지나치게 많은 비용과 노력이 들어가는 것을 비판하는 내용이 담겨 있을 것이라고 예상하는 것은 그 근거가 부족하다.

객관식 기본문제 P.215~218

01 ④	02 ④	03 ②	04 ②

01 순화어 선정 과정을 구체적으로 제시한 부분은 없다.
02 윗글은 서론–본론–결론의 단계로 쓰이지 않았다.
03 독자들에게 익숙하지 않은 순화어를 제시하여 기사에서 다루고 있는 순화어 사장의 위기를 독자들에게 환기하기 위해서 사용하였다.
04 표준국어대사전에 실려있는 단어는 이미 우리 사회에서 사용되는 단어인데 굳이 바꾼 것이다.

객관식 심화문제 P.219~222

01 ②	02 ⑤	03 ④	04 ③
05 ④	06 ①	07 ③	08 ③

01 글쓴이가 직접 해결방안을 제시한 부분은 나와있지 않다.
02 "외래어가 쏟아져 들어오는 만큼 그냥 사용할 말과 순화할 말을 고르는 기준에 대해 먼저 사회적 합의를 해야 한다"에서 선정 방식과 "순화어를 언론 매체 등에서만 홍보할 것이 아니라 정규 교육과정을 통해 소개하는 방법도 검토해 봐야 한다"에서 홍보 방법의 문제점을 지적하고 해결 방안을 제시하고 있음을 확인할 수 있다.
03 본문에 나오지 않은 순화어를 추가적으로 제공하고 있다.
04 순화어 선정의 구체적인 절차와 조건은 윗글에서 다루고 있지 않다.
05 ⓐ:포장구매 · 포장판매, ⓑ:멋글씨 또는 멋글씨예술, ⓒ:앞선 사용자, ⓔ:공인자격
06 시작 자료를 사용한 것은 맞지만 기사의 내용을 압축적으로 제시하고 있지 않다.
07 손누리틀과 똑똑전화와 같은 순화어가 있음에도 사장 위기인 상황을 표현하기에 적절한 속담은 ③이다.
08 북한의 언어가 우리에서 익숙하지 않음을 빗대어서 표현한 것이다.

서술형 심화문제 P.223~224

01 1차적인 원인이 언어 사용자에게 있다는 의도가 담겨 있다. / 순화할 말을 고르는 기준에 대한 사회적 합의를 하고, 순화어를 정규 교육과정을 통해 소개한다.
02 청취자의 관심을 유발한다. 잘못된 표현에 대한 정보를 전달한다.

단원 종합평가 P.225~230

01 ①	02 ⑤	03 ⑤	04 ④
05 ①	06 ④	07 ③	08 ②
09 ④	10 ③	11 ②	

01 '어머니께서'에서 조사 '–께서', '오셨다'에서 선어말 어미 '–시–'를 사용하여 주체 높임법이 쓰였고, '뵈러'라는 특수어휘를 사용하여 객체 높임법이 실현되었다.
02 '할머니께'에서 '–께'를 사용하여 객체를 높이고 있고, '했습니다.'에서 상대 높임이 실현되고 있다.

03 ①~④번은 현재 시제이고, ⑤은 과거 시제이다.

04 '버려진'은 '버리다'에 '–어지다'가 결합되어 쓰인 표현이다.

05 '보여졌다'에서 이중피동이 쓰였다. '보였다'로 고치면 적절하다.

06 능동문으로 바꾸면 '나뭇가지가 입고 있던 스웨터를 걸었다.'로 바꿔야 하는데 의미가 어색해진다.

07 직접 인용문에서 쓰인 주체 높임 표현인 '계세요'가 간접 인용문에선 쓰이지 않았다.

08 상대방의 기분을 상하지 않게 사과해야 하는데 그러지 않고 있다.

09 국립국어원에 대한 부정적 인식을 드러내는 것이 아니다. 국립국어원에서 선정한 순화어가 외면 받고 있는 상황의 기사문이다.

10 국민의 83%가 순화어 사용에는 찬성하는 의식을 가지고 있다는 것을 강조함으로써 국민들의 의식과 실천의 불일치를 지적하고자 하는 의도가 담긴 표현으로 볼 수 있고, 국민들 대다수가 순화어 사용에 긍정적 인식을 가지고 있으나 이것이 실제로 사용되지 않는 까닭으로 국립국어원의 순화어 선정이 문제가 있음을 지적하는 표현으로도 볼 수 있다.

11 (라)는 익숙하지 않은 순화어에 관한 정보를 추가적으로 정리하여 제공함으로써 여태껏 선정된 순화어를 한눈에 알아볼 수 있도록 한 것이므로 ㄹ은 적절하지 않다.

MEMO

고등 국어

HIGH SCHOOL

실전기출 문제은행